हिन्दी के आंचलिक उपन्यासों में मूल्य-संक्रमण

हिन्दी के आंचलिक उपन्यासों में मूल्य-संक्रमण

डॉ. वेदप्रकाश अमिताभ

वाणी प्रकाशन

वाणी प्रकाशन का 'लोगो'
विख्यात चित्रकार मक़बूल फ़िदा हुसेन की
कूची से

ISBN : 81-7055-533-7

वाणी प्रकाशन
21-ए, दरियागंज, नयी दिल्ली-110002
द्वारा प्रकाशित

फोन : 0091#11#23273167, 23275710
फैक्स : 0091#11#23275710
ई-मेल : vaniprakashan@gmail.com
vani_prakashan@yahoo.com
वेबसाइट : www.vaniprakashan.com

प्रथम संस्करण : 1997
द्वितीय संस्करण : 2009

मूल्य : 250.00

जयभारत प्रिंटिंग प्रेस, शाहदरा, दिल्ली-110032
द्वारा मुद्रित

HINDI KE AANCHALIK UPANYASON
MEIN MULYA-SANKRAMAN
by Dr. Vedprakash Amitabh

जीवन संगिनी 'रंजना' को

अनुक्रम

अपनी बात

आंचलिक उपन्यासों को लेकर कई स्तरीय शोध प्रबंध और समीक्षा-ग्रंथ सामने आ चुके हैं। यह कृति भी आंचलिक उपन्यासों के मर्म तक पहुँचने और विशेषतः उनके मूल्यबोध को जाँचने का एक वस्तुनिष्ठ प्रयास है। बिना किसी पूर्वग्रह के हिंदी के आंचलिक उपन्यासों की वैचारिक शक्ति-सीमा की यह परख कितनी सार्थक है, इसका निर्णय हिंदी उपन्यास के अध्येता और सुधी समीक्षक ही कर सकते हैं। मैं सिर्फ इतना कह सकता हूँ कि इस कार्य को पूरा करके मुझे सुख मिला है।

इस कृति के लेखन की प्रेरणा डॉ. शांतिस्वरूप गुप्त (पूर्वकुलपति, आगरा विश्वविद्यालय) ने दी थी और मेरा सौभाग्य है कि मुझे कई वरिष्ठ कथाकारों और कथा-समीक्षकों का आशीर्वाद और सहयोग इस संदर्भ में बराबर मिला है। डॉ. राकेश गुप्त, यादवेन्द्र शर्मा चंद्र, डॉ. रामदरश मिश्र, डॉ. विवेकीराय, डॉ. त्रिभुवनसिंह, डॉ. मृत्युंजय उपाध्याय, डॉ. चंद्रेश्वर कर्ण, डॉ. गोपाल राय, डॉ. कुंदनलाल उप्रेती, डॉ. राजेन्द्र गढ़वालिया, डॉ. प्रेमकुमार और डॉ. अजयकुमार चतुर्वेदी के निर्देशों और उपालंभों ने इस प्रबंध की दिशा और स्वरूप को सुनिश्चित किया है। मैं इन सबके प्रति हृदय से आभारी हूँ। मूल्यों से संबंधित इस कार्य के समापन में मेरे परिवार ने भी बहुत कुछ मूल्य चुकाया है। अतः डॉ. रंजना शर्मा (पत्नी) और राजीव-अरविन्द-मनीषा का इस अवसर पर स्मरण स्वाभाविक है। विश्वविद्यालय अनुदान आयोग से प्राप्त अनुदान-राशि ने मेरी कई समस्याएँ हल की हैं। अतः मैं संबंधित अधिकारियों के प्रति कृतज्ञता ज्ञापित करता हूँ। भाई अरुण माहेश्वरी के सत्प्रयास से इसे प्रकाशित होने का सुयोग मिला है, मैं उनका भी आभारी हूँ।

यदि इस कृति से आंचलिक उपन्यासों के अनुसंधान और समीक्षा में कुछ नया जुड़ सका तो मेरा श्रम सार्थक होगा।

वेदप्रकाश अमिताभ

विषय प्रवेश

'आंचलिकता' केवल हिंदी उपन्यास की नहीं, समूचे भारतीय साहित्य की उल्लेखनीय प्रवृत्ति है। यह प्रवृत्ति जहाँ विदेशी साहित्य से प्रेरित और पोषित है, वहीं स्वातंत्र्योत्तर भारत के बदले हुए परिवेश का दबाव भी इसके उदय के मूल में है। मारिया एजवर्द, हार्डी तथा बहुत से रूसी उपन्यासकारों की कृतियों ने भारतीय उपन्यासों में 'आंचलिकता' की प्रवृत्ति के पल्लवन में महत्त्वपूर्ण योग दिया है।[1] आंचलिकता की प्रवृत्ति के पीछे सांस्कृतिक पुनरुद्धार की विश्वव्यापी मानसिकता सक्रिय है। "जिस प्रकार हार्डी में इंगलैंड का वेसेक्स अंचल, फाकनर में अमेरिका के दक्षिणी अंचल अपने समस्त रसगंधों के साथ उभरते हैं, उसी प्रकार रेणु में पूर्णिया अंचल, गणेश नारायण दाण्डेकर (मराठी) में बराड़ अंचल, सतिनाथ भादुड़ी में बंग-अंचल और झबेर चन्द्र मेघाणी (गुजराती) में सौराष्ट्र अंचल उजागर हो जाते हैं। यूरोप सहित विश्व और भारत के बीच आंचलिक साहित्य के निर्माणारंभ के बीच यद्यपि पूरी एक शताब्दी का अंतराल है तथापि आश्चर्यजनक रूप से सर्वत्र प्रवृत्तियों की एकरूपता पाते हैं।"[2] कतिपय आलोचकों ने 'आंचलिकता' के उदय के पीछे जनपदीय आंदोलन, बंगाली साहित्य के कल्लोल आंदोलन और प्रगतिशील लेखक संघ की स्थापना आदि आंतरिक कारणों की चर्चा की है। 'जनपदीय आंदोलन' का प्रस्ताव बनारसीदास चतुर्वेदी ने किया था और 'प्रगतिशील लेखक' संघ का समर्थन उसे प्राप्त था। प्रगतिशील लेखक संघ की स्थापना (1936 ई.) से पूर्व बंगाल में कल्लोल आंदोलन (1923 ई.) अस्तित्व में आ चुका था। "कल्लोल के माध्यम से कुछ विद्रोही बंगाली लेखक टैगोर के अंतर्राष्ट्रीय एवं विश्वमानव के विरुद्ध ऐसे मानव की प्रतिष्ठा करने का यत्न कर रहे थे, जिसे वे अपने भौगोलिक एवं समसामयिक सांस्कृतिक संदर्भ में पहचान सकें।"[3] हो सकता है, हिंदी उपन्यास-लेखकों को कल्लोल आंदोलन से अनजान और पिछड़े अंचलों की ओर मुड़ने की प्रेरणा

मिली है। लेकिन अधिक संभावना यह है कि स्वाधीनता के बाद भी गाँवों की स्थिति जस की तस रह जाने से संवेदनशील कथाकारों को क्षुब्ध और आहत किया होगा जैसा कि प्रभाकर माचवे ने लिखा है, "भारतीय जनमानस में गाँव के प्रति एक विशिष्ट प्रकार का भाव हे। यह भाव हार्डी के गाँव के दुखड़े का नियतिवाद नहीं है।"[4] जनतांत्रिक आकांक्षाओं और कुरूप वास्तविकताओं के द्वंद्व ने उपन्यासकारों को न केवल उद्वेलित किया है, अपितु उनके मूल्यबोध के निर्माण में गंभीर भूमिका निभाई है। मनोवैज्ञानिक उपन्यासों की एकांगिता और कथित प्रगतिवादी कथाकृतियों की वैचारिक और शैल्पिक सपाटता ने भी कुछ उपन्यासकारों को कथ्य और शिल्प की नई भंगिमाओं के तलाश की उत्तेजना दी है। यह गौरतलब है कि अधिकतर आंचलिक उपन्यासकार गाँव में जन्मे हैं और उनके पास इन अविकसित अंचलों की अनुभव-संपदा पर्याप्त है। इसलिए आंचलिक उपन्यास एक तरह से जिए हुए और कमाए हुए सत्यों की प्रस्तुति के प्रभावपूर्ण मंच बन गए हैं।

हिंदी में आंचलिक उपन्यासों के प्रादुर्भाव को लेकर पर्याप्त मतभेद है। कुछ आलोचकों के विचार में मन्नन द्विवेदी गजपुरी को इसके प्रवर्तन का श्रेय दिया जाना चाहिए।[5] उनकी कृति 'रामलाल' (1914 ई.) की पृष्ठभूमि ग्रामीण है। मधुकर गंगाधर ने 'बलचनमा' (1952 ई.) को पहला आंचलिक उपन्यास माना है।[6] बहुत से आलोचक 'रेणु' को यह श्रेय देते हैं क्योंकि उन्होंने 'मैला आँचल' की भूमिका में पहली बार 'आंचलिक उपन्यास' लिखने का दावा पेश किया। वस्तुतः 'रामलाल' और 'देहाती दुनिया' (शिवपूजन सहाय) में आंचलिकता की नींव पड़ गई थी। कालांतर में नागार्जुन और रेणु की कृतियों ने 'आंचलिक उपन्यास' की स्वतंत्र सत्ता को स्थापित कर दिया। किसी एक व्यक्ति को इसके प्रादुर्भाव का यश दिया जाना उचित नहीं है। यह निश्चित है कि इन नए उपन्यास-रूप का उदय एक ऐतिहासिक आवश्यकता के रूप में हुआ है। सामाजिक-आर्थिक परिवर्तन की हवा ने इसे पल्लवित और पुष्पित करने में महत्त्वपूर्ण योग दिया है।[7] इस स्थापना से रेणु के महत्त्व की उपेक्षा नहीं होती है, डॉ. मृत्युंजय उपाध्याय का यह अभिमत विचारपूर्ण है कि आंचलिकता और आंचलिक उपन्यासों के विकास और उसे एक निश्चित नाम देने में रेणु का स्थान सर्वोपरि है।[8] रेणु के उपन्यासों से पहले 'बलचनमा' प्रकाशित हो चुका था और इसके माध्यम से नागार्जुन आंचलिक उपन्यास का एक प्रारूप प्रस्तुत कर चुके थे। बकौल रामदरश मिश्र नागार्जुन के उपन्यासों की भूमि अंचल-विशेष है, हालाँकि बाद के आंचलिक उपन्यासों की सी समग्रता, जटिलता और विविधता उनमें नहीं है।[9] रेणु ने आंचलिक उपन्यास का जो मुहावरा विकसित किया है, उसमें परिवेश अधिक मुखर है। इस बात को ध्यान में रखकर डॉ. बच्चन सिंह का विचार है कि केवल 'रेणु' के उपन्यासों को ही आंचलिक माना जाना

चाहिए।[10] लेकिन यह आत्यंतिक विचार है। नागार्जुन, भैरव प्रसाद गुप्त, हिमांशु श्रीवास्तव के उपन्यासों का प्रारूप 'रेणु' के उपन्यासों से अलग है लेकिन उनमें अंचल-विशेष का सामाजिक-आर्थिक-सांस्कृतिक जीवन विविधता के साथ उभरा है। 'आंचलिकता' से आशय, अनुभव की सीमा में आनेवाले अंचल-विशेष के पात्रों, समस्याओं, संस्कृति, प्रगति आदि को अंकित करने की प्रवृत्ति है। यह प्रवृत्ति जितनी रेणु के 'मैला आँचल' और 'परती परिकथा' में है, लगभग उतनी ही 'बलचनमा' और 'सत्ती मैया का चौरा' आदि उपन्यासों में विद्यमान है। अंतर इनमें संरचनागत है। रेणु, राही मासूम रजा, रामदरश मिश्र, विवेकीराय, श्री चंद्र और शिवप्रसाद सिंह के उपन्यासों में एक ऊपरी किस्म का बिखराव दिखाई देता है। लेकिन इस बिखराव की आंतरिक संश्लिष्टता को ठीक से न देख पाने के कारण कतिपय समीक्षकों को यह लगता है कि वस्तु-विन्यास और कथा-सौष्ठव की दृष्टि से ये कमजोर रचनाएँ हैं। डॉ. महेन्द्र भटनागर ने 'मैला आँचल' को सामूहिक प्रभाव में बहुत कमजोर माना है।[11] यदि ऐसी बात होती तो रेणु की कृतियों की इतनी चर्चा न होती, न 'आधा गाँव', 'जल टूटता हुआ', 'अलग-अलग वैतरणी', 'राग दरबारी', 'सोना माटी', 'हजार घोड़ों का सवार' आदि कृतियाँ प्रशंसित और चर्चित होतीं। बल्कि वास्तविकता यह है कि स्वातंत्र्योत्तर हिंदी उपन्यास की अधिकतर उपलब्धियाँ आंचलिक कही जानेवाली कृतियों से जुड़ी हैं और उनमें से ज्यादातर कथित बिखराववाले शिल्प में रचित हैं। दलित जीवन पर लिखी गई अधिकतर औपन्यासिक रचनाएँ 'आंचलिकता' की प्रवृत्ति से युक्त हैं।

'मैला आँचल' के बहाने आंचलिक उपन्यासों की कई सीमाओं की ओर संकेत किया गया है। डॉ. त्रिभुवन सिंह ने 'मैला आँचल' के संदर्भ में लिखा है–"गाँवों में जो कुछ है, घृणित ही नहीं है, उसमें अच्छाइयाँ भी हैं, जिसकी ओर लेखक ने बहुत कम ध्यान दिया है। उसकी दृष्टि घिनौने प्रसंगों की ओर ही अधिक रही है...।"[12] वस्तुतः सभी आंचलिक उपन्यासों में 'शूल' के साथ 'फूल' भी विद्यमान हैं। अभाव, वैमनस्य, टुच्चापन ये सब आज के पिछड़े अंचलों की वास्तविकताएँ हैं, इनकी तुलना में सकारात्मक मूल्य ढूँढ़ने से मिलते हैं। इस सत्य का अनुसंधान कम महत्त्वपूर्ण नहीं होगा कि क्या 'मैला आँचल' आदि उपन्यासों में पिछड़े अंचलों के केवल 'घृणित' पक्ष को ही उद्घाटित किया गया है, या जीवन का शुभ पक्ष भी उभरा है ? कुछ अन्य आलोचकों के विचार में, असुंदरता और असंगतियों के चित्रण की व्यापकता के बावजूद आंचलिक उपन्यासों में 'मानवीय संवेदना' की छवि की उपस्थिति आश्वस्त करती है। डॉ. रामदरश मिश्र के शब्दों में–"पिछड़े हुए इलाकों को उपन्यास का क्षेत्र बनाकर उपन्यासकार उपेक्षित जीवन के प्रश्नों, आकांक्षाओं तथा गरीबी और अशिक्षाजन्य विषमता एवं असुंदरता का अंकन होता है और इन सबके बीच भी मानवीय संवेदना की छवि को अंकित कर उधर हमारा

ध्यान आकृष्ट करता है। इस प्रकार वह हमारे सौंदर्यबोध और संवेदना का विस्तार करता है। अनदेखी, जीवन-छवियाँ हमारे सामने उजागर हो उठती हैं।"[13] नवें दशक में प्रकाशित 'सोना माटी' (विवेकीराय) में बहुत से पृष्ठ विवाह संबंधी लोकाचारों के उल्लास को समर्पित हैं। 'जिंदगी नामा' (कृष्णा सोबती) के पहले खंड को पढ़कर भी यह नहीं कहा जा सकता है कि आंचलिक उपन्यासों में आया परिवेश और जीवन एकआयामी है।

आंचलिक उपन्यास के संबंध में यह लगभग सर्वसम्मत है कि इसमें 'क्षेत्रविशेष' का जीवन-सत्य उद्‌घाटित होता है। कुछ आलोचकों का विचार है कि यह क्षेत्र-विशेष या अंचल-विशेष गाँव भी हो सकता है, शहर भी हो सकता है।[14] लेकिन हिंदी के आंचलिक उपन्यासों को देखते हुए यह कहा जा सकता है कि 'आंचलिकता' का संबंध पिछड़े हुए ग्रामीण जीवन से ही है। नगर और कस्बे के जीवन पर आधारित बहुत से उपन्यास ऐसे मिल जाएँगे जिनमें चरित्रों की अपेक्षा आधारभूत अचंल कहीं अधिक मुखर होता है। ऐसी स्थिति में अधिकतर उपन्यास 'आंचलिक' मान लिए जाएँगे। डॉ. ज्ञानचंद गुप्त का यह कथन, इस संदर्भ में युक्तियुक्त है–"आंचलिक जीवन मुख्यतः ग्रामीण ही होता है और आंचलिक उपन्यास इस स्थानिक यथार्थ की सघनता एवं समग्रता के साथ अनुभव की प्रमाणिकता को लेकर प्रस्तुत हुए हैं।"[15] आंचलिक उपन्यासों के कालांतर में प्रभावहीन होते जाने के कारण को तलाशते हुए डॉ. विवेकीराय ने आंचलिकता में नगरबोध के प्रवेश और इसके फलस्वरूप उनमें सीधे टकराव की स्थिति को उत्तरदायी पाया है। उनके शब्दों में–"प्रकृत्या आंचलिकता और नगरबोध मूल की आधुनिकता की प्रवृत्तियाँ एक-दूसरे के विरोध में पड़ती हैं। आंचलिकता की सांस्कृतिक पृष्ठभूमियाँ, रागमयता और धरती के रसगंधों से जुड़ी संवेदनशीलता आधुनिकता को पसंद नहीं। उसकी कटी-छँटी और चकाचौंध भरी बुद्धिवादी यथार्थ की नगरभूमि अपने को संस्कृति से नहीं, राजनीति से दृढ़तापूर्वक जोड़कर चलती है।"[16] अतः यदि हिंदी में आंचलिकता के दौर को उपेक्षित गाँवों के सामूहिक जीवन को साहित्यचिंता के केंद्र में लाने से क्रांतिकारी[17] माना गया तो यह अनुचित नहीं है।

रघुवीर सहाय ने आंचलिकता के दौर की तुलना रूसी साहित्य की 'पोवेस्त्र' विधा से की है। उनके विचार में दोनों ही आंदोलन गाँव जाकर मानवीय अनुभव, न्याय और नैतिकता की खोज करते हैं। दोनों अपने निकट अतीत और वर्तमान के अत्याचार और सामाजिक-राजनीतिक हृदयहीनता के विरुद्ध घृणा व्यक्त करते थे। रेणु के 'मैला आँचल' और 'परती परिकथा' उपन्यासों की तुलना बलेंतीन रस्पूतिन के 'मत्योरा से विदाई और अंतिम घड़ी' से समानता दिखाते हुए रघुवीर सहाय ने लिखा है–"दोनों गाँव की ओर विश्राम या मनोरंजन के लिए नहीं जाते,

लोकतंत्र की जड़ों की खोज में जाते हैं। दोनों में आंचलिक होना ग्रामीण होकर रह जाना नहीं है, अधिक सार्थक जीवन जीना है।...दोनों जनजीवन और प्रकृति की शोषण से रक्षा को ही स्वाधीनता और लोकतंत्र की रक्षा मानते हैं। ये आंचलिक कहने को हैं, वास्तव में राष्ट्रीय हैं और इनके सरोकार मानवीयता के सरोकार हैं।''[18] इसमें संदेह नहीं कि आंचलिक उपन्यासों के केंद्र में जो गाँव है, वह रेल की खिड़की से देखा हुआ नहीं है। 'गोदान' में मालती-मेहता जैसे बुद्धिजीवी गाँव में सिर्फ आमोद-प्रमोद के लिए जाते हैं। आंचलिक उपन्यासकार 'गाँव' के प्रति ऐसा रवैया नहीं अपनाता। वह उपेक्षित गाँवों के मैले आँचल को, जो 'सोनामाटी' भी है, पानी के प्राचीरों से घिरा हुआ है, एक नहीं 'अलग-अलग वैतरणी' की उपस्थिति ने जिसे नरक बनाने में कोई कसर नहीं छोड़ी है, ऐसे गाँव के अस्तित्व संघर्ष और आजादी के बाद सामंती मूल्यों से जनतांत्रिक मूल्यों की टकहराहट को आंचलिक उपन्यासों में गंभीरता से अंकित किया है।[19] लोकजीवन और लोकसंस्कृति से आंचलिक उपन्यासों का नैकट्य भी उन्हें विशिष्ट बनाता है। इनकी लोकसंपृक्ति को 'अतीतग्रस्तता' की संज्ञा देना उचित नहीं है।

वस्तुतः नगर-केंद्रित उपन्यासों में लोकसंपृक्ति का स्पर्श नाम मात्र का होता है। इनमें लोकजीवन की रंगत, बिंब, प्रतीक और शब्दावली उसी रूप में आते हैं, जिस रूप में किसी ड्राइंगरूम में कोई 'शो पीस'। इसके अतिरिक्त अपनी सांस्कृतिक विरासत से गहरे जुड़े आंचलिक उपन्यासों में नए मूल्यों और पुराने मूल्यों के द्वंद्व और फिर मूल्य-संक्रमण के जो विस्तृत चित्र मिलते हैं, वे नगरबोधी उपन्यासों में कम हैं क्योंकि औद्योगीकरण आदि के फलस्वरूप नगरजीवन इस तरह के द्वंद्व को बहुत पहले झेल चुका है। इसलिए आंचलिक उपन्यास, उन्हीं उपन्यासों को माना जाना चाहिए जो मुख्यतः ग्रामीण पृष्ठभूमि पर आधारित हैं और जिनमें उस ग्रामीण अंचल या पिछड़े अचंल का वर्णन इतने विस्तार से हुआ हो कि वह 'अंचल' ही नायक लगे। डॉ. उषा डोगरा ने माना है कि आंचलिक उपन्यास में ''किसी जाति विशेष का परंपरागत जीवन'' [20] चित्रित होता है। यह धारणा आंशिक तौर पर ही सत्य है। कुछ उपन्यास जैसे—'सूरज किरन की छाँव', 'हजार घोड़ों का सवार', 'धरती धन न अपना', 'आधा गाँव' निश्चय ही एक जाति विशेष के जीवन को विस्तार से उभारते हैं। लेकिन 'मैला आँचल', 'परती परिकथा', 'सोनामाटी', 'जल टूटता हुआ', 'अलग-अलग वैतरणी' आदि उपन्यासों में किसी जाति विशेष का जीवन केंद्र में नहीं है।

किसी आंचलिक उपन्यास का केवल अंचल विशेष पर आधारित होना पर्याप्त नहीं है। जिस कथित 'अनुभव की प्रामाणिकता' का शोर 'नई कहानी' के दौरान मचा था, वह नई कहानी के समानांतर चल रही आंचलिक उपन्यास धारा में अपने सीधे और स्पष्ट अर्थ में रचनाप्रक्रिया का अनिवार्य अंग बनी हुई थी। आंचलिक

उपन्यास 'सेकेण्ड हैण्ड' अनुभवों के सहारे नहीं लिखा जा सकता। युद्ध समस्या पर केंद्रित उपन्यास प्रायः ऐसे लेखकों ने लिखे हैं, जिन्होंने न तो युद्ध का प्रत्यक्ष अनुभव किया है और न युद्धजनित दुष्प्रभावों से उनका कोई निजी सरोकार रहा है। आंचलिक उपन्यास मात्र सूचनाओं और रपटों के आधार पर नहीं लिखा जा सकता। संभवतः इसीलिए डॉ. रामदरश मिश्र ने लिखा है—"आंचलिक उपन्यासों ने अनुभवहीन सामान्य या विराट् के पीछे न दौड़कर अनुभव की सीमा में आनेवाले अंचल विशेष को उपन्यास का क्षेत्र बनाया है।"[21] लेकिन केवल अनुभवशीलता और यथार्थ का हूबहू चित्रण ही किसी उपन्यास को आंचलिक बनाने में समर्थ नहीं है। मधुकर गंगाधर आंचलिक उपन्यासों की रचना में 'ऐतिहासिक एवं वैज्ञानिक धारणा' की उपस्थिति आवश्यक मानते हैं—'आंचलिक उपन्यासों' का आदर्श केवल किसी क्षेत्र की चित्रगत वास्तविकता प्रस्तुत करना नहीं, बल्कि संपूर्ण जीवन प्रणाली की ऐतिहासिक एवं वैज्ञानिक धारणा प्रस्तुत करना है।[22] ऐसी स्थिति में आंचलिक उपन्यासों का मूल्यबोध जहाँ एक ओर रचनाकारों द्वारा स्वतः अर्जित है, वहीं दूसरी ओर ऐतिहासिक विकास की प्रक्रिया को वैज्ञानिक दृष्टिकोण के तहत समझने से पुष्ट और प्रौढ़ हुआ है।

कुछ आंचलिक उपन्यासों में किसी प्रकार की राजनीतिक प्रतिबद्धता नहीं है, उनका दृष्टिकोण मानवतावादी है। उनके इस दलविहीन मानवतावाद को कुछ आलोचकों ने संदेह की दृष्टि से देखा है और इसकी कटु भर्त्सना की है। कृष्णप्रताप के शब्दों में—"दलविहीन मानवतावाद के इन आंचलिक दावेदारों ने पतनशील प्रवृत्तियों को नया भाववादी जामा ही नहीं पहनाया बल्कि मूर्खता और जहालत का आदर्शीकरण और उदात्तीकरण भी किया। समझ का अभाव सरलता का पर्याय नहीं हो सकता।"[23] 'मैला आँचल' के सदंर्भ में डॉ. विजयमोहन सिंह का विचार है कि रेणु के पास कोई जीवनदृष्टि नहीं है।[24] अन्यत्र उनका विचार है कि आंचलिक कृतियों का भावबोध रोमांटिक सुधारवाद से ग्रस्त है—"एक दृष्टि वह थी जिससे गांधीजी ने गाँवों को देखा, परखा और जगाया था और दूसरी दृष्टि वह बनी जो यायावर अपने कैमरे की आँख से प्रत्येक अपरिचित स्थल और अंचल को देखता है।"[25] विजयमोहन सिंह के दोनों कथनों में अंतर्विरोध है। एक ओर वे 'मैला आँचल' में दृष्टिहीनता की चर्चा करते हैं, दूसरी ओर मैला आँचल आदि उपन्यासों में रोमांटिक सुधारवाद को रेखांकित करते हैं। आंचलिक उपन्यासों के कटु आलोचक रेणु की कृतियों पर विशेष आक्रमण करते दिखाई देते हैं। आंचलिक उपन्यास न तो रेणु की रचनाधर्मिता के पर्याय मात्र हैं और न स्वयं रेणु दृष्टिविहीन और अराजक हैं, जैसा उन्हें समझा गया है, राही मासूम रजा आदि के उपन्यासों में अतीत के जिस सम्मोहन और रोमांटिक 'इल्यजन' को खोजा गया है, वह आग्रही दृष्टि का परिणाम है। रेणु, रामदरश मिश्र, शिवप्रसाद सिंह आदि की कृतियाँ पढ़कर सामंतवाद

के श्वेतश्याम दोनों पक्षों का परिचय तो मिलता है, लेकिन सामंत वर्ग के साथ सहानुभूति जैसा भाव पैदा नहीं होता। बल्कि प्रबुद्ध पाठक को यह अनुभव होता है कि शोषण और अन्याय पर टिके सामंत वर्ग का नाश अवश्यंभावी था। इस बात का अध्ययन बहुत दिलचस्प और विचारोत्तेजक होगा कि 'अतीत' से आंचलिक कथाकारों का जुड़ाव 'नास्टेल्जिक' दृष्टि है या अंचल को अतीत और वर्तमान की समग्रता में देखने का परिणाम ? 'आधा गाँव' के संदर्भ में डॉ. आदित्य प्रसाद त्रिपाठी ने यह सिद्ध करने का प्रयास किया है कि 'नास्टेल्जिया' में रचनात्मक शक्ति भी होती है। नास्टेल्जिक मोह 'आधा गाँव' की मूल प्रेरणा और प्राण है।[26] देखना होगा कि यह मोह कहीं परंपरागत मूल्यों के प्रति मोह का दूसरा नाम तो नहीं है। यहाँ एक तथ्य गौरतलब है कि अधिकतर आंचलिक उपन्यासकार प्रगतिशील विचारधारा से संबंधित हैं। नागार्जुन, रांगेय राघव, राही मासूम रजा, रामदरश मिश्र आदि निर्विवाद रूप से वामपंथी हैं, यादवेन्द्र शर्मा 'चंद्र', 'रेणु', हिमांशु जोशी, शिवप्रसाद सिंह आदि भी समाजवादी या प्रगतिवादी विचारधारा के उपन्यासकार हैं। विवेकीराय, श्रीलाल शुक्ल आदि की दृष्टि मानवतावादी है। ऐसी स्थिति में आंचलिक उपन्यासों को रोमानी दृष्टि से प्रेरित और संचालित मानना निश्चय ही त्रुटिपूर्ण है। होफमन के साक्ष्य से डॉ. आदर्श सक्सेना ने 'आंचलिकता' को विश्वव्यापी स्वच्छंदतावादी आंदोलन से जोड़ा है।[27] लेकिन डॉ. सक्सेना ने इस विधा को आंचलिक यथार्थवाद और समाजवादी यथार्थवाद–दो श्रेणियों में विभक्त कर 'आंचलिकता' के रोमानी होने का स्वयं खंडन कर दिया है। डॉ. इंदुप्रकाश पांडेय का मंतव्य भी आंचलिक अपन्यासों के दृष्टिविहीन या रोमानी होने के विरोध में पड़ता है–"इन लेखकों का प्रमुख उद्देश्य पाठकों का मनोरंजन नहीं, बल्कि पीड़ित समाज के प्रति सहानुभूति प्रकट करना और उन्हें अपनी स्थितियों के विरुद्ध विद्रोह करने के लिए उभारना है।"[28]

'मैला आँचल' में रेणु ने डॉ. प्रशांत से कहलाया है कि मैं प्यार की खेती करूँगा।[29] और उनका जित्तन 'परती परिकथा' में गुलाब की खेती के लिए कृतसंकल्प है। गुलाब की खेती भी एक तरह से आत्मीयता और लगाव के वातावरण के निर्माण की सूचना है। प्यार और गुलाब की खेती के प्रति रेणु के इस आकर्षण को रोमानी माना गया है। जबकि 'मैला आँचल' की भूमिका में रेणु ने पहले ही कह दिया है कि इसमें जीवन के दोनों पक्ष हैं–शूल भी, फूल भी। यह समझना भूल होगी कि प्यार या गुलाब की खेती का संकल्प जनविरोधी या प्रगतिविरोधी है, बल्कि यह समाजवादी कलासंस्कृति का ही एक अंग है। यह शोषक व्यवस्था द्वारा पैदा की गई कुरूपताओं और सौंदर्यविरोधी अवस्थाओं का प्रतिकार है। हेनरिख हाइने ने एक सर्वांगपूर्ण व्यवस्था की चर्चा करते हुए लिखा था कि इसमें हर मुनष्य को खूब सारी रोटी ही नहीं, खूब सारे गुलाब भी उपलब्ध होंगे।[30] आब्नेर ज़ीस

ने इस कथन की व्याख्या करते हुए लिखा है कि साम्यवादी व्यवस्था में मनुष्य का सर्वांगीण विकास अभीष्ट है। समाजवादी समाज में मनुष्य और उसके मूल्य समाजवादी विकास का साधन नहीं, अपितु सर्वोच्च लक्ष्य होते हैं।[31] आंचलिक उपन्यासकार भी भूख, अभाव और शोषण की समाप्ति के साथ मानवीय मूल्यों की उपस्थिति को काम्य मानते हैं और यह निश्चय ही एक संतुलित दृष्टिकोण है। यादवेंद्र शर्मा 'चंद्र' सरीखे आंचलिक उपन्यासकार ने पुराने मूल्यों का चित्रण और नए मूल्यों के समर्थन को प्रासंगिक माना है। उनके विचार में, यदि कोई उपन्यासकार आज के मूल्यों को अपना समर्थन नहीं दे पा रहा है तो वह यथार्थ से पिछड़ा हुआ है।[32] रामदरश मिश्र ने भी माना है कि आधुनिकता-बोध ने आंचलिक उपन्यासकारों में सामंती रूढ़ियों और ठहरे हुए सोचविचार के विरुद्ध लड़नेवाली नई गतिशील चेतना उत्पन्न की है।[33] विवेकीराय ने एक बातचीत में साफ तौर पर कहा है कि यदि आंचलिक उपन्यासों में परंपरागत मूल्यों के प्रति मोह है तो यह निश्चित रूप से आधुनिकता-विरोधी दृष्टिकोण है।[34] इन सभी आत्मस्वीकृतियों से यह आभास मिलता है कि आंचलिक उपन्यासों का प्रस्थान बिंदु और गंतव्य एकआयामी या मनुष्य की सर्वांगीण प्रगति की विरोधी नहीं है। इन उपन्यासों में व्यक्त मूल्यों के संक्रमण के अनुशीलन से 'वास्तविकता' का ज्ञान किया जा सकता है।

आंचलिक उपन्यासों के अध्ययन में एक समस्या तब उठ खड़ी होती है, जब स्वयं उपन्यासकार अपनी कृति को अनांचलिक मानता है और प्रायः समीक्षक उसे 'आंचलिक' करार देते हैं। शिवप्रसाद सिंह कृत 'अलग-अलग वैतरणी' के साथ ऐसा ही हुआ है। शिवप्रसाद सिंह इसे आंचलिक नहीं मानते। आदित्य नारायण जैसे समीक्षक भी इसे आंचलिक नहीं मानते।[35] लेकिन अधिकतर समीक्षा कृतियों और शोधप्रबंधों में इसकी चर्चा 'आंचलिक उपन्यास' के रूप में हुई है। डॉ. अंजलि तिवारी के अनुसार—"यदि यह आंचलिक नहीं होगा तो बहुत ही विशृंखल कथाओंवाला, उद्देश्यहीन प्रभाववाला उपन्यास माना जाएगा।"[36] बलभद्र ठाकुर भी अपने उपन्यासों को आंचलिक कहा जाना अच्छा नहीं समझते। वस्तुतः अंचल-विशेष को जहाँ प्रमुखता प्राप्त है, किसी गाँव या अंचल को जहाँ समग्रता में उभारा गया है, वह उपन्यास निस्संकोच आंचलिक माना जाना चाहिए। यादवेंद्र शर्मा 'चंद्र' ने एक बातचीत में अपना मत इस रूप में व्यक्त किया है—"लेखक को इस विवाद में पड़ना ही नहीं चाहिए क्योंकि आप अपने बारे में कोई एक राय किसी से कायम नहीं करवा सकते। आलोचक, जिसकी जो दृष्टि होगी, वह उस प्रकार ही उसके बारे में बयान करेगा। रचना किसी अंचल से संबंधित है, फिर उसे आंचलिक उपन्यास कहलाना पसंद न हो तो वह लिखे ही नहीं।"[37] कुछ आलोचकों का मत है कि 'आंचलिकता' को कसौटी मान लेने से भी मूल्यांकन के स्तर पर एक समस्या

उठ खड़ी होती है। बहुत से आंचलिक उपन्यासों में आंचलिकता के अतिरिक्त भी बहुत कुछ है। इसलिए 'जल टूटता हुआ' के संदर्भ में डॉ. नरेन्द्र मोहन की यह चिंता वाजिब है कि 'आंचलिकता' के आधार पर इसका विवेचन करने पर उस यथार्थ की शायद खरोंच भर मिल सके जो इसमें अभिव्यक्त है।[38] इसके बावजूद 'आंचलिकता' को महत्त्व तो देना ही पड़ेगा। आंचलिक उपन्यासों का अनुशीलन करते समय यह देखना सर्वथा प्रासंगिक होगा कि 'कृति' में अंचल-विशेष के "लोकजीवन सहित उसकी आस्था, भाषा, कलारुचि, रूढ़ियाँ, गीत-नृत्य और तमाम-तमाम अतीतमुखी सांस्कृतिक बुनावटों"[39] को तरल रागबोध के स्तर पर सोद्देश्य भाव से प्रस्तुत किया गया है या नहीं। 'आंचलिक' होने का अर्थ, 'सीमित संवेदना' से नहीं है। आंचलिक उपन्यास अंचल-विशेष के व्याज से पूरे भारतीय ग्रामीण परिवेश की चर्चा करते हैं। 'असगाँव पसगाँव' के लेखक ने बल देकर कहा है कि यह संपूर्ण भारतीय ग्राम्य जीवन की त्रासदी भी है।[40]

डॉ. इंदुप्रकाश पांडेय ने के.ए. ज्वेलेबिल का मत उद्धृत किया है, जिसके अनुसार आंचलिक उपन्यासों का महत्त्व साहित्यिक न होकर समाजशास्त्रीय और नृतत्वशास्त्रीय अधिक है। इनका महत्त्व मूलतः एक दस्तावेज या संग्रहालय-मूल्य के रूप में है।[41] यह दृष्टिकोण अतिवाद ग्रस्त है। इन उपन्यासों में मानव जीवन की धड़कन है और धड़कन पर्याप्त कलात्मक रूप में व्यक्त हुई है। श्रेष्ठ आंचलिक उपन्यासों में समाजशास्त्रीय-नृतत्वशास्त्रीय संदर्भ रचना के अंग बनकर आए हैं। इनका नए ढंग का कथा-विन्यास, संश्लिष्ट एवं विशिष्ट परिवेश, अपने समय से जूझते हुए चरित्र, आंचलिक स्वरों से गूँथी गई भाषा और बिंबों प्रतीकों से समृद्ध अभिव्यंजना को देखते हुए ऐसा कतई नहीं लगता कि इनका साहित्यिक महत्त्व है ही नहीं।

राही मासूम रजा ने 'आधा गाँव' को "गंगौली में गुजरनेवाले समय की कहानी" माना है। 'आधा गाँव' ही नहीं ज्यादातर आंचलिक उपन्यास 'समय की कहानी' हैं। अपने युग का तेज संक्रमण—हर स्तर पर, पिछड़ों से पिछड़े अंचल को अपनी लपेट में ले चुका है। अशिक्षित और पुरा मूल्यों से चिपके जन-समुदाय के लिए 'नयेपन' को एकदम स्वीकार कर लेना यातना से कम नहीं है। बल्कि एक यातना से दूसरी यातना की ओर बढ़ना है। मूल्यों के इस द्वंद्व का स्वरूप सपाट नहीं है और इसकी साहित्यिक अभिव्यक्ति भी आसान नहीं है। आंचलिक उपन्यासकारों ने हर स्तर पर सक्रिय संक्रमण और अंततः मूल्यों के संक्रमण को कितनी निपुणता से, कितनी सफलता से व्यक्त किया है, यह विवेचन और अनुशीलन का विषय है।

आंचलिक उपन्यासों का शोधपरक अनुशीलन 'जीवन सत्य', 'आंचलिकता', 'भाषा', 'संस्कृति', 'शिल्पविधि' आदि कई दृष्टियों से हुआ है। आंचलिक उपन्यासकारों

पर अलग-अलग हुए शोधकार्य को छोड़ दिया जाए, तब भी लगभग दो दर्जन शोधप्रबंध सीधे आंचलिक उपन्यासों से संबद्ध हैं। डॉ. आदर्श सक्सेना, डॉ. जवाहर सिंह और डॉ. देवयानी प्रसाद ने क्रमशः 'हिंदी के आंचलिक उपन्यास और उनकी शिल्पविधि', 'हिंदी के आंचलिक उपन्यासों की शिल्पविधि' तथा 'हिंदी के आंचलिक उपन्यासों की शिल्पविधि' में अपना ध्यान मुख्यतः शिल्प पक्ष पर केंद्रित किया है। कुछ प्रबंधों में कथ्य और शिल्प के समन्वित अध्ययन का प्रयास हुआ है। 'आंचलिक उपन्यासों की तात्विक मीमांसा' (चित्रा तिवारी), 'हिंदी के आंचलिक उपन्यास कथ्य और शिल्प' (डॉ. कला मेहता) और 'हिंदी के आंचलिक उपन्यास' (डॉ. मृत्युंजय उपाध्याय) इसी प्रकार के प्रबंध हैं। डॉ. मृत्युंजय उपाध्याय ने उपन्यासों के समाजशास्त्रीय विवेचन के साथ-साथ भाषाशास्त्रीय अध्ययन भी किया है। 'आंचलिकता और हिंदी उपन्यास' (डॉ. नगीना जैन) 'स्वातंत्र्योत्तर हिंदी साहित्य में आंचलिक उपन्यासों का विकास' (आलोक कुमार सिंह), 'हिंदी के आंचलिक उपन्यास : उद्भव और विकास' (भोलाराम) आदि प्रबंधों में आंचलिकता के उदय को ऐतिहासिक संदर्भों में देखते हुए हिंदी उपन्यास को उसके प्रदेय की चर्चा की गई है। केवल 'भाषा-विवेचन' पर केंद्रित प्रबंधों की संख्या भी खासी है। 'हिंदी आंचलिक उपन्यास भाषा वैज्ञानिक भूमिका' (जे. माथुर), 'हिंदी भाषा के विकास में आंचलिक उपन्यासों का योगदान' (जयनारायण वर्मा) आदि प्रबंध इस संदर्भ में द्रष्टव्य हैं। डॉ. इंदु प्रकाश पांडेय ने आंचलिक उपन्यासों की 'सेटिंग' को लेकर 'हिदी के आंचलिक उपन्यासों में जीवन सत्य' शीर्षक शोधप्रबंध लिखा है। लोकतात्त्विक अध्ययन से संबद्ध प्रबंधों में 'आंचलिक उपन्यासों का सांस्कृतिक अध्ययन' (चित्रा पंचेरिया), 'हिंदी के आंचलिक उपन्यासों में लोकतत्त्व' (मालती केशरवानी), और 'हिंदी के आंचलिक उपन्यासों का लोकतात्त्विक विमर्श' (उषा डोगरा) मुख्य हैं। डॉ. एच.के. कडवे ने अपने प्रबंध 'हिंदी उपन्यासों में आंचलिकता की प्रवृत्ति' में हिंदी-मराठी उपन्यासों की तुलनात्मक समीक्षा की है। अन्य प्रबंधों में 'हिंदी के आंचलिक उपन्यास' (राधेश्याम कौशिक), 'हिंदी के आंचलिक उपन्यास' (प्रकाश वाजपेयी), 'हिंदी के आंचलिक उपन्यासों का अनुशीलन' (शकुंतला सिंह), 'हिंदी के आंचलिक उपन्यास' (आर.आर. दुबे), 'हिंदी के आंचलिक उपन्यासों में आधुनिकता' (रामवंदन पाठक) आदि उल्लेखनीय हैं। कथासाहित्य केंद्रित कई शोध-प्रबंधों में आंचलिक उपन्यासों को लेकर गंभीर विवेचन उपलब्ध है। ऐसे प्रबंधों में 'स्वातंत्र्योत्तर हिंदी कथा साहित्य और ग्रामजीवन' (विवेकीराय), 'स्वातंत्र्योत्तर हिंदी उपन्यास और ग्रामचेतना' (ज्ञानचंद गुप्त), 'हिंदी उपन्यास की प्रवृत्तियाँ' (डॉ. शशि भूषण सिंहल), 'हिंदी उपन्यास : शिल्प और प्रयोग' (डॉ. त्रिभुवन सिंह) आदि उल्लेखनीय हैं।

आंचलिक उपन्यासों पर आधारित समीक्षा कृतियों की संख्या खासी है। इनमें आंचलिक उपन्यास : 'संवेदना और शिल्प' (ज्ञानचंद गुप्त), 'हिंदी आंचलिक उपन्यास : उद्भव और विकास' (इंदिरा जोशी) और 'हिंदी के आंचलिक उपन्यास'

(सं. रामदरश मिश्र, ज्ञानचंद गुप्त) आदि में आंचलिक उपन्यास के विभिन्न पहलुओं पर गंभीर विचार विमर्श हुआ है। लेकिन उपर्युक्त सभी प्रबंधों और आलोचनाकृतियों में मूल्यों के संक्रमण के संदर्भ में आंचलिक उपन्यासों को विवेचित-मूल्यांकित करने का कोई स्वतंत्र प्रयास देखने में नहीं आया। इस दृष्टि से प्रस्तुत प्रबंध की नवीनता स्वयं सिद्ध है, इसमें उपन्यासों में व्यक्त मूल्य-संक्रमण को वास्तविक मूल्य-संक्रमण के समानांतर रखकर उनके गुणात्मक अंतर को भी रेखांकित किया गया है। तथ्यचेतना और मूल्यचेतना के अंतर का मूल्यांकन समाजशास्त्रीय अध्ययन और तुलनात्मक अध्ययन की प्राविधियों की सहायता से हुआ है। इसमें समाजशास्त्रीय शोधकार्यों की सहायता जहाँ-तहाँ ली गई है और कई आंचलिक उपन्यासकारों से हुई बातचीत का उपयोग भी कई स्थलों पर हुआ है। उपन्यासों में मूल्यों के द्वंद्व, संकट, उभार और नई दिशा में संक्रमण को लेकर उपन्यासकारों की वैचारिकता का निर्देश भी यथास्थान किया है। इस प्रबंध में प्रयास यही है कि वस्तुनिष्ठ एवं तथ्याधारित दृष्टि अपनाते हुए आंचलिक उपन्यासों के 'मर्म' और 'मूल्य' को उद्घाटित किया जाए। इस अध्ययन के दौरान यह ध्यान रखा गया है कि मात्र कुछ चर्चित कृतियों तक सीमित न रहकर कई कम चर्चित आंचलिक उपन्यासों को भी आधारभूत सामग्री का अंग बनाया जाए। इसी दृष्टि के तहत 'असगाँव-पसगाँव', 'दूब जनम आई' आदि कई कृतियों का समावेश किया गया है।

कुछ आलोचकों का विचार है कि आंचलिक उपन्यासों में 'मूल्य-निर्णय' अंचल के ब्यौरों के चित्रण के आग्रह में खो गया है। डॉ. शिवकुमार मिश्र ने इस आरोप को फैलाते हुए लिखा है–"मिट्टी महत्त्वपूर्ण बन जाती है, उस मिट्टी को अपने श्रम से सींचनेवाला मनुष्य गौण। और यह सब प्रकृतिवाद की रिपोर्ताज शैली में, समाचारपत्रों की संवेदनशून्य सूचनाओं के स्तर पर, कोरे विवरण और सूक्ष्मतम ब्यौरों के साथ रूपवादी प्रयासों से जुड़कर अलंकरण की शक्ल में सामने आता है।[42] प्रस्तुत शोधकार्य इस आरोप की परीक्षा के लिए विशेष रूप से प्रतिश्रुत है कि आंचलिक उपन्यासों में 'मिट्टी महत्त्वपूर्ण है या 'मनुष्य'।

संदर्भ

1. हिंदी के आंचलिक उपन्यास, डॉ. मृत्युंजय उपाध्याय, पृ. 15-16
2. हिंदी के आंचलिक उपन्यास, सं. रामदरश मिश्र-ज्ञानचंद गुप्त, विवेकीराय का ओलख, पृ. 19
3. हिंदी के आंचलिक उपन्यासों में जीवन-सत्य, पृ. 7
4. रचनाकार रामदरश मिश्र, सं. डॉ. नित्यानंद तिवारी, डॉ. ज्ञानचंद गुप्त, पृ. 152
5. हिंदी आंचलिक उपन्यास : उद्भव और विकास, पृ. 89

6. आलोचना, जनवरी 1966, पृ. 81
7. आंचलिकता और हिंदी उपन्यास, पृ. 26
8. हिंदी के आंचलिक उपन्यास, पृ. 26
9. वही, पृ. 12
10. आधुनिक हिंदी साहित्य का इतिहास, पृ. 387
11. हिंदी कथा साहित्य : विविध आयाम, पृ. 47
12. हिंदी उपन्यास और यथार्थवाद, पृ. 362
13. हिंदी के आंचलिक उपन्यास (सं.), पृ. 13
14. स्वातंत्र्योत्तर हिंदी उपन्यास, कांति वर्मा, पृ. 189
15. आंचलिक उपन्यास : संवेदना और शिल्प, पृ. 13
16. आलोचना, 69, पृ. 46
17. आलोचना, अक्टूबर-दिसंबर 1988, पृ. 55
18. वही।
19. वर्तमान साहित्य, जनवरी 1990, कृष्णप्रताप का आलेख, पृ. 7
20. हिंदी के आंचलिक उपन्यासों का लोकतांत्रिक विमर्श, पृ. 84
21. हिंदी उपन्यास : एक अंतर्यात्रा, पृ. 187
22. सुबह होने तक (उपन्यास), मधु प्रकाशन, ताशकंद मार्ग, इलाहाबाद, 85, पृ. 9
23. वर्तमान साहित्य, जनवरी 1990, पृ. 7
24. आधुनिक हिंदी उपन्यासों में प्रेम की परिकल्पना, पृ. 362
25. वही, पृ. 361
26. औपन्यासिक समीक्षा एवं समीक्षाएँ, पृ. 174
27. हिंदी के आंचलिक उपन्यास और उनकी शिल्पविधि, पृ. 63
28. हिंदी के आंचलिक उपन्यासों में जीवन-सत्य, पृ. 12
29. मैला आँचल, पृ. 16
30. कला के वैचारिक और सौंदर्यात्मक पहलू, पृ. 31
31. वही।
32. यादवेंद्र शर्मा चंद्र से वेदप्रकाश अमिताभ की बातचीत।
33. वेदप्रकाश अमिताभ से बातचीत।
34. विवेकीराय से शोधकर्त्ता की बातचीत।
35. औपन्यासिक समीक्षा एवं समीक्षाएँ, पृ. 145
36. हिंदी के आंचलिक उपन्यास, सं. रामदरश मिश्र, ज्ञानचंद गुप्त, पृ. 149
37. यादवेंद्र शर्मा 'चंद्र' से वेदप्रकाश अमिताभ की बातचीत।
38. हिंदी के आंचलिक उपन्यास, पृ. 159
39. हिंदी के आंचलिक उपन्यास, विवेकीराय, पृ. 18
40. 'असगाँव पसगाँव', पृ. 'घ'
41. हिंदी के आंचलिक उपन्यासों में जीवन-सत्य, पृ. 271
42. आलोचना, जनवरी-मार्च, 1986, पृ. 31

प्रथम प्रकरण

मूल्य-मीमांसा

डॉ. राधाकृष्णन के विचार में मुनष्य केवल भौतिक उपलब्धियों से संतुष्ट होनेवाला प्राणी नहीं है। उसका सर्वप्रथम ध्येय है–आत्म-साक्षात्कार।[1] यूनानी दार्शनिक सुकरात के अनुसार 'आत्म-साक्षात्कार' का अर्थ यह जानना है कि तुम्हारा मूल्य क्या है ? तुम्हारे मूल्य क्या हैं और महत्त्व की दृष्टि से उनका क्रम क्या है ?[2] आज भी अनेक विचारक मानते हैं कि मनुष्य के सामने एक बड़ी समस्या यह है कि वह नए और प्रासंगिक मूल्यों का अनुसंधान करे और जीवन के तथ्यों या वास्तविकताओं के साथ उनका तालमेल स्थापित करे।[3] मानव-जीवन के लक्ष्य से सीधा और प्रत्यक्ष संबंध होने के कारण मूल्यों की चर्चा और मीमांसा विश्वचिंतन का अंग बनी रही है। डॉ. मैत्र ने एक स्थान पर संकेत किया है कि भारतीय अध्ययन परंपरा मूल्यपरक रही है : "हमारी परंपरा है मूल्य-केंद्रित होना, न कि अस्तित्व-केंद्रित होना...।"[4] आज मनुष्य के समस्त अनुभवों और विचारों में 'मूल्य' की स्थिति मानी जाती है और चिंतन के अधिकतर मानदंड मूल्य-मापदंड होते हैं। अतः ज्ञान-विज्ञान के विभिन्न क्षेत्रों से संबद्ध अर्थशास्त्र, दर्शन, मनोविज्ञान, समाजशास्त्र आदि में मूल्य-संबंधी विवेचन इतने परिमाण में उपलब्ध है कि उसका स्वतंत्र शास्त्र बन गया है। मूल्य संबंधी विवेचन को अंग्रेजी में 'एग्जियोलोजी' (Axiology) कहा गया है। इसके हिंदी पर्याय के रूप में 'मूल्य-विज्ञान' या 'मूल्य-मीमांसा' प्रस्तावित हैं। अनेक विचारक मूल्य-विवेचन को विज्ञान मानने में हिचकिचाते हैं। उनकी दृष्टि में 'मूल्य' का अर्थ किसी वस्तु के 'मूल्य' का 'भाव' या 'अभाव' है। लेकिन भाव-अभाव से परे 'मूल्य' तटस्थ भी हो सकता है। स्पष्ट है कि 'मूल्य' का कोई स्थिर, निश्चित सार्वभौमिक और सार्वकालिक मानदंड नहीं

है। अतः शुभ या अशुभ से जुड़े मूल्य-संबंधी सोच-विचार को मूल्य विज्ञान की संज्ञा देना उपयुक्त नहीं है।[5] इसे मूल्य-मीमांसा कहना अधिक युक्तिसंगत है। जैसा कि हेराल्ड एच. टाइटस ने स्पष्ट किया है, मानवीय आचरण और कला में मूल्यों का अध्ययन करना 'मूल्य-मीमांसा' के अंतर्गत आता है।[6]

मूल्य-मीमांसा : इतिवृत्त

पाश्चात्य-चिंतन में मूल्य-मीमांसा का स्रोत प्लेटो, कांट और फिश्टे की रचनाएँ हैं। प्लेटो द्वारा वर्णित प्रत्यय (IDEA) का मूल्य से बहुत निकट का संबंध है। बीसवीं शताब्दी में 'मूल्य-मीमांसा' का क्षेत्र नीतिशास्त्र और दर्शन से आगे बढ़कर मनोविज्ञान और समाजशास्त्र तक फैल गया। शुरू में मूल्य मुख्यतः नीतिशास्त्रीय प्रत्यय था और कुछ भिन्न अर्थ में अर्थशास्त्र में प्रयुक्त होता था। आज नीतिशास्त्र से विशिष्ट एक सामान्य मूल्य-सिद्धांत पर जोर दिया जाता है। आज के अर्थ में 'मूल्य' का प्रयोग बहुत पुराना नहीं है। प्रो. फिलिप ब्लेयर राइस के विचार में मूल्य-मीमांसा को पाश्चात्य दर्शन की शाखा के रूप में उन्नीसवीं सदी के अंत में ही स्वीकार किया जा सका था। समझा जाता कि मूल्यपरक अध्ययन का सुझाव हरमन लौत्जे ने 1885 ई. में दिया था और नीत्शे ने आजकल के अर्थ में 'मूल्य' का प्रयोग किया।[7] नीत्शे ने मूल्यों के मूल्यांतरण (ट्रांसवैलुएशन आफ वैल्यूज) पर बल दिया। बिडलबैंड ने प्रतिमानों और आदर्शों के अध्ययन को ही दर्शन माना। रिकर्ट और मुन्सटरबर्ग ने भी मूल्यों की स्थापना का समर्थन किया।[8] कालांतर में मूल्यों को लेकर इतना विवेचन और अनुशीलन हुआ है कि 'मूल्य-मीमांसा' का अच्छा-खासा शास्त्र निर्मित हो गया है।

मूल्य : भारतीय दृष्टि

प्राचीन भारतीय चिंतकों ने विधिवत् मूल्य-विवेचन नहीं किया है। पुरुषार्थों और आदर्शों को लेकर किए गए चिंतन को 'मूल्य-मीमांसा' के रूप में स्वीकार किया जा सकता है। प्रो. कृष्णनाथ ने 'मूल्य' की परिभाषा के सिलसिले में 'शुक्रनीति' की कुछ पंक्तियों को उद्धृत किया है। शुक्राचार्य ने जिन बातों को आर्थिक 'मूल्य' के संबंध में कहा है, वे काफी हद तक 'जीवनमूल्य' के लिए भी लागू हो सकती हैं। शुक्रनीति के अनुसार—"जो कुछ भी अप्रतिम है, बेजोड़ है, वह रत्न जैसा ही है। सब मनुष्यों का मूल्य देश-काल के अनुसार तय होना चाहिए। जो गुणहीन है और व्यवहार के योग्य नहीं है, उसका कोई मूल्य नहीं।...कामना के अनुसार पदार्थों का मोल हीन या अधिक, कमोबेश होता है।"[9] इस व्याख्या के अनुसार 'मूल्यवान' वह वस्तु है जिसके लिए व्यक्ति को अधिक से अधिक मूल्य चुकाना

पड़े। मूल्य देशकाल के अनुसार परिवर्तनशील है। प्रो. कृष्णनाथ ने 'मूल्य' की परिभाषा देते हुए उपनिषदों का साक्ष्य भी दिया है–"जो है", वह तो तथ्य है और "जो होना चाहिए" वह मूल्य कहा जाता है। "जो होना चाहिए" के लिए उपनिषदों की परिभाषा में दो शब्द आए हैं--श्रेय-प्रेय। अब अगर इन पारिभाषिक शब्दों का इस्तेमाल करें तो 'मूल्य' अन्य बातों सहित श्रेय-प्रेय है।"[10] इस विवेचन से यह अर्थ निकाला जा सकता है कि जो श्रेयस्कर है, कल्याणकारी है, वह भी मूल्य है और जो प्रीतिकर है, रुचिकर है, वह भी मूल्य है। सत्यं, शिवं और सुंदरम् की स्वीकृति भी इसी कथन को प्रमाणित करती है।

आधुनिक भारतीय विचारकों में डॉ. राधाकमल मुखर्जी, डॉ. देवराज, यशदेव शल्य, संगमलाल पांडेय आदि ने भी मूल्यों के स्वरूप पर विचार किया है। राधाकमल मुखर्जी ने अपने मूल्य-विवेचन में पाश्चात्य विचारों का भरपूर उपयोग किया है और उनका विवेचन मुख्यतः 'समाजशास्त्रीय' है। डॉ. देवराज की 'एप्रोच' दार्शनिक है। वे यह मानते हैं कि मानवीय विद्याएँ अनिवार्यतः मूल्यानुप्राणित होती हैं।[11] मूल्य-निर्मित के संदर्भ में उनका विचार है--"मनुष्य एक लक्ष्यान्वेषी अथवा प्रयोजनवान् प्राणी है, वह विश्व की असंख्य वास्तविकताओं को साध्यों और साधनों, मूल्यों और मूल्याभावों के रूप में ग्रहण करता है, ताकि वह उन्हें पाने अथवा दूर रखने की कोशिश कर सके।"[12] यशदेव शल्य ने नैतिक मूल्यों के संकट पर खास तौर से विचार किया है। उनकी अपनी दृष्टि संतुलित है। आधुनिकता को स्वीकारते हुए भी वे मुक्त भोग या यौन स्वच्छंदता को स्वीकार नहीं कर पाते।[13] अन्य भारतीय चिंतकों और समाजशास्त्रियों का मूल्य-विवेचन प्रायः पाश्चात्य विवेचन के अनुरूप है।

मूल्य : पाश्चात्य दृष्टि

पाश्चात्य विचारकों द्वारा 'मूल्य' का विवेचन बहुत विशद है। दार्शनिकों, मनोवैज्ञानिकों, समाजशास्त्रियों और नृतत्वशास्त्रियों ने अपने-अपने ढंग से 'मूल्य' के विविध पक्षों का अनुशीलन किया है। प्रारंभ में 'मूल्य' की दार्शनिक अवधारणा बहुत लोकप्रिय रही, लेकिन कालांतर में 'मूल्य' का समाजशास्त्रीय प्रत्यय अधिक महत्त्वपूर्ण माना जाने लगा।

(क) मूल्य : दार्शनिक अवधारणा

'मूल्य' की सर्वसम्मत दार्शनिक परिभाषा नहीं हो पाई है। बल्कि कैम्ब्रिज स्कूल के विचारकों जी.ई. मूर, डब्ल्यू.डी. रास आदि का विचार है कि 'मूल्य' अखंड और अनिर्वचनीय होने के कारण अपरिभाषेय है। फिर भी अधिकतर दार्शनिक इस बात

पर थोड़ा-बहुत सहमत हैं कि 'मूल्य' को किस प्रकार पारिभाषित किया जाए। वे यह मानकर चलते हैं कि मूल्य-निर्णय मूल्यांकन (एप्रैजल) के निर्णय होते हैं।[14] ये मूल्य-निर्णय दो प्रकार के माने गए हैं--(1) वस्तुनिष्ठ (2) आत्मनिष्ठ।

(1) **वस्तुनिष्ठ दृष्टिकोण** : डोलाल्ड बालहूट और एस. एलेक्जेंडर के अनुसार वस्तुगत वह है, जो एक व्यक्ति के नियंत्रण में न होकर अनेक चेतनाओं की संपत्ति होता है।[15] डॉ. देवराज के शब्दों में : "मूल्यों को वस्तुपरक कहने से हमारा मतलब यह है कि सामान्य संवेदना तथा कल्पना से उत्पन्न सभी मुनष्य उन्हें चेतनजीवों के सुख के साधनों अथवा उपादानों के रूप में ग्रहण कर सकते हैं।"[16] मध्यकालीन पाश्चात्य चिंतन में भी मूल्य की चर्चा प्रायः उसे वस्तुगत मानकर की गई है। रोमन कैथोलिक दर्शन इसका साक्षी है।[17] जान एड्वर्ड मूर, जान लेयर्ड, सल्फबर्टन पेरी, जान डेवी आदि ने मूल्य की वस्तुनिष्ठता का समर्थन किया है।

मूर और लेयर्ड के विचारों में साम्य है। इन दोनों का मत प्रशस्तावाद (टिनोलौजीकल थ्योरी आफ वैल्यू) कहलाता है क्योंकि इन्होंने जिस गुणविशेष को मूल्य माना है, वह प्रशस्तता (एक्सीलैन्स और वर्थ) है।[18] डोरोथी ली ने 'मूल्य' को एक ऐसा आधार माना जिससे एक व्यक्ति, एक वस्तु (कोर्स) को दूसरे की तुलना में वरीयता देता है और अच्छे-बुरे, सही-गलत का चुनाव करता है।[19] ई. जी. स्पाल्डिंग के अनुसार मूल्य मनुष्य की इच्छा और चुनाव से परे हैं, वे हमारे बाह्य-विश्व में ही ढूँढ़े जा सकते हैं।[20] ऊपरी तौर पर डोरोथी ली और स्पाल्डिंग की मान्यताएँ परस्पर विरोधी लग सकती हैं। जबकि 'ली' ने भी उन वस्तुओं और परिस्थितियों पर ही बल दिया है, जिनके बारे में मूल्यात्मक निर्णय लिए जाते हैं।

मूल्यों की वस्तुनिष्ठता का विरोध कम नहीं हुआ है। आत्मनिष्ठतावाद, तर्कमूलक भाववाद आदि के अंतर्गत इसे कड़ी चुनौती दी गई। बहुत बल देकर कहा गया कि मूल्यात्मक वक्तव्यों का व्यवस्थित और वस्तुपरक अध्ययन संभव नहीं है। इसके अतिरिक्त 'मूल्य' को 'इच्छा' से परे मानना भी अनुचित समझा गया। वेस्टर मार्क ने इस पर टिप्पणी करते हुए लिखा कि नैतिक मूल्यों की तथाकथित वस्तुनिष्ठता का अर्थ यह होगा कि वे मूल्य मानवीय मस्तिष्क की निरपेक्षता में भी अस्तित्ववान हो सकते हैं। डॉ. देवराज ने उस विचारधारा को इस शताब्दी में अधिक प्रभावशाली माना है, जो यह मानती है कि मूल्यों के संबंध में मनुष्य का मंतव्य अनिवार्यतः आत्मपरक होगा।[21]

(2) **आत्मनिष्ठ दृष्टिकोण** : अनेक दार्शनिक 'मूल्य' को बाह्य परिवेश के स्थान पर मानव के अंतर्मन से संबद्ध करते हैं। उनके विचार में 'मूल्य' इच्छा के विषय हैं। यदि एडगर एस. बाइटमैन 'मूल्य' को किसी वांछित वस्तु या गतिविधि के उपभोग का वास्तविक अनुभव मानते हैं[22] तो बकौल डी.एस. पार्कर 'मूल्य' को मानव-इच्छा और इच्छा के परितोष के आश्रित मानते हैं।[23]

हैरिस ने भी मूल्य को वस्तुनिष्ठ न मानकर वैयक्तिक अनुभूति का विषय माना है।[24] अरबन ने 'मूल्य' को आत्मानुभूति का विषय मानते हुए उसकी तीन संक्षिप्त व्याख्याएँ की हैं। प्रथम व्याख्या के अनुसार मूल्य वह है जो मनुष्य की इच्छा को संतुष्ट करे। द्वितीय व्याख्या के अनुसार जो जीवन को सदैव विकास की ओर ले जाए, वह मूल्य है। तृतीय व्याख्या से वह वस्तु 'मूल्य' है, जो व्यक्तियों को विकास अथवा आत्मविकास या आत्मानुभूति की ओर ले जाती है।[25] लगता है अरबन 'मूल्य' को चेतनानिष्ठ मानते हैं। लेकिन हर्टमैन जैसे विचारक मूल्यों को भावना, विचार या चेतना से निष्पन्न नहीं मानते।

वस्तुनिष्ठता और आत्मनिष्ठता का संतुलन

दार्शनिकों का एक वर्ग 'मूल्य' को न तो 'वस्तुगत' न 'आत्मगत' मानते हैं। बहुत पहले जार्ज संत्याना ने 'मूल्य' के भावनात्मक और क्रियात्मक दोनों पक्षों पर समान बल दिया था।[26] टाइटस ने भी संकेत किया कि 'मूल्य' न सर्वथा वस्तुनिष्ठ है और न केवल वस्तुगत। वह वैयक्तिक और निर्वैयक्तिक तत्त्वों के मध्य घटनेवाली अंतःक्रिया का सहयोगात्मक निर्णय है।[27] प्रो. कृष्णनाथ[28] ने 'मूल्य' की परिभाषा के संदर्भ में 'शुक्रनीति' की कुछ पंक्तियाँ उद्धृत की हैं, जिनमें 'मूल्य' को गुण पर आश्रित होने के साथ-साथ मूल्य-निर्धारक की 'कामना' पर आधारित बताया गया है। 'शुक्रनीति' के अनुसार—जो कुछ भी अप्रतिम है, बेजोड़ है, वह रत्न जैसा ही है। मूल्य देशकाल के अनुसार तय होना चाहिए। जो गुणहीन है और व्यवहार के योग्य नहीं है, उसका कोई मूल्य नहीं। और जितने व्यय से मिले, उतना उसका मूल्य होता है। सुलभ होने और असुलभ होने और उसमें निहित गुण या अगुण से मूल्य तय होता है। कामना के अनुसार पदार्थों का मोल हीन या अधिक, कमोबेश होता है।[29] शुक्राचार्य का यह अभिमत निश्चय ही मूल्य की आर्थिक अवधारणा को सामने लाता है। लेकिन इससे 'मूल्य' या 'जीवनमूल्य' के आधुनिक अर्थ में भी समझा जा सकता है। तब 'मूल्य' वह होगा जिसके लिए व्यक्ति को अधिक से अधिक मूल्य चुकाना पड़े। श्रेय-प्रेय को एक साथ महत्त्व देनेवाली भारतीय विचारधारा भी 'मूल्य' के प्रति संतुलित दृष्टि अख्त्यार करती है। श्रेय अर्थात्, वस्तुगत मूल्य और प्रेय अर्थात् इच्छित या आत्मनिष्ठ मूल्य। इन सभी मतों को देखते हुए डॉ. विश्वंभरनाथ उपाध्याय का यह कथन सार्थक ठहरता है कि मूल्य न तो पूर्णतः वस्तुगत होते हैं और न पूर्णतः व्यक्तिगत। वे वस्तु, व्यक्ति के परस्पर संबंधों, क्रिया-प्रतिक्रियाओं, संघर्षों-संगतियों के फल होते हैं।[30]

(ख) मूल्य और सामाजिक विज्ञान

अर्थशास्त्र, समाजशास्त्र, मनोविज्ञान, नृतत्वशास्त्र आदि 'मूल्य' उतना ही महत्त्व देते हैं, जितना शुद्ध विज्ञान-भौतिकी, रसायनविज्ञान, जीवविज्ञान आदि प्राकृतिक नियमों को।[31] व्यक्ति के व्यक्तिगत, समूहगत एवं संस्थागत संबंधों तथा उसके आदर्शों-मूल्यों और नैतिक आदतों में अत्यंत घनिष्ठता होती है। इसलिए मूल्यों और नैतिक आदतों की पड़ताल किए बगैर, सामाजिक क्रियाओं और समस्याओं से सीधा और सही साक्षात्कार संभव नहीं। सामाजिक विज्ञानों की दुनिया में मूल्य-चर्चा की शुरुआत थामस और जैनिनकी की पुस्तक 'पोलिश पीजेन्ट इन यूरोप एण्ड अमेरिका' से मानी जाती है। लेकिन सन् 1930 ई. तक इस प्रकार का अध्ययन अस्पष्ट और धूमिल सा रहा। कालांतर में बेबर, मानहीम, ओवेन, राधाकमल मुखर्जी, फेयर चाइल्ड, राल्फ लिंटन आदि के उद्योग से सामाजिक विज्ञानों ने भी 'मूल्य' के महत्त्व को स्वीकार किया।

(ग) मूल्य : अर्थशास्त्रीय दृष्टि

'इन्साइक्लोपीडिया ब्रिटेनिका' के अनुसार अर्थशास्त्र में किसी वस्तु का मूल्य उसके विनिमय में प्राप्त होनेवाली वस्तुओं की मात्रा में निर्धारित होता है।[32] प्रो. टी.एन. के विचार में अर्थशास्त्रीय मूल्य 'आवश्यकता' और 'अभाव', इन दो चीजों पर निर्भर होता है।[33] मूल्य का श्रम-सिद्धांत मूल्य संबंधी पुराने सिद्धांतों में सर्वाधिक महत्त्वपूर्ण है। इसके समर्थकों और पोषकों में स्मिथ, रिकार्डो और मिल उल्लेखनीय हैं। इस सिद्धांत के अनुसार 'श्रम' ही किसी वस्तु के मूल्यांकन का एकमात्र और वास्तविक प्रतिमान है।[34] माल्थस जैसे अर्थशास्त्री जहाँ 'वस्तु' का 'मूल्य' उसके उत्पादन-व्यय से निर्धारित करते हैं, वहीं मेंजर, वालरस और जेवंस का विचार है कि वस्तु का मूल्य उसकी उपयोगिता पर आधारित होता है। प्रो. मार्शल ने लिखा है कि कुल माँग और कुल पूर्ति ही वस्तु के मूल्य को शासित करती है। मार्शल ने अपने मूल्य-सिद्धांत में समय-तत्त्व के प्रभाव का भी विवेचन किया है। कुन (Kuhn) के अनुसार 'मूल्य' प्राथमिकता क्रम पर आधारित किसी वस्तु की सापेक्षिक स्थिति है। यह सापेक्षिक स्थिति जितनी ऊँची होगी, वस्तु का मूल्य भी उतना ही महत्तर होगा।[35] माँग-पूर्ति और उत्पादन-व्यय पर 'मूल्य' के आधारित होने के मत जहाँ 'मूल्य' की वस्तुनिष्ठता पर बल देते हैं, वहीं 'उपयोगिता' से जोड़कर इसे मनुष्य की इच्छा से संबद्ध किया जाता है। जब 'मूल्य' की वस्तुनिष्ठता का आग्रह छोड़ दिया जाता है तब 'मूल्य' संबंधी एक अर्द्ध-मनोवैज्ञानिक सिद्धांत सामने आता है। उस दशा में मूल्य वस्तु और उपयोगिता के संबंध को दर्शानेवाली प्रक्रिया मात्र होता है या उसे मनुष्य की इच्छा की संतुष्टि कहा जा सकता है।[36]

कार्ल मार्क्स ने 'मूल्य' को श्रम से संबद्ध माना है। वे मानते हैं कि सामाजिक दृष्टि से श्रम की आवश्यकता वस्तु के मूल्य का निर्धारण करती है।[37] मूल्यों के बदलाव को मार्क्स ने उत्पादन के साधनों के बदलने से आर्थिक-सामाजिक संबंधों में आए बदलाव से जोड़ा है। उत्पादन के ढंग बदलने पर मनुष्य की कला-संस्कृति सब बदलते हैं। श्रम का विभाजन नए तरीके से होता है और नए मूल्य बनते हैं।[38] इस प्रकार अर्थशास्त्रियों के मतों का निचोड़ यह है कि किसी वस्तु का मूल्य माँग और पूर्ति के संतुलन की अवस्था में उस वस्तु के बदले में प्राप्त होनेवाला पदार्थ है। यह पदार्थ मुद्रा भी हो सकती है और कोई अन्य वस्तु भी। श्रम-मानवीय श्रम इस 'मूल्य' के निर्धारण में अहम भूमिका निभाता है। हालाँकि अर्थशास्त्रीय 'मूल्य' समाजशास्त्र आदि में उल्लिखित मूल्य-जीवनमूल्य से कुछ पृथक् है, तथापि इस अवधारणा से मूल्यों के अध्ययन में पर्याप्त सहायता मिलती है।

(घ) मूल्य : समाजशास्त्रीय संदर्भ

कभी समाजशास्त्रियों का विचार था कि 'मूल्य' दर्शन और नीतिशास्त्र के अध्ययन का विषय है। कालांतर में समाजशास्त्रियों ने अनुभव किया कि मूल्यों के अध्ययन के अभाव में समाजशास्त्र एक निर्जीव शास्त्र बनकर रह जाता है। अतः यह माना जाने लगा कि समाजशास्त्र मूल्यपरक समस्याओं से भी घनिष्ठ संबंध रखता है।[39] जॉन ई. ओवन के विचार में, जिस प्रकार नैतिक धर्म के अनुभवात्मक (Empirical) तत्त्व हैं, उसी प्रकार परिपक्व समाजशास्त्र के लिए सामाजिक मूल्य भी अनुभवात्मक तत्त्व है।[40] सामाजिक तथ्यों, संबंधों तथा सामाजिक परिस्थितियों का सर्वाधिक महत्त्वपूर्ण 'कथ्य' अन्य मनुष्यों के मूल्य हैं, जिनसे किसी व्यक्ति का 'स्व' संघर्ष या सहयोग करता है। डॉ. राधाकमल मुखर्जी ने व्यक्ति, समाज और मूल्यों में क्रमशः बत्ती, तेल और लौ का संबंध माना है।[41] जिस प्रकार बिना लौ के प्रकाश और गर्मी की प्राप्ति संभव नहीं, उसी प्रकार मूल्यों की परख के अभाव में व्यक्ति और समाज का अध्ययन असंभव है।

समाजशास्त्रियों ने प्रायः 'मूल्य' को सामाजिक जीवन के अंतःसंबंधों को पारिभाषित करने में सहायक सामाजिक मान के रूप में स्वीकार किया है। थामस और जेनिनकी की दृष्टि में 'मूल्य' वह लक्ष्य है, जिसकी अंतर्वस्तु तथा अर्थ तक एक सामाजिक समूह के सदस्य पहुँच सकते हैं। पेरी मूल्य को मानवीय अभिरुचि का विषय मानते हैं।[42] पेपर के अनुसार कोई भी अच्छी या बुरी चीज मूल्य है। इसी से मिलता-जुलता अभिमत आर.एम. विलियम्स (जूनियर) का है। उनके अनुसार मूल्य 'काम्य' (डिजायरेबल) की वे धारणाएँ हैं जो व्यक्ति के व्यवहार को प्रभावित करती हैं।[43] इमाइल दुर्खीम ने मूल्य की दो विशेषताओं की ओर संकेत किया

है–(1) बाह्यता (Exterority) और बाध्यता (Constraint)। दुर्खीम के विचार में मूल्य की विवेचना, सामाजिक तथ्य (Social fact) के रूप में होनी चाहिए। मूल्यों पर विस्तार से विचार करनेवालों में राधाकमल मुखर्जी अग्रगण्य हैं। सैमुअल हार्ट सदृश पाश्चात्य विचारकों ने उनके मूल्य-विवेचन की भूरि-भूरि प्रशंसा की है। डॉ. मुखर्जी के अनुसार "मूल्यों को सहअस्तित्व एवं परंपरा की भावनात्मक स्वीकृतियाँ कहा जा सकता है। भौतिक जगत् में प्राकृतिक नियमों के समान ही वे सामाजिक तथ्यों के संदर्भ में एक 'स्वीकृति', 'अनिवार्यता' और 'आवश्यकता' को व्यक्त करते हैं।"[44] एक अन्य स्थान पर वे 'मूल्य' को मानव के संपूर्ण व्यक्तित्व से संबद्ध मानते हैं और उसे 'एक जटिल संपूर्णता' कहकर संबोधित करते हैं।[45] डॉ. मुखर्जी लक्ष्य, 'आदर्श' और 'मूल्य' में अंतर करते हैं। विशिष्ट आवश्यकताओं के अनुरूप व्यक्ति या समाज अपने लक्ष्य का निर्धारण करता है। विभिन्न लक्ष्यों में टकराहट होने पर लक्ष्यों में सर्वोत्तम अर्थात् 'आदर्श' का चुनाव होता है। आदर्शों को पूर्णता देने के लिए समाज कुछ आदर्श-नियमों का निर्धारण करता है। ये आदर्श नियम उस अवस्था में मूल्य बन जाते हैं, जब वे समाज के सदस्यों के अंतःकरण और विश्वास के रूप में एक आंतरिक तत्त्व हो जाते हैं और सामाजिक संबंधों तथा संस्थाओं आदि के माध्यम से प्रकट होते हैं। 'मानवीय मूल्य' को उन्होंने विज्ञान की जननी कहकर संबोधित किया है।[46]

(ङ) मूल्य : मनोवैज्ञानिक अवधारणा

कुछ विचारकों के अनुसार आज मूल्य-सिद्धांत 'दार्शनिक' अधिक है, मनोवैज्ञानिक कम।[47] लेकिन 'मूल्य' के समाजशास्त्रीय रूप को देखते हुए यह नहीं कहा जा सकता कि 'मूल्य' मात्र दार्शनिक अर्थ में ग्राह्य है। इसके अतिरिक्त मानवीय इच्छा से संबंधित होने के कारण 'मूल्य' के मनोवैज्ञानिक पहलू की एकदम उपेक्षा नहीं की जा सकती। हालाँकि कुछ मनोवैज्ञानिक उपपत्तियों से 'मूल्य' की अवधारणा बाधित होती है। जैसे, मनोविश्लेषणकर्ता बच्चों के मूल्य-निर्णय में पशु रूप की अभिव्यक्ति मानते हैं। लेकिन इन अपवादों के बावजूद 'मूल्य' की सत्ता के कई आयाम मनोवैज्ञानिकता से संपृक्त हैं। मूल्य हमारी उस अंतश्चेतना का निक्षेपण है, जो हमारे व्यक्तित्व की पीठिका होती है।[48] आई.ए. रिचर्ड्स ने भी माना है कि मूल्य की सत्ता हमारी अनुक्रियाओं और अभिवृत्तियों के सूक्ष्म विशेषों (माइन्यूट पर्टिकुलर्स ऑफ रेस्पांस एण्ड ऐट्टीट्यूड) में है। लेकिन इस तथ्य को नहीं समझने के कारण कुछ लोग 'मूल्य' को आचार के सामान्य नियमों और विधि-निषेधों के साथ जोड़ते आए हैं।[49] स्वयं रिचर्ड्स ने 'मूल्य' को निम्नलिखित शब्दों में पारिभाषित किया है :

"कोई भी ऐसी वस्तु मूल्यवान है, जो किसी दूसरी समान या अधिक महत्त्वपूर्ण एषणा को कुंठित किए बिना हमारी किसी एषणा की संतुष्टि करे।"[50]

'मूल्य' को इच्छा की संतुष्टि मानते हुए रिचर्ड्स ने संकेत दिया है कि मूल्यों में आपसी टकराव के अवसर कम होते हैं। जीवन में अधिकाधिक मूल्यों की प्राप्ति आवेगों के सामंजस्य पर निर्भर होती है। लेकिन किसी भी व्यक्ति के जीवन में आवेगों का सामंजस्य करनेवाली मनोव्यवस्था बदलती रहती है। जिस मनोव्यवस्था में मानवीयता जितनी अधिक होती है, वह उतनी ही उत्कृष्ट होती है।[51]

कुछ विचारकों ने 'मूल्य' को व्यक्ति की अभिवृत्ति (Instinct) से जोड़कर देखा है। "अभिवृत्तियों और मूल्य के संबंध में दो प्रकार के मत हैं। एक मत के अनुसार तो अभिवृत्तियों के स्थायित्व में ही मूल्य निहित है और दूसरे मत के अनुसार अभिवृत्तियाँ 'नार्म' बनने पर ही मूल्य का स्वरूप धारण करती हैं।"[52] 'नार्म' बनने का अर्थ है किसी अभिवृत्ति की एक ऐसे प्रतिमान के रूप में प्रतिष्ठा, जो निर्णय करने में एक मानक या सिद्धांत के रूप में प्रयुक्त हो सके। 'इन्साइक्लोपीडिया ब्रिटेनिका' में 'मूल्य' को 'रुचि' और 'अनुभव' से जोड़कर देखा गया है।[53] इस व्याख्या के अनुसार 'मूल्य' और मूल्यानुभव दोनों एक ही हैं। कुछ मनोवैज्ञानिकों ने 'मूल्य' को व्यक्ति की नैतिक शक्ति माना है, जिसकी सहायता से वह अच्छे-बुरे तथा उचित-अनुचित में अंतर समझ पाता है। व्यक्ति मूल्यों को अपने परिवेश से सीखता है। जब वे भली-भाँति अंगीकृत हो चुकते हैं, तब वे व्यक्ति की नैतिक विशेषताएँ बन जाते हैं। इंगलिश एण्ड इंगलिश ने स्पष्ट किया है कि 'मूल्य' व्यक्ति की निजी मूल्यांकन-क्षमता पर निर्भर नहीं होते, बल्कि समाज उन्हें 'व्यक्ति' पर आरोपित करता है।[54] इससे स्पष्ट है कि 'मूल्य' को मात्र व्यक्ति के संदर्भ में नहीं समझा जा सकता है। समाज-मनोविज्ञान की नई खोजों के संदर्भ में भी 'मूल्य' की आत्यांतिक वैयक्तिकता के लिए अधिक अवकाश नहीं रह गया है। वस्तुतः राधाकमल मुखर्जी ने सही पहचाना है कि मूल्य-अनुभव सदैव सामाजिक अनुभव में होते हैं।

(च) मूल्य : नृतत्वशास्त्रीय व्याख्या

नृतत्वशास्त्रियों ने 'मूल्य' को संस्कृति में विद्यमान सामाजिक अंतःक्रिया के परिणाम के रूप में देखा है। राल्फ लिण्टन के अनुसार मूल्य वह तत्त्व है, जो परिस्थितियों की एक शृंखला में समान रूप से हो और जो व्यक्ति को अप्रत्यक्ष रूप से प्रेरित कर सके।[55] क्लाइट क्लुखान मूल्य को ऐसा मानक मानते हैं, जो समय के साथ प्रायः बदल नहीं पाता। क्लुखान के विचार में मूल्य, एक व्यक्ति की विशिष्टता या एक समूह के गुण का द्योतक एक अप्रत्याशित प्रत्यक्ष या अप्रत्यक्ष, संबोधन

है, जो कार्य के उपलब्ध ढंगों, साधनों और उद्देश्यों से संबंधित होता है।[56]

इस प्रकार विभिन्न सामाजिक विज्ञान 'मूल्य' के अनेक पहलुओं को देखते-भालते हैं। जहाँ मूल्यों की अर्थशास्त्रीय अवधारणा मानवीय मूल्यों के उद्भव को समझने में सहायक है, वहीं 'मूल्य' की मनोवैज्ञानिकता उपेक्षणीय नहीं है। मूल्यों की समाज-सापेक्षता स्वयंसिद्ध है ही। मैकडूगल की यह धारणा अनुचित नहीं कही जा सकती कि मूल्यों का समुदाय ही समस्त सामाजिक विज्ञानों के लिए मौलिक तथ्य हैं और इन्हें मनोवैज्ञानिक रूप से समझना ही सामाजिक विज्ञानों को स्थिरता प्रदान करने के लिए आवश्यक है। आर.एम. विलियम्स (जूनियर) के अनुसार यह संदेहास्पद है कि कोई परिभाषा मूल्य के साथ न्याय कर सकेगी। फिर भी वे सामाजिक विज्ञानों में व्यापक रूप से स्वीकृत परिभाषा प्रस्तावित करते हैं :

"मूल्य जो भी इच्छित है, उसकी धारणाएँ हैं जो व्यक्ति के चयनप्रधान व्यवहार को प्रभावित करती हैं।"[57]

मूल्य संबंधी समूचे चिंतन का निचोड़ यह है कि 'मूल्य' कुछ विशिष्ट धारणाएँ हैं, जिनके लिए व्यक्ति या समाज कुछ न कुछ जोखिम उठाता है। यह किसी दबाव से नहीं, स्वेच्छा से स्वीकृत अवधारणा है, जिसमें उपयोगिता का भाव कम, अभिरुचि की प्रेरणा अधिक होती है। शांति जोशी की निम्नलिखित परिभाषा अत्यंत सरल शब्दों में 'मूल्य' को पारिभाषित करती है :

"मूल्य उस सत्य को कह सकते हैं, जिसके लिए व्यक्ति या समाज जीवित रहता है और जिसके लिए आवश्यकता पड़ने पर वह संघर्ष करने, दुःख सहने तथा मृत्यु को स्वीकार करने के लिए भी तत्पर होता है।"[58]

'आदर्श', 'मूल्य' और 'नार्म'

प्रायः 'आदर्श' और 'प्रतिमान' (नार्म) 'मूल्य' के मिलते-जुलते अर्थ में प्रयुक्त होते हैं। वस्तुतः 'मूल्य' की सत्ता इनसे पृथक् है। मानवजीवन के कतिपय लक्ष्य होते हैं। लक्ष्यों में सर्वोत्तम आदर्श होता है। आदर्श से जुड़े नियम नार्म्स या प्रतिमान कहे जाते हैं। जब प्रतिमान समाज के सदस्यों के एक समूह के विश्वासों के रूप में जीवन के आंतरिक तत्त्व बन जाते हैं, तब इन्हें मूल्य कहा जाता है। 'आदर्श' और 'मूल्य' को अलगाते हुए कहा गया है : "आदर्श बने बनाए और स्थिर होते हैं, मूल्य अन्वेष्य और परिवर्तनशील होते हैं।"[59] वस्तुतः यह कोई स्पष्ट अंतर नहीं है। कुछ 'मूल्य' भी स्थिर (शाश्वत) होते हैं। मुख्य अंतर 'व्यवहार' का है। आदर्श के लिए कुछ मूल्य चुकाने या जोखिम उठाने पर आदर्श 'मूल्य' में परिवर्तित हो जाता है।

कुछ विद्वान् 'मूल्य' और 'प्रतिमान' में अभेद करते हैं। प्रभाकर माचवे ने

दोनों को एक माना है।[60] कुमार विमल भी यही मत व्यक्त करते हैं।[61] मूल्य और प्रतिमान में निकट का संबंध होने के बावजूद पर्याप्त अंतर है। प्रतिमान वह है, जो निर्णय करने के संदर्भ में एक सिद्धांत के रूप में प्रयुक्त होता है, जबकि 'मूल्य' निर्णय की उपलब्धि है। डॉ. रमेश कुंतल मेघ ने 'मूल्य' और 'प्रतिमान' के सूक्ष्म अंतर को रेखांकित किया है। वे मूल्य को काम्य की धारणाएँ मानते हैं और प्रतिमान को काम्य आचरण का रूपबंध या पैटर्न कहकर संबोधित करते हैं।[62] 'इंटरनेशनल इन्साइक्लोपीडिया आफ द साइंसेज' में इस भिन्नता को भलीभाँति स्पष्ट किया गया है। प्रतिमान व्यवहार के नियम हैं जबकि 'मूल्य' 'काम्य' के वे मानक हैं जो विशेष परिस्थितियों में भी अप्रभावित रहते हैं।[63]

मूल्यों का वर्गीकरण

कुछ विचारकों ने किसी अभाव की पूर्ति या जीवन की उपयोगिता के आधार पर मूल्यों का वर्गीकरण किया है। जीवन की आवश्यकताओं को ध्यान में रखकर अरबन ने मूल्यों को आठ वर्गों में बाँटा है–(1) शारीरिक मूल्य (2) आर्थिक मूल्य (3) मनोरंजनात्मक मूल्य (4) सामाजिक मूल्य (5) चरित्रात्मक मूल्य (6) सौंदर्यात्मक मूल्य (7) बौद्धिक मूल्य (8) धार्मिक और ईश्वरविषयक मूल्य।[64] इस वर्गीकरण में व्यापकता के बावजूद वर्गों की संख्या आवश्यकता से अधिक है। शारीरिक, आर्थिक और मनोरंजनात्मक मूल्यों को मिलाकर केवल एक वर्ग–भौतिक वर्ग बनाया जा सकता है। आगे चलकर अरबन ने स्वयं अपने वर्गीकरण की स्फीति को समझा और केवल दो वर्गों–साधनात्मक, साध्यात्मक को मान्यता दी। जे.एस. मैकेंजी भी इन्हीं वर्गों के समर्थक हैं। मैकेंजी ने रोटी के मूल्य की चर्चा करते हुए लिखा है–"रोटी का मूल्य जिंदगी कायम रखने या भूख की पीड़ा शांत करने के साधन रूप में या भोजन की सुखद अनुभूति देनेवाले साधन के रूप में ही है। तो इस प्रकार रोटी का मूल्य वास्तव में इस बात पर निर्भर है कि हम जिंदगी को या सुख को या पीड़ा के अभाव को मूल्यवान मानते हैं। ऐसे मूल्य को कभी-कभी 'साधन मूल्य' (Instrumental values) कहते हैं और 'स्वतः मूल्य' (Intrinisic value) से इसका विभेद मानते हैं।"[65] डॉ. देवराज ने 'अरबन' और मैकेंजी का समर्थन करते हुए लिखा है–"मूल्य दो प्रकार के होते हैं, आंतरिक या साध्यात्मक और साधनात्मक...यह कहने की जरूरत नहीं कि विभिन्न सदंर्भों में एक ही मूल्य साध्यात्मक अथवा साधनात्मक हो सकता है।"[66] जो मूल्य जीवन के लक्ष्य होते हैं, वे स्वतःमूल्य या साध्यमूल्य कहलाते हैं और जो उस लक्ष्य के साधन रूप होते हैं, उन्हें साधनमूल्य कहा जा सकता है।

स्वतःमूल्य की व्याख्या करते हुए जे.एस. मैकेंजी ने उसे 'तर्कनापरक चुनाव

का निर्भ्रांत लक्ष्य' कहा है।[67] कांट ने 'शुभ संकल्प' (good will) को स्वतःमूल्य माना था। सौंदर्य, प्रेम, सत्य आदि भी इसी प्रकार के मूल्य हैं। जार्ज संतायना के विचार में तो सारे मूल्य अंततः स्वतःमूल्य ही होते हैं।[68] लेकिन रिचर्ड्स 'साधन' और 'साध्य' के भेद को समझने पर बल देते हैं। उनके विचार में, साधनात्मक मूल्य और साध्यमूल्य में अंतर न देख पाने के कारण ही मानवीय मूल्यधारणा में इतनी विभिन्नता दिखाई देती है।[69] स्वतःमूल्यों को 'शाश्वत' या 'प्रकृत' भी कहा गया है। हालाँकि ये मूल्य काफी हद तक विशिष्ट सांस्कृतिक विशेषता, चिंतन की परिणति और व्यवहार की क्षमता का प्रतिनिधित्व करते हैं, फिर भी इन्हें 'शाश्वत' मान लेना अधिक उपयुक्त नहीं है। ऐसा करना उनके सामाजिक उद्देश्यों को अस्वीकृत करना होगा।[70] स्वतःमूल्यों को रूढ़ियों के रूप में स्वीकार नहीं किया जा सकता और न इनकी प्रकृति यथास्थितिवादी होनी चाहिए। जब वे दूषित सामाजिक व्यवस्था के स्थान पर समाज के सच्चे श्रेयों को व्यक्त करते हैं, मानवीय आदर्शों की प्राप्ति के लिए संघर्ष में सहायक होते हैं तभी प्रासंगिक करार दिए जा सकते हैं। जिस कृति में इन मूल्यों की परिणति जितनी अधिक होगी, उतनी ही कृति क्लासिक और मानवतावाद से भरपूर होगी।[71] प्रायः स्वतःमूल्य एक प्रकार की आध्यात्मिकता से मंडित हैं।

साध्यमूल्य जीवन या अनुभव की किसी दशा से संबंधित होते हैं जबकि साधनात्मक मूल्य उन वस्तुओं और स्थितियों में पाया जाता है जो उस दशा को उत्पन्न करती हैं।[72] दोनों प्रकार के मूल्यों में विनिमय भी होता है। कोई साधनमूल्य कभी-कभी साध्यमूल्य भी बन जाता है। जैसे–स्वास्थ्य, सौंदर्य आदि। मानविकी पारिभाषिक कोश (साहित्य खंड) में पाँच प्रकार के मूल्यों का उल्लेख है–(1) आनंदमूलक (2) कलात्मक (3) सांस्कृतिक (4) नैतिक अथवा धार्मिक (5) व्यावहारिक।[73] कुछ विचारकों ने समस्त मूल्यों को समेट कर तीन मूल्यों–सत्य, शिव और सुंदर में समाहित किया है।[74] उनके अनुसार 'सत्य' विज्ञान और दर्शन का मूल्य है, 'शिव' में धर्म आ जाता है और 'सुंदर' में 'कला' और साहित्य के मूल्य विद्यमान हैं। मूल्यवत्ता की मात्रा से 'अस्तिमूल्य' (पौजीटिव वैल्यूज) और 'नास्तिकमूल्य' (निगेटिव वैल्यूज) जैसे वर्ग भी बनाए गए हैं। जो शुभ या श्रेयस् है, वह ऐसी कोई भी वस्तु है, जिसका 'अस्ति-मूल्य' हो, इसके विपरीत जिस वस्तु का नास्तिमूल्य है उसे अशुभ कहा जाता है।[75] 'सत्य' अस्तिमूल्य है, मिथ्या नास्तिमूल्य। सौंदर्य शुभ है, असुंदरता अशुभ। नास्तिमूल्यों से व्यक्ति का जुड़ाव उसकी समझ की कमी और अनुकूलन की असफलता को व्यक्त करता है।[76]

आज मान लिया गया है कि मूल्यों के नियामक व्यक्ति और समाज हैं। अतः मूल्यों के दो भेद किए जाते हैं–(1) व्यक्तिगत या वैयक्तिक मूल्य (2) सामाजिक मूल्य।

व्यक्तिगत मूल्यों के अंतर्गत शारीरिक और बौद्धिक मूल्य आते हैं। जान लेयर्ड ने माना है कि व्यक्तिगत मूल्यों का आर्थिक प्रकार्य न्यूनतम हो सकता है, लेकिन वे उपयोगी अवश्य हैं। हैरिस के विचार में मूल्य-निर्णय तभी महत्त्वपूर्ण होते हैं, जबकि वे व्यक्ति-केंद्रित होते हैं।[77] व्यक्तिगत मूल्यों को अलग करके समाज, संस्कृति की कल्पना करना असंभव है। "व्यक्तिगत मूल्यों की स्थापना व्यक्ति की समाज में विशिष्ट रुचियों अथवा व्यक्तित्व की आत्मान्वेषी आस्थाओं स्मृतियों, प्रतीतियों द्वारा होती है। इसमें सामाजिक परिष्कार से नियमित व्यक्ति मुक्त भी हो सकता है और स्वेच्छापूर्ण बंदी भी।"[78] डॉ. रमेशकुंतल मेघ ने व्यक्तिगत और व्यक्तिवादी मूल्यों में अंतर माना है। व्यक्तिगत मूल्य इंद्रिय-बोध, भावनात्मक विकास, जीवन-संघर्ष का परिणाम हैं और प्रायः समाजविरोधी नहीं होते। व्यक्तिवादी मूल्य व्यावहारिक रूप में विकृत और मानवद्रोही तक हो जाते हैं।[79]

कुछ विचारक 'मूल्य' की सत्ता को सामाजिक मानते हैं। दुर्खीम ने मूल्यों की सामाजिकता पर बल दिया। बाद में मार्क्स ने भी यही धारणा व्यक्त की। हैरिस के अनुसार सामाजिक मूल्य संयुक्त उपलब्धि हैं।[80] डॉ. विश्वंभरनाथ उपाध्याय ने 'मूल्य' के सामाजिक पक्ष को उभारते हुए लिखा है–"मूल्य एक प्रकार का निर्णय होता है–प्रशंसापरक निर्णय और इसमें सर्वदा कोई सामाजिक सुझाव निहित रहता है। अतः मूल्य-निर्णय हमेशा सामाजिक होता है, व्यक्तिगत नहीं।"[81] सेवा, उपकार, सहयोग, न्याय, सांप्रदायिक सहिष्णुता आदि मूल्य सामाजिक कहे जाते हैं। जातिगत एवं वर्णगत मर्यादाएँ भी इनके अंतर्गत आती हैं।

मूल्यों की उच्चावचता पर भी पर्याप्त विचार हुआ है। यह माना जाता रहा है कि स्वतःमूल्य, साधनभूत मूल्यों से उच्चतर होते हैं और स्थाई मूल्य परिवर्तनशील मूल्यों से बेहतर हैं। फलदायक या अस्तिमूल्यों को निष्फल या नास्तिमूल्यों से श्रेष्ठ माना जाता है। लेकिन आज की यथार्थवादी विचारधारा इस क्रम से मतभेद रखती है। चूँकि स्वतःमूल्य या स्थाई मूल्य निरपेक्ष सत्य नहीं है, इसलिए आवश्यकता पड़ने पर साधनभूत मूल्य अधिक अनुकूल पड़ते हैं। बल्कि कभी-कभी साध्यमूल्य ही साधनमूल्य बन जाते हैं। इसके अतिरिक्त कुछ शाश्वत या स्थाई कहे जाने वाले मूल्य यथास्थितिवाद को प्रश्रय देते हैं, अतः उस स्थिति में इनकी अवहेलना भी हो जाती है। सतीत्व, पतिनिष्ठा वगैरह स्थाई मूल्य हैं लेकिन 'ध्रुवस्वामिनी' में प्रसाद ने इन पर परिस्थिति विशेष में प्रश्नचिह्न लगाया और नारी की 'स्वतंत्रता' को महत्तरमूल्य घोषित किया। अतः मूल्यों की उच्चावच स्थिति सापेक्षता में देखी जानी चाहिए। यहाँ यह स्मरणीय है कि साध्य और साधन मूल्यों में विरोध नहीं, पूरकता का भाव है।[82]

मूल्य-निर्मिति अथवा मूल्य-सृष्टि

ग्रीन ने मूल्यों के तीन स्तर माने हैं–(1) अमूर्त संवेग (2) नैतिक प्रतिमान (3) अहं।[83] इसका अर्थ यह हुआ कि संवेग, स्थापित नैतिकता और व्यक्ति का इगो, समवेत रूप में 'मूल्य' की उत्पत्ति करते हैं। डॉ. कुमार विमल ने मूल्य के पाँच तत्त्वों की चर्चा की है–व्यवस्था, परिस्थिति, संभावना, आचार और तोष।[84] व्यवस्था से परंपरा, नई परिस्थितियाँ, भावी संभावनाएँ, आचार संबंधी नियम और मनुष्य का आत्मिक संतोष मिलकर नए मूल्यों को जन्म देते हैं। मूल्य-सर्जक के लिए जहाँ यह आवश्यक है कि वह 'लकीर का फकीर' न हो, क्रांतदर्शी हो, आचार को आत्यंतिक महत्त्व न देता हो। इस प्रकार मूल्य-सृष्टि एक ऐसी प्रक्रिया है, जिसकी शुरुआत विश्लेषण से होती है और जिसका समापन 'संश्लेष' में होता है। केंद्रगामिता उसका धर्म है, प्रभावान्विति उसका लक्ष्य।[85]

महावीर दाधीच ने मूल्य-सृष्टि की दार्शनिक व्याख्या करते हुए लिखा है कि 'मूल्य' की उत्पत्ति के लिए द्वैत अनिवार्य है क्योंकि 'एक' मूल्यातीत ही नहीं, निर्मूल्य होता है। 'एक' का अर्थ है 'पूर्ण' और 'पूर्णता' में मूल्यों की स्थिति तो दूर मूल्यीय चेतना भी नहीं होती।[86] मूल्य-सृष्टि का संबंध मनुष्य की चेतना से है, जो अनुभूति को 'प्रत्यय' और 'प्रत्यय' को अनुभूति बनाने की क्षमता रखती है। चेतना का एक पक्ष शारीरिक है, जिससे शरीर-संबंध साधनात्मक मूल्य पैदा होते हैं। चेतना के यथार्थ पक्ष से जहाँ व्यवस्थागत मूल–राजनीति, वर्ण, वर्ग विभाजन संबंधी मूल्य पैदा होते हैं, वहीं चेतना के भावात्मक पक्ष से प्रेम, स्वातंत्र्य, आत्मसम्मान आदि मूल्य उभरते हैं। चेतना के अतिक्रमणशील (Transcendental) पहलू से ईश्वर और धर्म से संबद्ध मूल्य उपजते हैं। सत्य, विनय, प्रेम, सद्भाव, समन्वय, नैतिकता, पुण्य आदि मूल्य इसी कोटि में आएँगे।[87] इस चेतना के वस्तुमुखी रुख से वैज्ञानिक प्रत्यय उत्पन्न होते हैं, लेकिन मूल्यों का विधान नहीं होता।[88]

आई.ए. रिचर्ड्स ने मनोविज्ञान का सहारा लेकर अपने मूल्य-सिद्धांत का निर्माण किया है। इसके अंतर्गत माना गया है कि इच्छाएँ आवेशों को विशिष्ट ढंग से संगठित करती हैं। प्रभावशाली आवेश-गुच्छ (सेट आफ इंपलसेज) ही मूल्य की समस्या पैदा करते हैं। आवेश 'काम्य' और 'विकर्षक' होते हैं। वह वस्तु मूल्यवान् है, जो किसी 'काम्य' को संतुष्ट करे।[89] आर.टी. हैरिस ने भी इच्छा-अनिच्छा को मूल्य-सृष्टि में महत्त्वपूर्ण माना है। 'इच्छा' को संतुष्ट करनेवाला 'आलंबन' भी इसमें महत्त्वपूर्ण भूमिका निभाता है।[90] सी. जानसन ने धर्मों, सामाजिक मिथकों, नैतिक व्यवस्थाओं और विश्वासों को मूल्यों की जड़ में माना है।[91] नए मूल्यों के निर्माण के पीछे मनुष्य की इच्छाएँ और आवश्यकताएँ सर्वप्रमुख भूमिका निभाती हैं। बाहरी दबाव उन्हें प्रेरित या प्रभावित करते हैं। मनुष्य का

मन एक खास दिशा में कई उत्तेजकों और इच्छाओं को एक साथ महसूसता और संतुष्ट करता है। यह कार्य चेतन रूप में भी होता है और अचेतन रूप से भी। यही इच्छाएँ-वृत्तियाँ बाद में मूल्यों का रूप धारण करती हैं। लेकिन इच्छाओं की संतुष्टि में व्यक्ति के तर्क-चुनाव कम, समाज के निर्णय अधिक प्रभाव डालते हैं। समान प्रथाओं, रीतिरिवाजों, संस्थाओं आदि के जरिए मानवीय इच्छाओं और आवश्यकताओं को इस तरह संयोजित करता है कि वे मूल्यों में स्थानांतरित हो जाती हैं।[92] मुक्तिबोध ने मूल्यों की सृष्टि को व्यक्तित्व के गुणों के विकास के रूप में देखा था। मुक्तिबोध ने मूल्यों को मूर्त्त माना है, जो केवल भावुक और वैचारिक धरातल पर 'मूल्य' कहलाकर 'व्यक्तित्व' का गुण बनने का प्रयास करते रहते हैं–"नई परिस्थितियाँ जब व्यक्तित्व को इष्ट दिशा में संपूर्ण रूप से मोड़ देती हैं–अपने तकाजों की पूर्ति के लिए आवश्यक कार्यों की शक्ति जब व्यक्तित्व में पैदा कर देती है, यानी उस परिस्थिति के लिए आवश्यक गुणों का जन्म और विकास जब उस व्यक्तित्व में हो जाता है, तब वे मूल्य साकार हो उठते हैं।"[93] व्यक्ति का नए मूल्यों के लिए आग्रह प्रायः अपने आसपास की स्थितियों से संबद्ध होता है। यदि यह आग्रह बहुत आंतरिक है, तो उसके लिए अशांति और चिंता का कारण बनेगा। इसके फलस्वरूप नए पुराने मूल्यों का संघर्ष तीव्र होता है।[94] पुराने मूल्यों की अप्रासंगिकता नए मूल्यों की सृष्टि के लिए वातावरण तैयार करती है।

मूल्य-संकट, मूल्य-विघटन, मूल्य-विपर्यय और मूल्यहीनता

बीसवीं शती में प्रतिष्ठित जीवनमूल्यों के ध्वंस या उनकी अस्वीकृति को विचारकों ने चिंता की दृष्टि से देखा है। आज का व्यक्ति मूर्तिभंजक महमूद की तरह बड़ी निर्ममता से मूल्य प्रतिमाओं को खंडित कर रहा है।[95] निश्चय ही मानव-संस्कृति विराट् और व्यापक परिवर्तनों में से होकर गुजर रही है, उसके मूल्य-मानों में अमूल उखाड़-पछाड़ हुई है। किंतु इन महान् परिवर्तनों को संकट कहना कहाँ तक उचित है ? परिवर्तन विरोधी शक्तियाँ ही इन्हें संकट के रूप में आँकती और प्रचारित करती हैं।[96] 'मूल्यहीनता' और मूल्य-अराजकता का ढोल भी यथास्थिति के समर्थकों द्वारा अधिक पीटा जाता है।[97] मूल्य-संकट की स्थिति में समाज और व्यक्ति के सामने वैचारिक धुँधलापन तो होता है लेकिन मूल्यों के नए क्षितिज भी उभर रहे होते हैं। बगैर मूल्यों के विघटन के नए मूल्यों की सृष्टि संभव नहीं है। इसके अतिरिक्त पुराने मूल्यों को टूटने से बचाए रखना संभव नहीं है। मनुष्य अपनी विरासत में मिले मूल्यों को मजबूती से पकड़े रखता है, लेकिन वे उसकी गिरफ्त से दूर जाकर ही रहते हैं। वह चाहकर भी पुराने मूल्यों को जीवित नहीं रख पाता

क्योंकि उन्हें जीवित रखने का अर्थ है स्वयं मृत्यु का वरण।[98] यह समझना गलत है कि किसी देश में किसी 'आचार' या 'विचार' को सदैव 'मूल्यवान्' माना जाता रहेगा। बदलते हुए संदर्भों में मूल्यों के अर्थ बदल जाते हैं। आज यह विडंबनापूर्ण स्थिति है कि पुराने मूल्य अप्रासंगिक लग रहे हैं, लेकिन उनकी जगह लेनेवाले नए मूल्य अभी संख्या में कम हैं। यही मूल्य-संकट की स्थिति है।

कुछ विचारकों की दृष्टि में संकट मानव-मूल्यों पर उतना नहीं है, जितना मूल्यों को निर्मित और संक्रमित करनेवाले सामाजिक संबंधों और स्थितियों (परिवेश) पर है। वस्तुतः संबंधों पर संकट आने का अर्थ यही है कि 'मूल्य' संकटग्रस्त हो गए हैं। इसमें कोई बुनियादी अंतर नहीं है। इस मत से यह अवश्य ध्वनित होता है कि 'मूल्य-संकट', 'मूल्य-विघटन' परिवेश के बदलाव पर आश्रित हैं।

'मूल्य-विघटन', 'मूल्य-संकट' को जन्म देनेवाले प्रेरक कई हैं। प्रायः 'विज्ञान' को इसके लिए जिम्मेदार ठहरा दिया जाता है। निश्चय ही विज्ञान ने हमारी धारणाओं और विश्वासों की चूल हिला दी है। लेकिन विज्ञान सीधे तौर पर न पुराने मूल्यों का विघटन करता है न नयों का निर्माण।[99] विज्ञान मनुष्य को भौतिक वास्तविकता का ज्ञान कराकर चिंतन की नई दिशाएँ खोलता है। यह दो स्तरों पर मूल्य-विघटन या परिवर्तन में सहायक होता है। पहला स्तर है, विज्ञान का बौद्धिक रूप और दूसरा है यांत्रिकी (टेकनोलॉजी) का निरंतर बढ़ता दबाव। विज्ञान का बौद्धिक या सैद्धांतिक पक्ष रूढ़िवादी चिंतन को धक्का देता है। विज्ञान ने न केवल रहन-सहन बल्कि जीवन-दृष्टि को भी गंभीरता से प्रभावित किया है।[100] विज्ञान ने सबसे कड़ी चुनौती धर्म और अध्यात्म से जुड़े मूल्यों को दी है। आस्तिकता, भक्ति आदि को अस्वीकारते हुए विज्ञान ने पारलौकिक सत्ता के अस्तित्व को नहीं माना। फ्रायडवाद, अस्तित्ववाद, विकासवाद, साम्यवाद, वर्गसां का जिजीविषावाद आदि विज्ञान प्रेरित सिद्धांतों ने मानव-चिंतन को नई दिशाएँ दीं। लेकिन विज्ञान पर यह दोषारोपण भी किया जाता है कि वैज्ञानिक दृष्टिकोण ने प्राचीन धर्म और दर्शन-जन्य मूल्यों का नाश तो किया लेकिन मानवजाति को निश्चित मूल्य नहीं दिए।[101] अतः टायनबी, नेव्हूर, मनहेम, इलियट आदि विचारक 'विज्ञान' को अस्वीकार करते हुए धर्म या प्रत्ययवादी दर्शन की स्थापना करना चाहते हैं। इसके विपरीत रसेल, आयर, हक्सले आदि वैज्ञानिक दृष्टिकोण को स्वीकारते हुए नई मूल्य-व्यवस्था का जन्म संभव मानते हैं। लारेंस और हेमिंग्वे जैसे कुछ विचारक संस्कृति, धर्म और विज्ञान की असंगतियों पर चोट करते रहे। इस विचार-वैभिन्नय के बावजूद यह निश्चित है कि आज 'विज्ञान' को मानव-जीवन से बाहर नहीं किया जा सकता।[102] वह आज मूल्यों को प्रभावित कर रहा है और भविष्य में भी करता रहेगा। यांत्रिकी बौद्धिक धरातल पर कोई संकट नहीं पैदा करता। यह व्यावहारिक जीवन पर प्रभाव डालती है। नगरीकरण, आर्थिक प्रतियोगिता, संपत्ति का

विक्रेंद्रीकरण, तीव्रगामी संचार व्यवस्था और विध्वंसात्मक अस्त्र आदि यांत्रिकी के तत्त्व मानवजीवन में क्रांतिकारी परिवर्तन ला चुके हैं। इनके प्रभाव से जीवन-स्तर ऊपर उठा है, शोषण के नए तरीके सामने आए हैं, नैतिकता के रूढ़ मानदंडों को गहरा आघात लगा है, पारिवारिक संबंध कठोर आजमाइश में पड़ गए हैं। विध्वंसात्मक अस्त्रों ने संपूर्ण मानवता के लिए भयंकर संकट खड़ा कर दिया है। लोग सोचने लगे हैं कि चतुर्थ विश्व-युद्ध शायद ईंट-पत्थरों और नाखूनों-दाँतों से लड़ा जाएगा। पिछले दो विश्व-युद्धों में 'यांत्रिकी' के दुरुपयोग का फल यह हुआ कि संपूर्ण यूरोप अजनबीपन, अकेलापन और अनास्था से गुजरता हुआ 'मूल्यहीनता' की दहलीज तक पहुँच गया था।

मूल्यहीनता और अराजकता की स्थिति में जनसाधारण अपने अनुकूल मूल्यों का एक काल्पनिक संसार बना लेता है, जो एक ओर वर्गहितों का पोषण करता है, दूसरी ओर सार्वजनिक हितों को बढ़ाता है। मूल्यों के पुराने साँचे को तोड़ने से एक हानि भी हुई कि मनुष्य की पाशविक प्रवृत्तियों और आवेगों पर से नियंत्रण हट गया।

यांत्रिकी के अतिरिक्त व्यक्ति को जीवन के विभिन्न चरणों में प्राप्त होनेवाले नए अनुभवों के विस्तार तथा उसकी सामाजिक-आर्थिक भूमिकाओं में आनेवाले परिवर्तनों से भी मूल्य परिवर्तित होते हैं।[103] मार्क्स, काडवेल, प्लेखानोव आदि विचारक 'मूल्य' को जीव-अस्तित्व और वातावरण के संबंध का प्रतिबिंब मानते हैं।[104] आधुनिकता के संचरण को भी मूल्यों के परिवर्तन के लिए उत्तरदायी ठहराया गया है।[105] इन्द्रनाथ मदान ने आधुनिकता को एक जीवन-बोध के रूप में देखा है, जिसमें प्रश्नचिह्न की निरंतरता है और मध्यकालीन तथा रोमैंटिक बोध का अस्वीकार है।[106] आधुनिकता को जीवन-बोध के अर्थ में लेने से इसमें एक ओर विज्ञान और यांत्रिकी से संबद्ध चिंतन समाहित हो जाता है, दूसरी ओर मार्क्सवाद, अस्तित्ववाद, गांधीवाद आदि आधुनिक विचारधाराएँ भी इसके अंतर्गत आ जाती हैं। आधुनिकता को परिवर्तन में सहायक मानने का एक अर्थ यह निकलता है कि 'दृष्टि' बदलते ही मूल्यों के बदलने की शुरुआत होने लगती है।[107] लेकिन मूल्य-परिवर्तन तभी माना जाना चाहिए, जब किसी न किसी 'मूल्य' की उपस्थिति हो। पुराना उखड़ जाए, नया उगे नहीं अर्थात् कोई मूल्य न हो तो यह 'मूल्य-परिवर्तन' की स्थिति नहीं है।[108] इस स्थिति में या तो मूल्य-शून्यता के प्रति मूल्य-बोध का आक्रोश होता है या मूल्य-शून्यता अथवा मूल्यहीनता के प्रति सामान्य क्षोभ मात्र व्यक्त होता है। यह क्षोभ किसी मूल्य-दृष्टि से अनुशासित नहीं होता। मानसिक दुर्बलताओं या सामान्यतः अनुचित माने जानेवाले अनैतिक व्यवहार को 'मूल्य' के रूप में प्रस्तुत करना कुछ विचारकों की दृष्टि में मूल्य-परिवर्तन न होकर मूल्य-विपर्यय या मूल्यबोध का द्योतक है।[109] यदि कोई उन्मुक्त यौनाचरण,

डाकाजनी आदि को 'ग्लोरीफाई' करता है तो निश्चय ही वह मूल्य-विपर्यय को प्रोत्साहित कर रहा है।

इस प्रकार मूल्य-संकट जहाँ मूल्य-परिवर्तन की भूमिका है, वहीं मूल-विघटन नई मूल्य-दृष्टि के उदय में महत्त्वपूर्ण योग देता है। मूल्य-विघटन के साथ ही मूल्य-संक्रमण जुड़ा हुआ है। मूल्य संक्रमण के बाद या तो नई मूल्य-दृष्टि जन्म लेती है या मूल्य-शून्यता अथवा मूल्यहीनता की स्थिति आ जाती है। हालाँकि कुछ विचारकों के खयाल में मूल्यों का एकदम अभाव कभी नहीं होता।[110] भीष्म साहनी ने जोर देकर कहा कि पुराने मूल्यों की अप्रासंगिकता के बावजूद मूल्यहीनता की स्थिति नहीं आती।[111] जब हम भ्रष्टाचार की बात करते हैं तब इसके विपरीत किसी दूसरे आचार की धारणा हमारे मन में होती है। मूल्यहीनता केवल इस अर्थ में समझी जाती है कि अपेक्षित मूल्यों पर आचरण नहीं हो पा रहा है।[112]

मूल्य-संक्रमण : प्रकृति और प्रेरणा

मानक हिंदी कोश में संक्रमण शब्द के आठ अर्थ दिए गए हैं।[113] इनमें प्रमुख हैं—आगे की ओर बढ़ना, अतिक्रमण, एक अवस्था से दूसरी अवस्था में पहुँचना, सूर्य का एक राशि से निकलकर दूसरी राशि में प्रवेश करना आदि। प्रो. सिद्धेश्वर प्रसाद जैसे विद्वानों ने 'संक्रमण' को संक्रांति का पर्याय मानते हुए इसी विशिष्ट अर्थ में संक्रमण के प्रयोग की चर्चा की है—"...संक्रांति शब्द सूर्य का एक राशि से दूसरी राशि में प्रवेश करने के समय का वाचक होने के साथ-साथ, जो भारतीय ज्योतिष परंपरा में बड़ा पुनीतकाल माना जाता है, दो युगों के बीच के उस संधि-काल का भी वाचक हो गया है, जब पुराने मूल्यों में आस्था तो हिलने लगती है, लेकिन नए मूल्य उनका स्थान नहीं ले पाते हैं। ऐसी स्थिति में संक्रांति काल दो मूल्यबोधों के संघर्षकाल का वाचक हो गया है और अब ज्योतिष के बाहर इसी अर्थ में इसका प्रचलन हो गया है।"[114] 'मानविकी पारिभाषिक कोश' में 'संक्रमण' अंग्रेजी शब्द—Transition के पर्याय के रूप में प्रयुक्त हुआ है। वहाँ इसे दो रूपों में समझाया गया है—"(1) किसी एक विषय से, अथवा कृति के किसी एक अवस्थान से, दूसरे में प्रवेश करने की क्रिया या कार्य अथवा वे युक्तियाँ, जो विचार को विकास की एक अवस्था से अगली अवस्था में ले जाती हैं। (2) किन्हीं दो पूर्वापर अवस्थाओं अथवा युगों के बीच में पड़नेवाली स्थिति जिसमें दोनों की ही विशेषताएँ परिलक्षित होती हैं अथवा जिसमें दोनों के संघर्ष का सूत्रपात होता है।"[115] मूल्य-प्रक्रिया के संदर्भ में संकट, विघटन आदि शब्दों का भी प्रयोग हुआ है लेकिन 'संक्रमण' शब्द इन संबका विकसित रूप है।[116] इन स्पष्टीकरणों को 'मूल्यों' के संदर्भ में लागू करने पर लगता है कि मूल्य-संक्रमण की दो प्रमुख स्थितियाँ हैं। जब कोई उच्चतर

मूल्य स्थानच्युत होता है, उसका स्थान अपेक्षाकृत हीन मूल्य लेता है अथवा साध्यमूल्य और साधनमूल्य अपनी जगह बदल लेते हैं, तब मूल्य-संक्रमण की एक स्थिति सामने आती है। इससे ज्ञात होता है कि मूल्यों का विकास किस दिशा में हुआ है ? दूसरी स्थिति तब पैदा होती है, जब पुराने मूल्य एकदम समाप्त नहीं होते और उनका स्थान लेनेवाले मूल्य पूरी तरह नहीं उभर पाते हैं। 'सूर्य का यद्यपि नहीं आना हुआ, किंतु समझो रात का जाना हुआ' से मिलती-जुलती स्थिति होती है। फर्क इतना है कि जहाँ कुछ ही क्षणों में सूर्य का आविर्भाव निश्चित है, वहीं नए मूल्यों का स्वरूप और जन्म-समय निश्चित नहीं है। इस अंतराल में परंपरागत और आधुनिक मूल्यों की युगपत् स्थिति होती है। आधुनिकता, जिसमें विज्ञान वगैरह की अनेक धारणाएँ निहित हैं, के दबाव से यह असमंजस की स्थिति पैदा होती है।[117] परंपरागत मूल्यों को कड़ी चुनौती मिलती है और वे विचलित हो जाते हैं। यह विचलन और परिवर्तन सामाजिक-आर्थिक परिस्थितियों से आता है, लेकिन आधुनिकता परिवर्तन की प्रक्रिया तेज बनाती है। आधुनिकता के प्रसार से समाज का एक वर्ग विशेष आधुनिक दृष्टि-संपन्न होकर नए मूल्यों को प्रश्रय देता है, लेकिन समाज का एक बड़ा वर्ग आधुनिकता के अल्पांश से भी परिचित नहीं हो पाता।[118] यही नहीं, नए मूल्यों का हामी वर्ग भी पुराने मूल्यों को अपने व्यवहार से बाहर नहीं कर पाता। विचार या बोध के स्तर पर 'अस्पृश्यता' को प्रबुद्ध व्यक्ति नहीं स्वीकारता, लेकिन रोटी या बेटी का संदर्भ आने पर वह जातिगत ऊँचनीच के कठघरों में कैद हो जाता है। 'सांप्रदायिकता' के साथ भी यही बात है। इसलिए आधुनिकीकरण के समानांतर संस्कृति की मानवीय सदंर्भों में पुनर्व्याख्या भी होती रहती है।[119] अर्थात् परंपरा का पुनर्नवीकरण होता रहता है। विज्ञान इसमें सर्वाधिक सहायता करता है। नए मूल्यों के उदय और पुरामूल्यों की पुनर्व्याख्या में धार्मिक-सामाजिक आंदोलन और क्रांति आदि का योगदान कम नहीं है। वे कभी-कभी संस्थाओं और अधिकारों, कर्तव्यों, नियमों वगैरह के आंतरिक संबंधों में निहित 'सामाजिक संतुष्टि' में परिवर्तन उपस्थित कर नई सामाजिक मूल्य-दृष्टि को जन्म देते हैं।[120] "कभी-कभी विभिन्न जातियों के सम्मिश्रण से (सामाजिक संबंधों में परिवर्तन आने के फलस्वरूप) नए विचारों का आवागमन होता है अथवा नई सामाजिक व्यवस्था अथवा नए आचार-विचार उदित होते हैं और नई मान्यताएँ स्थापित होती हैं।"[121] भारतीय परिवेश में आर्य समाज, ब्रह्मसमाज, स्वातंत्र्य आंदोलन और यूरोप में फ्रांस तथा रूस की क्रांतियों ने मानवीय चिंतन में बुनियादी फर्क पैदा किया है।

आधुनिकता के दबाव से पूर्व मूल्य किसी पारलौकिक सत्ता से संबद्ध थे। लेकिन वैज्ञानिक अवधारणाओं ने धर्म को खासी चुनौती दी। सबसे पहले 'यूरोप' में पुरामूल्यों के स्थान पर नई मर्यादाओं को प्रतिष्ठित करने की बेचैनी दिखाई दी।

भारत के रूढ़िवादियों ने पश्चिम और पूर्व की नियति को अलग मानते हुए हमेशा यही चाहा कि 'नई रोशनी' का प्रभाव यहाँ न पड़े।[122] लेकिन वे परिवर्तन के चक्र को न रोक पाए। आज मूल्यों की स्वीकृति और निर्धारण के पीछे उपयोगिता की कसौटी विद्यमान होती है। जो मूल्य अव्यावहारिक और अनुपयोगी होते हैं, उन्हें क्रमशः उपेक्षित कर दिया जाता है। बहुत से पुरामूल्यों के साथ यह कठिनाई है कि वे इतनी ऊँचाई पर स्थित होते हैं कि मनुष्य उन्हें अपने जीवन में उतार नहीं पाता।[123] परिणाम यह होता है कि कथनी और करनी में अंतर दिखाई देता है। वैचारिक स्तर पर पुरामूल्यों की स्वीकृति बनी रहती है लेकिन 'व्यवहार' में उनकी उपेक्षा की जाती है। 'अपरिग्रह' और 'ब्रह्मचर्य' आदि मूल्य-मर्यादाओं के साथ यह विडंबना प्रायः देखी जाती है। ऐसी स्थिति में 'व्यक्ति' अंतरात्मा की आवाज के नाम पर व्यक्तिगत निर्णयों को 'मूल्य' की सी गरिमा देने लगता है। एक परिचर्चा में भाग लेते हुए मराठी नाटककार विजयतेंदुलकर ने स्पष्ट किया था कि अंतरात्मा की आवाज पर किसी विवाहित स्त्री के साथ सोता हूँ तो यह पाप नहीं है। यदि सामाजिक दबाववश मैं ऐसा नहीं करता, तब 'पाप' है।[124] यदि सभी अंतरात्मा की आवाज की दुहाई देने लगें तब तो डकैती, हत्या आदि भी पाप नहीं है। निश्चय ही मूल्य-निर्धारण का महत्त्वपूर्ण कार्य व्यक्ति-विशेष की अंतरात्मा की आवाज पर नहीं छोड़ा जा सकता।

मूल्य-संक्रमण की स्थिति वहाँ भी पैदा होती है, जब एक समुदाय या संस्कृति का सदस्य दूसरे समुदाय या संस्कृति के संपर्क में आता है और समायोजन नहीं कर पाता।[125] एक आदिवासी बस्ती के व्यक्ति को नई सभ्यता से तालमेल बिठाने में बहुत कठिनाई होती है। इसी तरह ठेठ गाँव के लोग महानगरीय जीवन के मूल्यों को गले नहीं उतार पाते। हिंदू आदर्शों से जुड़े 'व्यक्ति' के लिए 'मुसलमान' या 'ईसाई' मानसिकता के परिवेश में समायोजित होने में समय लगेगा। नैतिक मूल्यों के संक्रमण का एक पक्ष भी एक समुदाय की मूल्य-व्यवस्था से दूसरी मूल्य-व्यवस्था में प्रवेश से उत्पन्न द्वंद्व या संघर्ष से संबद्ध है। पति के परमेश्वरत्व में विश्वास रखनेवाली नारी के लिए 'तलाक' को सहज रूप में मान्यता देनेवाली मूल्य-व्यवस्था शीघ्र ही स्वीकार्य नहीं हो सकती। आचरण से जुड़े मूल्यों में उलटफेर का आयाम समाज और देश का नियमन करनेवाले कर्णधारों से संबंधित है। जिन व्यक्तियों से अपेक्षा की जाती है कि वे उच्चादर्शों का पालन करेंगे, वे ही जब निम्न स्तर पर उतर आते हैं तो जनसाधारण भी उनकी देखा देखी अपनी नई आचार संहिता गढ़ने लगता है। स्पष्ट है कि आचार के नियम ऊपर से नीचे की ओर चलते हैं।[126]

परिवर्तन जीवन और विश्व की अनिवार्यता है। इसलिए विचारों और मनोभावों में परिवर्तन आकस्मिक नहीं है। इस 'तथ्य' को न समझने के

परिणामस्वरूप कुछ लोग किसी भी बदलाव के लिए तैयार नहीं होते। लेकिन उनके न चाहते हुए भी परिवर्तन का रथ आगे बढ़ जाता है और मूल्यों में आमूलचूल बदलाव के संकेत मिलने लगते हैं। परिवर्तन के संबंध में यह जान लेना अपेक्षित है कि मात्रात्मक परिवर्तन से गुणात्मक परिवर्तन और गुणात्मक परिवर्तन से मात्रात्मक परिवर्तन संभव होता है। ''यदि इसे आइन्स्टाइन की भाषा में कहें तो चेतन तत्त्व से भूततत्त्व और भूततत्त्व से चेतन तत्त्व उत्पन्न होता है।''[127] संक्रमण की प्रक्रिया चलती रहती है, लेकिन उसका बोध तभी होता है, जब मात्रात्मक परिवर्तन गुणात्मक परिवर्तन का रूप ले लेता है।[128]

इस प्रकार मूल्य-संक्रमण के अंतर्गत पाँच प्रमुख स्तर इस प्रकार हैं :

(1) आधुनिकता के दबाव से पुरातन मूल्यों की अप्रासंगिकता का बोध। (2) नए-पुराने मूल्यों का संघर्ष और असमंजस की स्थिति। (3) कुछ पुरामूल्यों की पुनर्व्याख्या और संशोधनों के साथ स्वीकृति। (4) अस्तिमूल्य, साध्य मूल्य, उच्चतर मूल्यों का क्रमशः नास्तिमूल्य, साधनमूल्य और हीनतर मूल्यों में पर्यवसान और इसकी विपरीत स्थिति भी। (5) कतिपय नए मूल्यों की प्रतिष्ठा।

विचार या धारणा के स्तर पर होनेवाला हर परिवर्तन मूल्य-संक्रमण नहीं है। क्षणिक आवेश में आकर किसी धारणा या मूल्य को नकारना विक्षोभ या किसी असहज स्थिति का सूचक है। यह आवश्यक नहीं कि इससे मूल्य-संक्रमण की कोई स्थिति उत्पन्न हो ही। पुरामूल्यों के अप्रासंगिक होने के बोध के साथ कर्तृत्वाभिमान (मैं कर्ता हूँ) का अहसास भी आवश्यक है। कांट का विचार था कि 'कर्तव्य' विवेकशील संकल्प का विधान होने से 'सार्वभौतिक उत्तरदायित्व' है।[129] चूँकि कांट शुभ संकल्प के अतिरिक्त कुछ भी शुभ (मूल्य) नहीं मानते, अतः स्पष्ट है, ''मूल्य भी एक तरह से सार्वभौतिक उत्तरदायित्व हैं। जब उनकी प्रासंगिकता में संदेह उत्पन्न होता है और व्यक्ति या बहुत से व्यक्ति स्थापित मूल्य-व्यवस्था को संदेह की दृष्टि से देखने लगते हैं, तब विचलन और संक्रमण की स्थिति सामने आती है।''

सोरोकिन ने सामाजिक गतिशीलता के दो प्रमुख प्रकार माने हैं[130] :

(1) क्षैतिज सामाजिक गतिशीलता

(2) उदग्र सामाजिक गतिशीलता

मूल्य-संक्रमण की दिशा गतिशीलता के इन दोनों आयामों के अनुरूप है। जब एक ही स्तर के मूल्य एक समूह से दूसरे समूह में स्थानांतरित होते हैं तब मूल्य संक्रमण की दिशा 'क्षैतिज' होती है। जब युवा पीढ़ी के मूल्य बूढ़ी पीढ़ी को स्वीकार्य होने लगें या वर्गसंघर्ष की धारणा विभिन्न जातियों में संक्रमित होने लगे, तब क्षैतिज संक्रमण होगा। जब मूल्यों का स्थानांतरण एक सामाजिक स्तर से अन्य सामाजिक स्तर पर होता है तो मूल्य संक्रमण उदग्र होता है। यह संक्रमण उच्च

सामाजिक-आर्थिक स्थिति से निम्न सामाजिक स्थिति की ओर भी हो सकता है। अनुसूचित जातियों में ऊर्ध्वगामी दोनों दिशाओं में होनेवाला संक्रमण आर्थिक कारणों—विशेषतः उत्पादन संबंधों से प्रभावित होता है। एक निश्चित आर्थिक नींव के ऊपर अनिवार्य रूप से एक निश्चित विचारात्मक ढाँचा खड़ा होता है।[131] मार्क्स ने इतिहास को मानव-विकास की चक्करदार कमानी में एक तरह की कुंडली मानते हुए दूसरी और तीसरी मंजिल की जो व्याख्या की है, उससे विचारों के संक्रमण पर प्रकाश पड़ता है। तीसरी मंजिल—व्यक्तियों के सर्वमुखी विकास पर आधारित व्यक्तित्व का स्वातंत्र्य[132] आज विकासशील देशों की जनता का लक्ष्य है। इस लक्ष्य से वे पुरामूल्य, जो पूँजीवादी संबंधों और श्रमविभाजन से उपजे हैं और वे जो पिछली सामंती व्यवस्था के अवशेष हैं, बाधा उत्पन्न करते हैं। फलस्वरूप संक्रमण की प्रक्रिया तेज होती है।

मूल्यों को संवेदना, संवेग या आवश्यकता से अनुशासित अवधारणों के रूप में देखा गया है। ये प्रारंभ में अनुभवों से निचोड़े गए अमूर्त्त तथ्य होते हैं। समाजशास्त्री ग्रीन ने मूल्यों के तीन स्तर—'अमूर्त्त संवेग', 'नैतिक प्रतिमान' और 'अहम्' माने हैं।[133] जब कोई नई मूल्य-मर्यादा उभरती है तो पहले उसका रूप बहुत स्पष्ट नहीं होता है। बाद में वह नैतिक प्रतिमान के रूप में स्वीकार होने लगता है। उसकी समग्र स्वीकृति तब होती है जब वह व्यक्ति के अहम् का अंग बन जाता है। तदनंतर उसकी सामाजिक स्वीकृति की स्थिति बनती है।

संदर्भ

1. पूर्व पश्चिम, पृ. 91
2. 'Know what you really value, know what your values are and know them in their order of importance.'—Social Ethics, Robert T. Harris, p. 4
3. The great task before man today is to discover a new the genuine values of life and to share them with his fellow must learn to unify and harmonize the world of facts with the world of values.—Living issues in Philosophy, H.A. Titus, p. 347
4. संस्कृति का दार्शनिक विवेचन, डॉ. देवराज, पृ. 31 से उद्धृत
5. विश्वकोश, हृदयनाराण मिश्र, पृ. 365
6. Living issues in Philosophy, p. 333
7. कल्पना, अप्रैल 1964, 'मूल्य की परिभाषा', पृ. 28
8. नीतिशास्त्र का सर्वेक्षण, संगमलाल पांडेय, पृ. 346
9. शुक्रनीति-2, 48-49

10. कल्पना, अप्रैल 1964, पृ. 35
11. संस्कृति का दार्शनिक विवेचन, पृ. 96
12. वही, पृ. 122
13. आलोचना, जनवरी-मार्च 1970, पृ. 76
14. "In general, we can say that value judgements are judgement of appraisal" –Living issues in Philosophy, p. 334
15. संस्कृति का दार्शनिक विवेचन, डॉ. देवराज, पृ. 49 के आधार पर
16. वही, पृ. 21
17. Living issues in Philosophy, P. 337
18. नीतिशास्त्र का सर्वेक्षण, पृ. 345
19. 'By human values, by a value or a system of values, I mean the basis upon which an individual will choose one course rathor than another judged as better or worse, right or wrong'.–From, Living issues in Philosophy, p. 335
20. Ibid, p. 337
21. "मूल्यों के संबंध में मनुष्य कोई भी मंतव्य क्यों न बनाए, वह अनिवार्य रूप में आत्मपरक होगा। इसका मतलब यह है कि ऐसे कोई वस्तुपरक अर्थात् वास्तविक मूल्य नहीं हैं, जिनके लिए मानव-जीवन को जिया जाय।"–संस्कृति का दार्शनिक विवेचन, भूमिका, पृ. 8
22. In the most elemently sense, value means whatever is actually liked, prized, esteemed, desired, approved or enjoyed by anyone at any time. It is the actual experience or enjoying a desired object or activity. Hence value is an existing realization of desire. –Living issues in philosophy, p. 335
23. नई कविता : स्वरूप और समस्याएँ, जगदीश गुप्त, भारतीय ज्ञानपीठ, प्रथम सं. पृ. 13 के आधार पर।
24. '''''but come into relation to one another and become realized as values only in personal experience.'–Social Ethics, p. 15
25. आधुनिक काव्य में नवीन जीवनमूल्य, हुकुमचंद राजपाल, पृ. 63
26. कल्पना, अप्रैल 64, मूल्य की परिभाषा, कृष्णनाथ, पृ. 30
27. Value is the co-oprative result of an inter action between personal and impersonal elements. –Living issues in Philosophy. p. 340
28. कल्पना, अप्रैल 64, पृ. 35
29. रत्नभूतं तु तत्तत् स्याद यद्यप्रतिमं भुवि
    यथादेशं यथाकालं मूल्यं सर्वस्य कल्पयेत्
    न मूल्यं गुणहीनस्य व्यवहाराक्षमस्य

x x x

येन व्ययेन संसिद्धस्तव्ययस्तस्य मूल्यकम्

सुलभासुलभ त्वच्वागुणात्वगुण संश्रयः

यथाकामात् पदार्थानाधर्म हीनाधिकं भवेत्–शुक्रनीति, 2-48/49

30. जलते-उबलते प्रश्न, बोहरा प्रकाशन जयपुर (1969), पृ. 23
31. The social structure of values, S. Chand Company, New Delhi (1965), R.K. Mukerjee, p. 2
32. Encyclopaedia Britanica, p. 961
33. Encyclopaedia Americana, p. 867
34. Encyclopaedia Britanica, p. 961
35. International Encyclopaedia of the social sciences, Ed. by David L. Sillis, Volume 16, p. 285
36. The Social structure of values, p. 231
37. "....किसी भी उपयोग-मूल्य अथवा उपयोगी वस्तु में मूल्य केवल इसलिए होता है कि उसमें अमूर्त मानव-श्रम निहित होता है, या यूँ कहिए यह कि उसमें अमूर्त्त मानव श्रम भौतिक रूप धारण किए होता है।" पूँजी, खंड-1, प्रगति प्रकाशन, मास्को, दूसरा संस्करण (1975), पृ. 53
38. हिंदुस्तानी भाग 29, अंक 1-4, 'मूल्य-स्तबक की वैयक्तिकता तथा परस्परस्पर्धा', रमेशकुंतल मेघ, पृ. 190
39. The Social structure of values, p. 31
40. The Frontiers of social sciences, (Ed. B. Singh), P. 167
41. 'Between man and society, the floating wick and the deep oil, there is a never ending give be take, producing the bright, steady flame of value experience that enternally radiates light and warmth on our bleak, dreary universe.'–The social structure of values, page XII
42. International Encyclopaedia of the social sciences, p. 283.
43. Ibid
44. Dynamics of Morals, p. 201
45. "A value is a complex gestalt, a conscious vital-social ideal situation." –The social structure of values, p. 107
46. Human value is the mother of the sciences. Dynamics of morals, P. 216
47. Encyclopaedia Britanica, p. 963
48. "मूल्य की सत्ता के कई आयाम मनोवैज्ञानिकता से संपृक्त हैं, क्योंकि कभी-कभी उसका संबंध किसी बहिर्निष्ठ वस्तु की अपेक्षा छायावेष्टित रहःस्थलों की निगूढ़ताओं

से अधिक रहता है। ऐसी अवस्था में मूल्य का आधार हमारी उस अन्तश्चेतना का निक्षेपण है, जो हमारे मूल व्यक्तित्व की पीठिका बनी रहती है।''–'मूल्य और मीमांसा', कुमार विमल, पृ. 7

49. रिचर्ड्स के आलोचना-सिद्धांत, शंभुदत्त झा, पृ. 61
50. वही, पृ. 54
51. वही, पृ. 56
52. बीसवीं शताब्दी की हिंदी कहानी में जीवनमूल्य, रमेश चंद्र लवानियाँ, (अंकित प्रति), पृ. 7
53. "....Value is a determination or quality of an object which envolves any sort of appreciation or interest such appreciation however envolves feeling and ultimatly desire or tendencies underlying the feeling."–Encyclopaedia Britanica, p. 962-963
54. ''परंतु कोई मूल्य किसी व्यक्ति-विशेष के निजी मूल्यांकन की क्षमता पर आधारित नहीं होता, बल्कि वह समाज द्वारा उसके ऊपर लादा जाता है, जिसे वह धीरे-धीरे ही ग्रहण कर पाता है और अंततोगत्वा उसे अपने आचरण की निजी कसौटी बना लेता है।''–मानव विकास का मनोविज्ञान, डॉ. जगतनारायण लाल, पृ. 270 से उद्धृत
55. ज्ञानोदय, जुलाई 1968, गोपालशरण, समाजगत मूल्यों की परख नृतत्व के संदर्भ में, पृ. 90
56. वही, पृ. 90
57. "....values to be conceptions of the desireble, influncing selective behaviour." –International Encyclopaedia of the social sciences, P. 283
58. नीतिशास्त्र, पृ. 546
59. समकालीन कहानी : दिशा और दृष्टि, सं. (धनंजय), बच्चनसिंह, 'गुमशुदा पहचान की तलाश की प्रतिक्रिया', पृ. 89
60. ''मूल्य और प्रतिमान समानार्थी शब्द हैं, दोनों ही मानव-निर्मित निकष या कसौटियाँ हैं....''–हिंदी साहित्य कोश, पृ. 604
61. ''मूल्य का अर्थ है जीवन-दृष्टि या स्थापित वैचारिक इकाई, जिसे हम सक्रिय नार्म (NORM) भी कह सकते हैं।''–काव्यानुशीलन : आधुनिक : अत्याधुनिक, पृ. 151
62. बिंदु, वर्ष 6 संयुक्तांक विशेषांक (3-4) 'आधुनिकता बोध और जनचित्त', पृ. 573
63. 'Values are not the same as norms for conduct. Norms are rules for behaving, they say more or less specifically what should or should not be done by particular types of actors in given circumstances. Values are standards of deserability that are more nearly independent of specific situations. –International Encyclopaedia of

the social sciences, p. 284

64. आधुनिक काव्य में नवीन जीवनमूल्य, पृ. 65 के आधार पर
65. नीति प्रवेशिका, अनुवादक—गोवर्द्धन भट्ट, गंगारत्न पांडेय, शशिप्रभा त्रिपाठी, पृ. 190
66. संस्कृति का दार्शनिक विवेचन, पृ. 73-74
67. "स्वतःमूल्य वह है, जो एक तर्कनापरक व्यक्ति द्वारा शांतिपूर्वक विचार किए जाने पर स्वतःमूल्य प्रतीत हो। इस प्रकार स्वतःमूल्य उसे कहा जा सकता है, जो एक तर्कनापरक चुनाव का निर्भ्रांत लक्ष्य हो।"—नीति प्रवेशिका, पृ. 191
68. The sense of beauty, Dover Publication, New Yark, p. 28
69. रिचर्ड्स के आलोचना-सिद्धांत, पृ. 53
70. सौंदर्य मूल्य और मूल्यांकन, रमेशकुंतल मेघ, पृ. 45
71. वही।
72. संस्कृति का दार्शनिक विवेचन, पृ. 74
73. मानविकी पारिभाषिक कोश, साहित्य खंड
74. "जीवन के प्रायः सर्वमान्य, सार्वभौम या सार्वकालिक मूल्य (श्रेष्ठ पर ही दृष्टि रखती) हैं—त्याग, दया, सहानुभूति, कर्त्तव्यपरायणता, सत्य, प्रेम, शौर्य, सेवा आदि, जिन्हें समेटकर तीन मूल्यों में रखा जा सकता है—सत्य, शिव और सुंदर।"—जयशंकर प्रसाद, वस्तु और कला, रामेश्वरलाल खंडेलवाल, पृ. 423
75. नीति प्रवेशिका, पृ. 191-192
76. The negative values-error, ugliness and moral evil-bring us some where up against an obstacle and cause a failure of understanding and adjustment.—The frontiers of social sciences (Ed. B. Singh), Haridas Bhattacharya, p. 425
77. Value judgements, if they are to have any living significance, must be those of the individual"—Social Ethics, p. 4
78. हिंदुस्तानी भाग 29, अंक 1-4, 'मूल्य स्तबक की वैयक्तिकता तथा परस्परस्पर्धा', रमेश कुंतल मेघ, पृ. 184
79. सौंदर्य मूल्य और मूल्यांकन, पृ. 46
80. Social values are values jointly held. These also can be clarified by experience and reflection.—Social Ethics, p. 50-51
81. जलते-उबलते प्रश्न, पृ. 24
82. आधुनिकता और भारतीय परंपरा, महावीर दाधीचि, पृ. 17
83. 'व्यक्ति और समाज', निगम और हेलेन, पृ. 459 के आधार पर।
84. मूल्य और मीमांसा, पृ. 1
85. वही, पृ. 4
86. आधुनिकता और भारतीय परंपरा, पृ. 9

87. वही, पृ. 14

88. "इससे मूल्यों को विधान नहीं होता क्योंकि 'यह है' 'और कैसे है' तक सीमित है। 'होना चाहिए' अथवा 'क्यों है' पर विचार नहीं करती। फलतः यह मूल्य-निरपेक्ष है। इससे उत्पन्न प्रत्यय वस्तु की भौतिकता से घनिष्ठतः बद्ध रहते हैं।"—वही, पृ. 15

89. सौंदर्य मूल्य और मूल्यांकन, पृ. 25

90. "The two major poles of every value situation are abvious : (1) There will be some object, generally an external thing or event that pleases or displeases us, attracts or repels us. (2) There will be our liking or disliking itself; the second pole is our inner and personal, felt response to the object. It may be a feeling of repulsion or attraction."—Social Ethics, p. 14

91. Revolutionry change, p. 21

92. 'Society through its customs, traditions and institutions, disciplines, cordinates and integrates the desires and wants of man in a manner that will serve it. This is the transformation of wants into values.'—The Social structure of values, p. 77

93. नई कविता का आत्मसंघर्ष तथा अन्य निबंध, पृ. 46

94. वही, पृ. 45

95. चिंतन अनुचिंतन, नेमनारायण जोशी, पृ. 68

96. "संकट मानव मात्र के लिए अहितकर, विनाशकारी और भयकारी होता है, परंतु उपर्युक्त मूल्य-अराजकता मानव-समाज के स्वाभाविक विकास का परिणाम है। पुराणवादी, रूढ़िवादी दृष्टियाँ ही उन्हें संकट के रूप में देखती हैं क्योंकि वे परिवर्तन विरोधी होती हैं, उनसे डरती हैं और समाज को यथास्थिति (Status quo) में रहने देना चाहती हैं।"—'नई कविता : सीमाएँ और संभावनाएँ', गिरिजाकुमार माथुर, पृ. 63

97. नई कहानियाँ : मई 1971, 'सामाजिक चुनौतियाँ' : 'आज की कहानी', धनंजय वर्मा, पृ. 122

98. समकालीन हिंदी साहित्य : समालोचना को चुनौती, बच्चनसिंह, पृ. 106

99. वही, पृ. 131

100. "इस दृष्टिकोण के कारण न केवल रहन-सहन, खान-पान के तरीके ही बदले हैं बल्कि आंतरिक स्तर पर जीवन की प्रत्येक घटना का अर्थ ही बदल गया लगता है—मानवी जीवनदृष्टि में मूलगामी परिवर्तन आया है।"—'कहानी संवेदनशीलता : सिद्धांत और प्रयोग', पृ. 182

101. आधुनिकता और भारतीय परंपरा, पृ. 22

102. "एक बात स्पष्ट है कि विज्ञान को हटाया नहीं जा सकता। हमें इसके साथ रहना

होगा—इसे स्वीकार करना होगा। मानव-चेतना और सभ्यता के विकास को 'न-हुआ' करना संभव नहीं है, मशीनों की करामात, उनका सुख और उनका भय यथार्थ है, जीवनांश हो गया है। उनसे आँख नहीं मूँद सकते।"—आधुनिकता और भारतीय परंपरा, पृ. 24

103. The social structare of values, p. 10

104. जलते-उबलते प्रश्न, पृ. 22-23

105. "आधुनिकता के संचरण के साथ-साथ मूल्य-परिवर्तन भी अनिवार्यतः घटित होता है। यदि यह कह दिया जाए कि आधुनिकता और मूल्य-परिवर्तन एक-दूसरे से उत्प्रेरित अथवा अन्योन्याश्रित है तो अनुपयुक्त नहीं होगा।"—संचेतना (जून 1980) 'आधुनिकता और मूल्य-संक्रमण', पुष्पपालसिंह, पृ. 23

106. हिंदी उपन्यास पहचान और परख, पृ. 79

107. "वास्तव में मूल्यों की और संपूर्ण मानवीय वस्तुस्थिति की यह विशेषता है कि इसके संबंध में दृष्टि इसमें परिवर्तन घटित कर देती है।"—आलोचना, जनवरी-मार्च 1970, परिवर्तित नैतिक मूल्य और साहित्यकार की स्थिति, यशदेव शल्य।

108. वही, पृ. 77

109. आलोचना, जनवरी-मार्च 1970, पृ. 76

110. "इतिहास ऐसी एक भी स्थिति का साक्षी नहीं है और यदि ऐसी स्थिति आ जाए तो भयंकर अराजकता के मध्य समाज ही नहीं, स्वयं व्यक्ति का भी अस्तित्व संदिग्ध हो उठे। मूल्यों की ध्वंस-क्रिया से मूल्य-हीनता की स्थिति का परिणाम निकालना वस्तुतः भ्रामक है।"—'चिंतन और अनुचिंतन', नेमनारायण जोशी, पृ. 69

111. "हमारे सभी मूल्य समाज-जनित हैं। ज्यों-ज्यों समाज बदलता है, हमारे मूल्य बदलते जाते हैं। न इंसान समाज से अलग हो पाता है और न ही कभी मूल्यहीनता की स्थिति आ पाती है।"—आलोचना, अक्टूबर-दिसंबर, 68, 'संत्रास का आतंक', पृ. 11

112. आलोचना, अक्टूबर-दिसंबर, 68, 'संत्रास का आतंक', पृ. 11

113. संक्रमण-पुं. (सं. सम/क्रम) चलना (+ल्युट-अन) (1) आगे की ओर बढ़ना। विक्रमण का विपर्याय। (2) अतिक्रमण। लाँघना। (3) घूमना-फिरना (4) एक अवस्था से धीरे-धीरे बदलते हुए दूसरी अवस्था में पहुँचना। जैसे—संक्रमण काल (5) एक के हाथ या अधिकार से दूसरे के हाथ या अधिकार में जाना। (पासिंग) (6) सूर्य का एक राशि से निकलकर दूसरी राशि में प्रवेश करना। (7) एक स्थिति पार करते हुए दूसरी स्थिति में जाना या पहुँचना। (8) कीटाणु, रोग आदि का फैलते हुए एक से दूसरे को होना।—मानक हिंदी कोश, पाँचवाँ खंड, पृ. 210

114. अनुवाक् (वर्ष 1, 1977, रांची विश्वविद्यालय), ('संक्रमण की प्रक्रिया और कविता की भूमिका'), पृ. 1

115. मानविकी पारिभाषिक कोश, सं. नगेन्द्र, 1965, पृ. 258
116. कविता और मूल्य-संक्रमण, कमलेश गुप्ता, पृ. 18
117. "आधुनिकीकरण के द्वारा मूल्य-संक्रमण की प्रक्रिया के दो पहलू स्पष्ट होते हैं। प्रथम, आधुनिकीकरण मूल्य-दृष्टि को परिवर्तित करता चलता है और दूसरे पारंपरिक मूल्य आधुनिक दृष्टि से बिल्कुल समाप्त नहीं हो जाते हैं, वे नए मूल्यों के साथ विद्यमान रहते हैं।" —संचेतना-54, 'आधुनिकता और मूल्य-संक्रमण', पुष्पपालसिंह, पृ. 23
118. संचेतना-54, पृ. 25
119. "वस्तुतः संस्कृति में संक्रांति की वजह संस्कृति का आधुनिकीकरण भी है और संस्कृति की मानवीय संदर्भों में पुनर्व्याख्या भी है। विज्ञान, तकनीकी विकास और मनुष्य की विज्ञान के प्रति संचेतनता इस पुनर्व्याख्या की दृष्टि का पूर्ण निर्माण करती है।"—आधुनिकता : साहित्य के संदर्भ में, पृ. 113-114
120. The social structure of values, R.K. Mukerjee, p. 10-11
121. सौंदर्य मूल्य और मूल्यांकन, पृ. 38
122. "औद्योगिक क्रांति के बाद उन्नीसवीं शती में समस्त यूरोप में समानता, प्रजातंत्र मानवीय अधिकारों का जो आंदोलन उठ खड़ा हुआ था, जिसके अंतर्गत स्वतंत्र चुनाव, मजदूर संगठन और सामाजिक सुधारों की जो लहर पश्चिम में चली थी उससे वे पूर्व को मुक्त रखना चाहते थे।" —पश्यंती, धर्मवीर भारती, पृ. 146
123. "सामाजिक आचरणों का निर्धारण करनेवाले ये मूल्य उच्चादर्शों की प्रतिष्ठापना की कल्पना से अभिप्रेरित थे किंतु सामाजिक उच्चादर्श भौतिक सत्य से इतने दूर थे कि कर्म और विचार दो भिन्न स्थितियाँ लगती थीं।"—आधुनिकता : साहित्य के संदर्भ में, गंगाप्रसाद विमल, पृ. 119
124. धर्मयुग, 12 मार्च 1962, परिचर्चा, 'पाप-पुण्य का सवाल और आधुनिक मानस', आयोजिका—सरोज सरुक्कै, पृ. 29
125. "प्रायः एक समुदाय का सदस्य किसी अन्य संस्कृति के मूल्यों के साथ और एक संस्कृति में पलनेवाला व्यक्ति किसी अन्य संस्कृति के मूल्यों के साथ उचित समायोजन नहीं स्थापित कर पाता। जब तक वह नए सामाजिक वातावरण के मूल्यों को स्वीकृत नहीं कर लेता, उसे मानसिक द्वंद्व का अनुभव होता रहा है।" —मानव विकास का मनोविज्ञान, पृ. 273
126. "....क्योंकि आचरण के नियमों का यह स्वभाव है कि वे कभी नीचे से ऊपर की ओर नहीं, ऊपर से नीचे की ओर, छोटे से बड़े की ओर नहीं, बड़े से छोटे की ओर चलते हैं। जिस समाज में सत् को दंडित और असत् को पुरस्कृत किया जाता हो, वहाँ ये सब आचार के मूल्य अगर उलट-पुलट जाएँ तो इसमें आश्चर्य की कोई बात नहीं है।"—आधुनिक भावबोध की संज्ञा, अमृतराय, पृ.67

127. अनुवाक्-1, (1977), पृ. 2

128. वही-1, पृ. 5

129. आलोचना, अप्रैल-जून 68, नैतिक मूल्य, यशदेव शल्य, पृ. 35 के आधार पर।

130. सामाजिक विचारधारा : कामू से मुखर्जी तक, रवीन्द्रनाथ मुखर्जी, पृ. 319 से उद्धृत

131. इतिहास के अद्वैतवादी दृष्टिकोण का विकास, प्लेखानेव, पृ. 251

132. समाजवाद और संस्कृति, पृ. 447

133. व्यक्ति और समाज, निगम और हेलेन, पृ. 459 के आधार पर।

द्वितीय प्रकरण

आंचलिक उपन्यास : व्यक्तिगत मूल्यों के संक्रमण का संदर्भ

मूल्य का पहला संबंध व्यक्ति से है, अतः मूल्य का एक आयाम व्यक्तिगत है। मूल्य में 'व्यक्तिगत' होने का अर्थ समाजविरोधी होना नहीं है। अंततः वे ही व्यक्तिगत मूल्य प्रधान और उल्लेखनीय होते हैं जो सामाजिक मूल्यों के पोषक होते हैं।[1] व्यक्तिगत मूल्य और व्यक्तिवादी मूल्य दो अलग चीजें हैं। रमेश कुंतल मेघ के अनुसार व्यक्तिवादी धारा के मूल्य समाजविरोधी होते हैं जबकि व्यक्तिगत मूल्यों में सामाजिक दायित्व की उपेक्षा नहीं होती। व्यक्तिगत मूल्य में सामाजिक परिष्कार से नियमित व्यक्ति मुक्त भी हो सकता है और स्वेच्छापूर्ण बंदी भी।[2] व्यक्तिगत मूल्यों से अलग होकर साहित्य, समाज और संस्कृति की कल्पना करना असंभव है। ''यदि व्यक्तिगत मूल्य संस्कृति की परंपराओं से समृद्ध समाज के संबंधों से विकासशील तथा सृजन की अनगूँजों से नई कृति-वंशियों से मुखर होनेवाले मूल्य नहीं बनते तो वे व्यक्तिगत न रहकर व्यक्तिवादी धारा के पोषक होते हैं।''[3] मूल्य के व्यक्तिगत या व्यक्तिवादी होने का निर्णय सापेक्षता में होता है। प्रेम, स्वास्थ्य, व्यक्ति-स्वातंत्र्य, सौंदर्य आदि मूल्य सामाजिक मूल्यों के विरोधी होने की स्थिति में व्यक्तिवादी कहे जाते हैं। समाज-सापेक्ष व्यक्ति मूल्य 'व्यक्तिगत मूल्य' हैं।

व्यक्तिगत मूल्यों के नियामक और प्रभावक तत्त्व

व्यक्तिगत मूल्य-व्यवस्था पर विचार करते हुए गार्डनर मर्फी ने जिन चार स्तरों[4] का उल्लेख किया है, उनमें से पहले दो मनुष्य के शरीर और इंद्रिय जगत् से हैं।

'मूल्य' का अनुभव उत्तेजकों से प्राप्त तनाव और उस तनाव की संतुष्टि में है। लेकिन इस तनाव की समाप्ति का बहुत हद तक स्थाई और उत्तेजक का स्थिर होना आवश्यक है।[5] रमेश कुंतल मेघ ने व्यक्तिगत मूल्यों को 'आत्मनिष्ठा के मूल्य' मानते हुए इनके निर्माण में मूलवृत्तियों के योगदान को महत्त्वपूर्ण माना है–"इन मूल्यों के उद्‌भव में हमें मूलवृत्तियों का सक्रिय भाग भी नहीं विस्मृत कर देना चाहिए क्योंकि अभिरुचि, निष्ठा, मौलिकता के प्रेरणास्रोत वे ही हैं, उन्हीं के संवेगों या भावों से शुभ या अशुभ का संघर्ष होता है, कलाकार अपने सुख-दुख से ऊपर उठता है और युग में घुल-मिल जाता है।"[6] न केवल व्यक्तिगत अपितु सामाजिक मूल्यों के उद्‌भव में भी मूल प्रवृत्तियों का योगदान महत्त्वपूर्ण होता है। मूल्य तब तक महत्त्वपूर्ण और प्रासंगिक नहीं बनते, जब तक उनका सामाजिकीकरण नहीं हो जाता। इस तरह मुखबोध का प्रारंभ इंद्रियबोध से होता है और रचनाकार के जीवन-संघर्ष से प्राप्त अनुभवों और वैचारिकता के संयोग से वह स्थायित्व को प्राप्त होता है। कतिपय आंचलिक उपन्यासकारों के अंतःसाक्ष्य से इस तथ्य की पुष्टि होती है।

विवेकीराय ने अपनी एक रचना 'मेरा लेखक' में दिखाया है कि गरीबों की पक्षधरता के पीछे उनका स्वयं अपना अभावग्रस्त जीवन और उसके कटु अनुभव हैं। उन्होंने लिखा है–

"शायद कहानियों में मैं अधिक अभिव्यक्त हो जाता रहा। मेरी कुछ कहानियों को पढ़ने के बाद एक पाठक ने हँसी-हँसी में कहा, 'अरे यार तुम्हारे पास रजाई वगैरह ओढ़ने की सामग्री की कमी है क्या, जो तुम्हारे पात्र जाड़े में काँपते-ठिठुरते होते हैं।' में ठक् हो गया। बात सही थी।"[7]

अपने जीवन की कठिनाइयों से श्री राय का लेखन कुंठित नहीं हुआ है, बल्कि उससे उनके बोध को उत्तेजना मिलती है। पारिवारिक समस्याओं के अतिरिक्त गाँव का यथार्थ उनके मूल्यबोध के निर्माण में महत्त्वपूर्ण भूमिका निभाता है। गाँव की नियति को लेकर निराशा का भाव उनके अपने अनुभवों की देन है–"भारत के लाखों गाँवों की भाँति अभी मेरा गाँव भी बिजली और सड़क से वंचित है। ऐसे गाँवों में उक्त वस्तुओं के पहुँचने की जो वर्तमान दुर्गतिपूर्ण प्रगति है, उसे देखते हुए इक्कीसवीं सदी में कोई आशा भी नहीं। सम्प्रति इसी निराशा को लेकर, 'सोनामाटी' के बाद मैं नया उपन्यास लिख रहा हूँ।"[8] यह उपन्यास 'समर शेष है' नाम से छपा है। विवेकीराय के उपन्यासों में 'प्रेम', 'सेक्स', 'व्यक्ति स्वातंत्र्य' आदि संदर्भ मुखर नहीं है, इसका एक कारण यही है कि अपने जीवन-संघर्ष के मध्य वे अन्य बड़े सवालों और समस्याओं के जितने भयावह अनुभव उन्हें हुए, उतने प्रेम आदि के नहीं। श्री राय मार्क्सवादी नहीं हैं, लेकिन मार्क्सवादी चिंतन ने उन्हें प्रभावित किया है।[9]

फणीश्वर नाथ 'रेणु' की संस्मरणात्मक रचनाओं और उनके अपने जीवन-संघर्ष से पता चलता है कि न केवल प्रेम, यौन संबंध आदि से संबद्ध मूल्य अपितु उनका समग्र मूल्यबोध उनके विराट् और गहन अनुभवों से निर्मित हुआ है। उनकी मृत्यु के पश्चात् लतिका रेणु ने एक संस्मरण में लिखा है–"उपन्यास के पात्र प्रशांत की कल्पना, उन्होंने डॉ. प्रसूनबनर्जी (डॉ. टी.एम. बनर्जी के लड़के, जो उन दिनों हाउस सर्जन थे) के व्यक्तित्व–चलने-हँसने-बोलने के अंदाज से ली। ममता के रूप में मुझे खींचा और कमली के रूप में गाँववाली पत्नी, पद्मा जी को।"[10] अपनी एक रचना 'अपनी कथा' में रेणु ने संकेत दिया है कि प्रशांत-कमली की कहानी उनकी अपनी कहानी है।[11] फर्क बस इतना है कि वास्तविक कहानी में कमली मर जाती है और प्रशांत से उसका मिलन नहीं हो पाता।[12] रेणु की राजनीतिक प्रतिबद्धता दबी-ढँकी नहीं है। उनके समाजवादी विचारों का भी उनकी मूल्य-व्यवस्था के निर्माण में सहयोग होना स्वाभाविक है। 'सागर लहरें और मनुष्य' के लेखक उदयशंकर भट्ट ने विस्तार से बताया है कि किस तरह वे बरसोवा नामक मछुआरों की बस्ती में रहे और रुचि-अरुचि को ताक में रखकर मछुआरों के जीवन को देखा। उनके साथ नाव में समुद्र की जानलेवा यात्रा के अनुभव भी प्राप्त किए। उन्हीं के शब्दों में–"छोटी नाव, अगाध जलराशि, तेज लहरें नागिन की तरह फुँफकारती–यह सब दृश्य आज भी जब याद करता हूँ तो डर लगता है। फिर नाव में मछली की बू, मेरे दिमाग में जो बसी तो हफ्तों नहीं निकली।" उदयशंकर भट्ट ने यह दावा किया है कि इस उपन्यास के सभी पात्र उनके देखे-सुने और जाने-पहचाने हैं।[13]

रामदरश मिश्र ने अपनी आत्मकथात्मक कृतियों–'जहाँ मैं खड़ा हूँ', 'रोशनी की पगडंडियाँ', 'टूटते-बनते दिन' में उन स्थितियों, प्रेरणाओं, बाधाओं आदि का विस्तारपूर्वक बयान किया है जो उनकी जीवनयात्रा और रचनायात्रा को बराबर प्रभावित करते रहे। मिश्रजी ने अपनी आस्थामूलक दृष्टि और मानवीय मूल्यों में दृढ़ विश्वास को अपने जन्म के समय की एक घटना से जोड़कर व्यक्त किया है। उनको एक पड़ोस की महिला ने जन्म के तुरंत बाद कीड़ों से बचाया था। मिश्रजी के अनुसार–"मेरी जीवन यात्रा में कीड़े-मकोड़े भी खूब मिले लेकिन मुझे उनसे बचानेवाली शक्तियाँ भी मिलती ही गईं। कीड़े-मकोड़े तो सबको मिलते हैं, किसी न किसी को साफ ही कर जाते हैं, उनकी जिजीविषा, उनके जीवन-मूल्य सभी को चट कर जाते हैं लेकिन मुझे जिजीविषा मिली है जीवन के प्रति अगाध विश्वास, निष्ठा और मूल्य मिला है तो इसीलिए कि कीड़ों-मकोड़ों के बावजूद जीवनदायक कोई न कोई शक्ति, कोई न कोई रस मुझे देर-सबेर मिलता ही रहा है। इसलिए जीवन के प्रति आस्था को खंडित करनेवाले साहित्य में मेरी आस्था जम नहीं पाती। अपने लेखन से मैं जीवन-आस्था को जिलाए रखने की कोशिश

करता हूँ।" [14] मिश्रजी ने मार्क्सवाद के प्रति अपने रुझान की चर्चा भी की है–"यह झुकाव भी धीरे-धीरे हुआ, भीतर सं हुआ, मार्क्सवाद की चेतना अंदर उतरी तब हुआ–मार्क्सवादियों के कहने से या समझाने-बुझाने से नहीं हुआ।"[15] भैरवप्रसाद गुप्त, अर्जुन अरोड़ा, पी.सी. जोशी आदि के संपर्क और सोवियत साहित्य के अध्ययन से मार्क्सवादी बने[16] और इससे उनका सोच प्रगतिशील और मानवीय होता गया। यादवेंद्र शर्मा चंद्र ने अपने एक साक्षात्कार में बताया है कि उन्हें अपने पिता को यह विश्वास दिलाने के लिए बहुत मेहनत करनी पड़ी कि ये सामंती तत्त्व बुरे लोग हैं। उन्हें सामंती उत्पीड़न का सामना भी करना पड़ा–"मैं आपको बताऊँ कि मुझे उन लोगों ने मारने की धमकी तक दे दी। आप यह सोचिए कि उन उपन्यासों की सार्थकता सांमती विरोध है।"[17] स्पष्ट है कि यादवेंद्र शर्मा 'चंद्र' की सांमत-विरोधी और जनधर्मी वैचारिकता उनके जिए हुए सत्य का ही विकास है।

इन सभी आंचलिक उपन्यासकारों के अंतःसाक्ष्य से उनके 'मूल्यबोध' और 'मूल्य-संक्रमण' को पढ़ने की अंतर्दृष्टि के निर्माण में उनके जीवन-परिवेश और कटु-मृदु अनुभवों का योगदान गौरतलब है। चाहे व्यक्तिगत मूल्यों का संदर्भ हो या सामाजिक मूल्यों का, प्रायः उपन्यासकारों के संवेगों से अशुभ और अप्रिय के संघर्ष के फलस्वरूप मूल्यों का निर्धारण हुआ है। अधिकतर उपन्यासकार अपने समय की हलचलों के न केवल साक्षी रहे हैं, अपितु उन्होंने सामाजिक-राजनीतिक गतिविधियों में सक्रिय भागेदारी भी की है। अतः उनके उपन्यासों में आए न्याय, सत्य, ईमानदारी, कर्तव्य आदि मूल्यों के अनुभव 'फर्स्टहैण्ड' तथा कमाए हुए 'सत्य' के रूप में स्वीकार किए जा सकते हैं। अधिकतर उपन्यासकारों की मूल्य-दृष्टि को माँजने में प्रगतिशील चिंतन विशेषतः समाजवादी एवं मार्क्सवादी विचारधारा ने गंभीर भूमिका निभाई है, ऐसा इन अंतःसाक्ष्यों से प्रमाणित होता है। इद्रिंयबोध, अनुभवजगत् और विचारधारा की यह संश्लिष्टता व्यक्तिगत मूल्यों के संक्रमण को पढ़ने और आँकने में किस हद तक सफल हुई है, इसका निर्णय आंचलिक उपन्यासों में व्यक्त प्रेम, सेक्स, व्यक्ति स्वातंत्र्य आदि अवधारणाओं के समग्र अनुशीलन से किया जा सकता है।

प्रणय बनाम सेक्स

(क) प्रणय : उच्चतर दिल में संक्रमण : प्रणय को आंचलिक उपन्यासों में पर्याप्त गरिमा मिली है। प्रेम केवल शारीरिक संपर्क या मानसिक लगाव मात्र नहीं। उसमें एक ऊँचाई होती है। वह देवता का वरदान या प्रसाद है।[18] इसके बिना जीवन नहीं–"फिर औरत की जिंदगी वह तो प्यार के सतरंगे इंद्रधनुष पर ही जीती है। जिस दिन उसे प्यार नहीं मिलेगा, वह या तो खत्म हो जाएगी या बाज के मुँह

में दबे पक्षी की तरह छटपटाएगी। इस दूसरी हालत में उसका अंत पास ही समझना चाहिए।"[19] 'जल टूटता हुआ' के अमलेश जी भी प्रेम की इसी दिव्यता के समर्थक हैं।[20] प्रेम को किसी प्रकार के बंधन जातिगत, वर्गगत आदि से मुक्त रखने[21] की यह दृष्टि जहाँ एक ओर 'प्लेटोनिक लव' की सीमा का संस्पर्श करती है, वहीं स्वच्छंदतावादी दृष्टिकोण के बहुत निकट पड़ती है। 'कब तक पुकारूँ' में जिस नट समाज का चित्रण है वहाँ शारीरिक पवित्रता का कोई अर्थ नहीं बचता। पुलिस और सम्पन्न वर्ग की हविश के आगे नटनी का सतीत्व या शील शेष नहीं रहता। लेकिन सुखराम-प्यारी, सुखराम-कजरी का प्रेम हर तरह की जघन्यता और अपवित्रता से ऊपर उठा हुआ है।[22] सर्वाधिक महत्त्वपूर्ण यह है कि इस प्रेम में एकाधिकार नहीं होता।[23] इसी प्रकार नरेश-चंदा का प्रेम ऊँच-नीच की मर्यादा के विरोध में खड़ा है।

'परती परिकथा' में दो पीढ़ियों के प्रणय प्रारंभ के उल्लेख से संक्रमण की उस स्थिति को उभारा गया है जिसमें 'प्रेम' साध्य न रहकर साधन बन जाता है। जितेन्द्र के पिता शिवेन्द्र मिश्र और रोज उड की प्रेम कहानी आत्मसमर्पण, एकनिष्ठ प्रगाढ़ता और परम नैकट्य के धागों से बुनी हुई है। जितेन्द्र के प्रति ताजमनी के प्रेम में समर्पण है, लगाव है, लेकिन जितेन्द्र के लिए वही सब कुछ नहीं है। यह ऐ्रम उसके अकेलेपन का भागीदार नहीं बन पाता क्योंकि वह इस प्रेम को 'आउट ग्रो' कर गया है।[24] उसके सामने मुख्य लक्ष्य डेढ़ हजार बीघे परती को हरा-भरा देखना है। 'प्रेम' से जुड़े संक्रमण का एक पक्ष इरावती की वासदी से उभरा है। भारत-विभाजन की विभीषिका का शिकार हुई इरावती 'प्यार' करने की ताकत खो चुकी है—"मेरे प्यार को लकवा मार गया है। दिन-रात मैं इसी चेष्टा में रहती हूँ, मेरा प्यार फिर पनपे।...इतना सब कुछ देखने और सहने के बाद किसी औरत का दिल-दिमाग प्यार करने के काबिल कैसे रह सकता है ?"[25] अभिजात वर्ग के सुवंश का हरिजन कन्या मलारी से प्रणय और परिणय न केवल रूढ़ नैतिकता को झटका देता है, अपितु 'प्रेम' को बहुत से दबावों और स्वार्थों से ऊपर उठाने की प्रासंगिकता को स्वीकारता भी है। रेणु ने 'मैला आँचल' में प्रणयगत संक्रमण को उभारा है, किंतु वह उतना खुला और स्पष्ट नहीं है जितना 'परती परिकथा में'। प्रशांत-कमली, कालीचरण-मंगला, बालदेव-लछिमी आदि युग्मों का प्रणय सपाट या साधारण नहीं है। ये सभी प्रेम के लिए कुछ न कुछ मूल्य चुकाते हैं। इनके प्रेम में मार्टिन जैसा पागलपन भले ही न हो, समर्पण का वैभव भरपूर है। ये सभी युग्म प्रणय के संदर्भ में यौन अतृप्ति से प्रगाढ़ आस्था तक का रास्ता तय करते हैं। कमला, लछिमी और मंगला अपनी दमित भावनाओं की अभिव्यक्ति के लिए उचित आलंबन पाते ही पूरी तरह समर्पित हो जाती हैं। लेकिन 'मैला आँचल' में आज के प्रेम की बदली हुई भंगिमा को पिछली पीढ़ी के प्रेम बोध के समानांतर

रखकर नहीं देखा गया है। यह काम 'परती परिकथा' अच्छी तरह करती है। 'आधा गाँव' में भी इस अंतर को दृष्टिपथ में रखा गया है। सुलेमान चा–झंगटिया बो तथा मिगदाद–सैफुनिया के युग्म 'प्रेम' के पीढ़ीगत अंतर को सामने लाते हैं। सुलेमान चा झंगटिया बो के लिए जोखिम मोल लेते हैं।[26] लेकिन प्रेम के साथ आभिजात्य का ढोंग भी बना रहता है। मजहबी सुलेमान चा पत्नी के हाथ का बना खाना नहीं खाते। मिगदाद इस तरह के ढोंग को प्रश्रय नहीं देता। उसके लिए उच्चतर मूल्य 'प्रेम' है, कुल मर्यादा और परंपरागत नैतिकता उसके लिए विशेष अर्थ नहीं रखती। सैफुनिया से ब्याह का उसका निर्णय एक 'अनहोनी'[27] से कम नहीं है। मिगदाद का कदम स्वस्थ मूल्यधर्मिता का द्योतक है। स्पष्ट है कि संक्रमण हीन मूल्यमर्यादा की स्थिति से उच्चतर मूल्य-स्थिति की ओर हुआ है।

'अलग-अलग वैतरणी' में दो पीढ़ियों के प्रेम प्रसंग यह स्पष्ट करते हैं कि समय के साथ 'प्रेम' को लेकर भावुकता का उबाल कम होता गया है। अब प्रेम एक भावुक प्रतिक्रिया के बजाय 'बौद्धिक निर्णय' अधिक हो चला है। देवपाल-राजमती का प्रसंग एक-दूसरे के लिए मर मिटनेवाले लोककथात्मक प्रेम के करीब है। दो परिवारों की दुश्मनी के बीच पनपा हुआ यह 'प्रेम' अंततः मनुष्य की नीच वृत्तियों के आगे अपना अस्तित्व नहीं बचा पाता। देवपाल और राजमती मरकर प्रेम का मोल चुकाते हैं।[28] प्रेम का यह रोमानी स्वरूप विपिन-पुष्पा के प्रणय-प्रसंग में दुहर सकता था लेकिन अन्यमनस्क विपिन 'प्रेम' को चरम मूल्य के रूप में नहीं ले पाता। 'सिर्फ दूसरों के लिए जिंदगी कुर्बान करने के लिए' अभिशप्त विपिन मन के भीतर छिपे मिथ्या प्रतिष्ठा और खानदानी बड़प्पन के डोम से हार जाता है।[29] जग्गन मिसिर ने इस सत्य को अच्छी तरह पहचाना है कि आज 'प्रेम' का अवमूल्यन हो गया है। पहले का चलन था कि जो किया उसे अंत तक स्वीकार किया जाता था।[30] आज प्रेम बैठे-ठाले का शगल हो गया। शशिकांत इस अवमूल्यन के लिए गरीबी को जिम्मेदार मानता है। चूँकि गरीबी ने व्यक्ति को बीमार बना दिया है अतः अनैतिक काम संबंधों में उसे वही तुष्टि मिलती है, जो कुत्ते को सूखी हड्डी चिचोरने पर।[31] स्पष्ट है कि आर्थिक-सामाजिक कारणों से 'प्रणय' का संक्रमण इधर-उधर के हल्के-फुलके रोमानी प्रसंगों में होता गया है। शिक्षित व्यक्ति के लिए भी 'प्रणय' में कोई गरिमा नहीं बची। 'प्रेम' के इस अवमूल्यन को नगरीय संवेदना के संदर्भ में अमृतलाल नागर ने भी 'मार्क' किया है।[32] इसका अर्थ यह हुआ कि यह अवमूल्यन बहुत व्यापक स्तर पर घटित हुआ है। लेकिन इसका यह अर्थ नहीं कि 'प्रेम' की मूल्यवत्ता खंडित हो गई है और किसी अन्य अवधारणा में उसका विलीनीकरण हो गया है। बहुत पिछड़े और असभ्य समझी जानेवाली जातियों से लेकर आधुनिकता के संघात से चौंकते अंचलों के व्यक्तियों में 'प्रेम' प्रायः एक मूल्यवान्, वस्तु भावना के रूप में ग्राह्य है।

'जंगल के फूल' में बस्तर के आदिवासियों की 'प्रेम' के प्रति निष्ठा देखी जा सकती है।[33] यह निष्ठा अतीत में भी कम नहीं थी। हिरमे-मुंदरी की प्रणय कथा यही व्यक्त करती है। समाज के नियमों को तोड़कर दोनों विवाह करते हैं।[34] नियमों और रूढ़ियों को तोड़ने का साहस 'जल टूटता हुआ' के कुंजू-बदमी, उमाकांत-शारदा में भी है। कुंजू एक झटके में गाँव, पड़ोस, जमीन वगैरह का मोह त्याग कर बदमी को अपना लेता है।[35] उमाकांत के लिए दीनदयाल की संपत्ति मूल्यवान नहीं है। मूल्य है तो केवल शारदा के प्रति पूजा के फूल जैसे पवित्र प्रेम का।[36] ये सभी उदाहरण उच्चतर मूल्य की ओर प्रयाण के साक्षी हैं। 'वरुण के बेटे' में इस प्रयाण का संदर्भ दूसरा है। वहाँ प्रेम को सामंती अय्याशी के मुकाबले समाज-सापेक्ष और पर्याप्त जिम्मेदार ठहराया गया है, "हमारा प्रेमनगर कहीं समाज से अलग या संसार से बाहर आबाद हुआ है ? सुनती हूँ बड़े आदमी जब और कामों से ऊब उठते हैं तो दिल के टुकड़े इधर-उधर फेंका करते हैं और दसियों घर बरबाद कर छोड़ते हैं...।"[37] इन सभी उदाहरणों में प्रणय का मूल्य न केवल कर्त्ता पक्ष में 'तथ्य' पर एक आरोपित प्रतिक्रिया है अपितु वह प्रपत्तिमूलक अवधारणा भी है, जिसे घटनाओं या अनुभवों की तुलना द्वारा प्राप्त किया गया है। 'तथ्य' के प्रति भोक्ता या गृहीता की दृष्टि पर्याप्त संतुलित और साहसिक है।

आंचलिक उपन्यासों में 'प्रेम' का जो स्वरूप उभरा है, वह परंपरा-विरोधी न होते हुए भी रूढ़ियों, वर्जनाओं और निषेधों के विरोध में है। यह न तो प्राचीन शौर्यपूर्ण प्रेम (शिवेलियर्स लव) के मेल में है और न प्रेम के उस पुराने मिथक को समर्थन देता है कि पुरुष वृक्ष है और नारी लता। प्रायः प्रेम के साथ समानता, त्याग, बलिदान, संघर्ष की अवधारणाएँ भी जुड़ी हुई हैं। आंचलिक उपन्यासकार के लिए प्रेम न केवल विचार, अपितु अनुभव और व्यवहार के स्तर पर भी मूल्यवान है। प्रेम को वह न तो 'सेक्स' तक सीमित करने के पक्ष में है, न प्रेम उसके लिए 'मिचली' की तरह घृणित और निरर्थक है। विजयमोहन सिंह का यह आरोप आंशिक तौर पर ही सत्य है कि आंचलिक उपन्यास रचनात्मक स्तर पर परंपरागत या प्रचलित प्रेम धारणा का कोई विकल्प नहीं ढूँढ़ पाए।[38] वस्तुतः अधिकतर आंचलिक उपन्यासों में प्रणय के दो या दो से अधिक 'मॉडेल' आमने-सामने रखकर प्रेम-संक्रमण के स्वरूप को रेखांकित करने के साथ-साथ प्रचलित प्रेमधारणा को चुनौती भी दी गई है। प्रशांत, मिगदाद, कुंजू, नरेश आदि के प्रणय प्रसंग हर तरह की संकीर्णता से उबरने के साक्षी हैं। वे विवाह की मर्यादा के विरोधी नहीं हैं, लेकिन विवाह पूर्व यौन-संबंध स्थापित करने में उन्हें कोई हिचक नहीं होती। उनका प्रेम 'प्लेटोनिक लव' नहीं है। सर्वाधिक महत्त्वपूर्ण है कि 'प्रेम' का आधार पाकर संबद्ध चरित्र टूटने या बिखरने से बच जाते हैं। इसके अतिरिक्त शायद ही कहीं

'प्रेम' का अमानवीयकरण होने की स्थिति आती हो। बल्कि रांगेय राघव जैसे उपन्यासकारों की धारणा है कि प्रेम ने ही उन्माद, अत्याचार और विषमता की लहरों में मनुष्यता के जहाज को बचाए रखा है—"स्त्री का प्रेम और बच्चों का प्यार इसी कठोरता में जीवित रहा है। उसने ही पुरुष का उन्माद बार-बार झुकाया है, और उसी की सहायता से विजय मिली है, और यह विषमता जो आज मानवीयता के नए मूल्यों के लिए काटी जा रही है उसका भी आधार यही है।"[39] जहाँ कहीं प्रेम 'सर्वोच्च' मूल्य के रूप में उभरा है वहाँ भी वह 'व्यक्तिगत' अधिक है, व्यक्तिवादी कम। वह कहीं भी है सामाजिक सरोकारों से सदैव संबद्ध है।

बर्ट्रेंड रसेल ने रोमांटिक प्रेम को जीवन के उल्लास का स्रोत ठहराया है।[40] रोमांटिक प्रेम के साथ यह मान्यता बद्धमूल रही है कि विवाह रोमांटिक प्रेम का परिणाम होना चाहिए। लेकिन आंचलिक उपन्यासों ने 'प्रेम' के रोमानी रूप को बहुत कुछ महत्त्व देते हुए भी उसकी अनिवार्य परिणति विवाह में नहीं मानी है। आगे हम देखेंगे कि 'विवाह' भी आंचलिक उपन्यासकारों के लिए अनिवार्य नहीं है। प्रेम में उत्कटता, कल्पना और कोमलता का बराबर समर्थन करते हुए वे जीवन की ठोस जमीन पर बराबर बने रहते हैं। रोमानी प्रेम का आनंद उनके लिए जीवन का एक अंग है, उसका मुख्य प्रयोजन कभी नहीं बनता। इस तरह प्रेम का संक्रमण पक्ष दर्शाते हुए आंचलिक उपन्यासकारों ने बहुत संतुलित मूल्यबोध का परिचय दिया है। उनका प्रणय न तो 'बंद गली के आखिरी मकान' पर ठहरा हुआ है और न 'अँधेरे बंद कमरे' तक ही सीमित है। इसमें खुलापन है, संयम है, त्याग-उत्सर्ग की तड़प है और टूटने-बिखरने के बजाय जुड़ने-जोड़ने-सँवारने की शक्ति है।

(ख) सेक्स : जैवीय आवश्यकता बनाम मानसिक-शारीरिक विलासिता : परंपरागत मूल्य दृष्टि 'प्रेम' को 'सेक्स' से अलग मानती आई है। आंचलिक उपन्यासों में प्रेम के संदर्भ में यौन-तुष्टि या संभोग को नहीं नकारा गया, लेकिन केवल यौन-तुष्टि उनका अभीष्ट कभी नहीं रही। इसके लिए प्रणय वासना का पर्याय नहीं। 'सेक्स' को एक जैवीय आवश्यकता मानते हुए भी आंचलिक उपन्यासकार यौन उच्छृंखलता को कहीं अपना समर्थन नहीं देते। स्वच्छंद यौनाचार में संलग्न चरित्रों की कटु भर्त्सना हुई है। शील और मर्यादा को महत्त्व देनेवाली परबतिया शरीर का सौदा करनेवाली युवतियों के भौतिक सुख को देखकर पथ-च्युत नहीं होती।[41] नारी के लिए 'पत' का बहुत मोल है।[42] एक षोडशी की सेक्स अपील से विचलित मौलवी बेदार सबकी भर्त्सना का आलंबन बनते हैं।[43] बुझारथ (अलग-अलग वैतरणी), बांके, लारेंस (कब तक पुकारूँ), महंत (मैला आँचल), धीरूवाला (सागर, लहरें और मनुष्य), विलियम कपूर (सूरज किरन की छाँव) आदि के कुकृत्य गलीज वासना से प्रेरित हैं और हीनतम मूल्यों का प्रतिनिधित्व करते हैं। कनिया जैसी पत्नी की उपेक्षा कर अन्य युवतियों को अपनी हविश का शिकार

बनानेवाला बुझारथ गाँव में लुच्चा और बदमाश व्यक्ति माना जाता है।[44] बलात्कार एक प्रकार का अपहरण है, क्रूर सामंती प्रवृत्ति है। बलात्कारी स्नेह के समर्पण और सहिष्णुता का अनुभव नहीं कर सकता।[45] संभोग जैवीय आवश्यकता है, पाप नहीं है, लेकिन जहाँ स्त्री का जबरन उपभोग करने की पाशविकता है, वह जघन्य है।[46] यह पाशविकता तब और गंभीर और गुरुतर अपराध बन जाती है, जब समाज को नैतिकता और धर्म का पाठ पढ़ानेवाले व्यक्ति इसमें संलग्न होते हैं। महंत सेवादास (मैला आँचल), पुजारी सर्वजीत चौबे (परती परिकथा) वासना के आगे सारा धर्म कर्म भूल जाते हैं। अपनी बेटी की तरह रखने का आश्वासन देकर भी महंत लक्ष्मी के साथ बरसों बलात्कार करता रहा।[47] पुजारी वासना विह्वल होकर अपने कथित धर्म की अवहेलना करने को तैयार होता है।[48] इस तरह के नकारात्मक मूल्यों के संवाहक व्यक्तियों के पास अपने दुराचरण के समर्थन में हास्यास्पद तर्क भी हैं जो उनकी दुहरी नैतिकता की असंगति को रेखांकित करते हैं।[49] प्रायः नारी अपनी सुरक्षा की खोज में कुछ व्यभिचारी भेड़ियों का शिकार बनती है। आर्थिक पराधीनता इस तरह की दुर्घटनाओं में महत्त्वपूर्ण भूमिका निभाती है। रत्ना[50] बंजारी[51] की विडंबनापूर्ण नियति इस संदर्भ में द्रष्टव्य है।

जहाँ संभोग केवल 'सेक्स' की भूख है, वहाँ व्यभिचार है।[52] इस बात को आंचलिक उपन्यासों ने बहुत बलपूर्वक स्थापित किया है। 'नदी फिर बह चली', 'मैला आँचल', 'कब तक पुकारूँ', 'सूरज किरन की छाँव', 'आधा गाँव', 'अलग-अलग वैतरणी', 'राग दरबारी' आदि में इस तथ्य को चिंता के साथ देखा गया है कि व्यभिचार का रोग तेजी से बढ़ रहा है। दीनदयाल (जल टूटता हुआ), सूरजसिंह, बुझारथ (अलग-अलग वैतरणी), वैद्य जी (राग दरबारी), सहदेव मिसिर (मैला आँचल), विलियम कपूर (सूरज किरन की छाँव), छंगामल, धीरूवाला (सागर लहरें और मनुष्य), चौधरी (धरती धन न अपना), शिया जमींदार (आधा गाँव) आदि यानी कि समूचा उच्चवर्ग बहुत सी स्त्रियों से यौन संबंध स्थापित करना अपना पुनीत कर्तव्य समझता है। वासना इनके लिए कुल-मर्यादा, स्वाभिमान, लोकलाज आदि से कहीं मूल्यवान है। इनकी वासना-तुष्टि प्रायः यौन-शोषण का पर्याय है।

कुछ उपन्यासकारों ने दो विरोधी मॉडल आमने-सामने रखकर 'सेक्स' से जुड़े सोच के दो सिरों को उभारा है। 'जल टूटता हुआ' में कुंजू-बदमी का सहवास सामाजिकता के विरोध में होते हुए भी एक स्वस्थ मूल्य दृष्टि की ओर प्रयाण का सूचक है जबकि दीनदयाल जैसों के गुपचुप यौन संबंध 'व्यभिचार' की हद नहीं फलाँग पाते। 'सूरज किरन की छाँव' में विलियम द्वारा छली गई बंजारी के बहकने और वासना की अंधी घाटी में खो जाने के अवसर अधिक थे, लेकिन वह कभी मन से व्यभिचार को स्वीकार न कर सकी। इसके विपरीत रूबी की मानसिकता उसे चरित्रहीन की कोटि में पहुँचा देती है। 'आधा गाँव' में अब्बास-सितारा का

संबंध मात्र सेक्स-केंद्रित है, उसके साथ किसी तरह की नैतिक जिम्मेदारी या गहरी रागात्मकता संबद्ध नहीं है। मिगदाद-सैफुनिया, सफिखा बछनिया के साहचर्य में आपसी लगाव के साथ उसे रिश्ते को स्वीकारने का साहस मौजूद है। 'मैला आँचल' की फुलिया का आचरण उसे गिरी हुई औरत करार देता है। लेकिन यही बात कमला और लक्ष्मी के संबंध में नहीं कही जा सकती। कमला और लक्ष्मी के आचरण में ठहराव है और उसका केंद्र एक व्यक्ति है। आर्थिक कारणों के बावजूद फुलिया में भ्रमर की वृत्ति है। इसी तरह उपन्यासकारों ने यौन तुष्टि को एक अराजक आचरण न मानकर उसे एकनिष्ठता, गहरे लगाव और नैतिक जिम्मेदारी से संबद्ध किया है। इनसे रहित यौन संबंध कोरी देह की भूख या विलासिता का संस्करण मात्र है। समाज में मूल्य-संक्रमण की दिशा प्रेम की शुचिता से यौन-उच्छृंखलता की ओर है लेकिन आंचलिक उपन्यासकार इस प्रवाह को उल्टी दिशा में मोड़ने के लिए उत्सुक है। वह अपने कुछ चरित्रों के माध्यम से अस्वस्थ वासना या यौन तुष्टि को नकारते हुए स्वस्थ यौन संबंधों की निर्मिति की दिशा की ओर इंगित करता है। समाज में जिस यौन-स्वच्छंदता का प्रचार बढ़ रहा है, वह कथित आधुनिक और गुमराह व्यक्तियों के लिए ही 'मूल्य' हो सकती है।

(ग) प्रेम की वैवाहिक परिणति : कुछ प्रसंगों में 'प्रेम' विवाह की समाजिक मर्यादा में परिवर्तित हुआ है। सुवंश-मलारी का प्रेम इसी प्रकार का है।[53] उमाकांत-शारदा भी विधिवत् परिणय सूत्र में बँधनेवाले हैं।[54] मिगदाद-सैफुनिया का निकाह मौलवी बेदार ने पढ़ाया है।[55] लेकिन ऐसे संदर्भ अपेक्षाकृत अधिक हैं, जहाँ प्रेम को विवाह का जामा पहनाने की आवश्यकता महसूस नहीं की गई। कुंजू-बदमी बगैर विवाह के एक साथ रहने का निर्णय करते हैं।[56] प्रशांत-कमला के संबंध को बाद में भले ही सामाजिक स्वीकृति दिला दी गई[57] वस्तुतः वहाँ विवाह की औपचारिकता का निषेध ही है। जित्तन ताजमनी भी विवाहहीन साहचर्य का उपभोग करते हैं।[58] हालाँकि सबके सामने जित्तन ने ताजमनी को 'रक्षिता' की संज्ञा दी, 'पत्नी' नहीं कहा, फिर भी ताजमनी उसकी सब कुछ है। भंडार घर की चाबी और तुलसी चौरे पर दीप जलाने का काम उसके हाथ में है। लेकिन यह सच है कि उसकी हैसियत शरत् की राज्यलक्ष्मी और चंद्रमुखी से बढ़कर नहीं है।[59] अनपढ़ आदिवासियों में भी विवाह को अनिवार्य न मानने का सोच उभर रहा है। अपनी आजादी के लिए लड़ रहे युवक के लिए पेंडुल (विवाह) बहुत महत्त्वपूर्ण नहीं है।[60] सुलक-महुआ समाज के सामने एक नई मिसाल रखते हैं–"हम अपनी जाति के ढंग से विवाह नहीं करेंगे। अनबिहाए रहकर भी हम एक रहेंगे और इस तरह घोटुल की जिंदगी भर सेवा कर सकेंगे।"[61] यहाँ प्रेय और श्रेय का सही समीकरण बिठाया गया है। बंजारी का कंगला के साथ गाँव लौटने का निर्णय[62] भी परंपरागत विवाह के विरोध में है। बंजारी का अपना कटु अनुभव है कि विवाह समाज के जड़ बंधनों

में एक है।[63] 'दूबजनम आई' की अनुराधा सामाजिक मान्यताओं को चुनौती देकर जग्गू के साथ रहने को तैयार है।[64] फुन्ननमियाँ और कुलसूम का लंबा सह-अस्तित्व साक्षी है कि लगाव और रागात्मकता से भरपूर साहचर्य के लिए विवाह की वैधानिकता अनिवार्य नहीं होती।[65] जग्गन मिसिर और उनकी भाभी का सहवास इसी किस्म का है।

ये सभी उदाहरण वे हैं, जहाँ पूरे विवेक के साथ विवाह की अनिवार्यता चुनौती दी गई है। ये युग्म विवाह की संस्था के विरोधी नहीं हैं लेकिन अपने लिए विवाह की कथित औपचारिकता को आवश्यक नहीं मानते हैं। ये निश्चय ही 'गोदान' के मालती-मेहता की परंपरा का विकास सूचित करते हैं। कुछ स्थितियों में 'प्रेम' की परिणति विवाह में इसलिए नहीं हो पाती कि सामाजिक मूल्य और पुरातन रूढ़ियाँ बहुत सशक्त सिद्ध होती हैं। संबद्ध चरित्र मूल्य-संघर्ष की प्रक्रिया से गुजरते हैं, लेकिन लक्ष्मण रेखा का उल्लंघन नहीं कर पाते और चाह कर भी अपने मन का चाहा नहीं कर पाते। पुष्पा-विपिन (अलग-अलग वैतरणी) और नरेश-चंदा (कब तक पुकारूँ) के प्रेम-प्रसंग इसी प्रकार के हैं। विपिन की कायरता पुष्पा को दूसरे की अर्द्धांगिनी बना देता है। नरेश-चंदा के मिलन में थोथी कुलमर्यादा और आभिजात्य का दंभ बाधक है। जो समाज के रूढ़ सोच की दृष्टि से 'श्रेय' है, 'प्रणय' अर्थात् प्रेय उसके विरोध में पड़ता है। विपिन के लिए 'प्रेम' मूल्य नहीं है, नरेश-चंदा के लिए बेहद मूल्यवान। नरेश का विक्षिप्त होना इस बात का प्रमाण है कि वह समाज-स्वीकृत मर्यादाओं से तालमेल नहीं बिठा पाता।

चूँकि आंचलिक उपन्यासकार वैवाहिक विधिविधान को अनिवार्य नहीं मानता, अतः उसके लिए 'विवाह-विच्छेद' का प्रश्न बहुत महत्त्वपूर्ण नहीं रह जाता। यही वजह है कि विवाह-विच्छेद के प्रसंग आंचलिक उपन्यासों में कम हैं। विवाह हो जाने के बाद आपसी लगाव, एकनिष्ठता, सतीत्व आदि को प्रायः स्वीकारा गया है। पति की निरंकुशता आदि कारणों से क्षुब्ध नारी बहुत अनिवार्य होने पर ही विच्छेद की ओर बढ़ती है।

व्यक्ति-स्वातंत्र्य की चेतना और सामूहिक मुक्ति

स्वतंत्रता एक आधारभूत मानव मूल्य है। स्वतंत्रता शून्य में प्रतिष्ठित नहीं होती। कुछ विचारक स्वतंत्रता को व्यक्ति केंद्रित मानते हुए भी उसे व्यक्ति तक सीमित नहीं मानते।[66] वे उच्चावच क्रम के अनुसार व्यक्ति को समाज और व्यवस्था की तुलना में अधिक गौरव देते हैं।[67] मूल्यों के संदर्भ में व्यक्ति समाज की परस्थरता के समीकरण की व्याख्या करते हुए वात्स्यायन ने बल दिया है कि मूल्यों की अवधारणा व्यक्ति करता है और उन मूल्यों के अनुरूप सामाजिक आचरण का

नियमन, मूल्यांकन और संशोधन समाज के जिम्मे रहता है।[68] इस तरह स्वतंत्रता के धरातल पर मूल्य-संक्रमण व्यक्ति की इच्छा से सामाजिक स्वीकृति की दिशा में होता है। बहुत से समाजवादी विचारक व्यक्ति को आत्यंतिक महत्त्व देने के पक्ष में नहीं हैं। हालाँकि व्यक्ति-स्वातंत्र्य में दायित्व का आंतरिक विकासोन्मुख[69] माना गया है, फिर भी इस तरह का चरम स्वातंत्र्य एक अतिवाद है।[70] लेनिन ने यदि इसे पूँजीवादी मुहावरा कहा है तो यह बहुत कुछ सही है।[71] यह कहना सतही तौर पर ही सच है कि जीवन में अपने चुनाव से अलग मूल्यवान कुछ और नहीं है।[72]

आंचलिक उपन्यासों में व्यक्ति-स्वातंत्र्य का समर्थन बहुत सीमित और सशर्त है। 'कब तक पुकारूँ' में उस स्वतंत्रता को जीवन की शक्ति माना गया है, जो दूसरों को कुचलती नहीं है।[73] जाहिर है, यह स्वतंत्रता 'व्यक्ति' तक सीमित नहीं होगी। रांगेय राघव ने इस विडंबना को भी व्यक्त किया है कि चरम स्वातंत्र्य को भोगने की आकांक्षा अंततः स्वतंत्रता के अपहरण में सहायक होती है 'हमने ही अपनी स्वतंत्रता को मिटाया है, ताकि हम अपनी स्वतंत्रता को भोग सकें।'[74] इस सत्य को 'अलग-अलग वैतरणी' में भी रेखांकित किया गया है कि निरंकुश स्वतंत्रता उसी तरह खतरनाक होती है, जिस तरह बंदर के हाथ में चाकू।[75] केवल व्यक्ति की स्वतंत्रता या चरम-स्वातंत्र्य की माँग बेमानी ठहरती है। इसीलिए कुछ उपन्यासकारों ने व्यक्ति की स्वतंत्रता को उसके वर्ग की आजादी से जोड़ दिया है। 'बलचनमा' के लिए आजादी का अर्थ किसान की आजादी है।[76] जिसके लिए जिंदगी जैसी अनमोल चीज भी कुर्बान की जा सकती है। अधिकतर आंचलिक उपन्यासों में एक की मुक्ति के स्थान पर सबकी मुक्ति का आह्वान मुखर हुआ है। 'गंगा मैया' में सत्ताविहीन और शोषणमुक्त समाज की स्थापना का यूटोपिया इस अर्थ में प्रासंगिक है। स्वतंत्रता शोषणमुक्ति का पर्याय बन गई है। अब शोषित जन इस जुए को उतार फेंकने के लिए कृत संकल्प हैं।[77] 'सागर लहरें और मनुष्य' तथा 'सूरज किरन की छाँव' में व्यक्ति की स्वतंत्रता नारी-स्वातंत्र्य के व्यापक प्रश्न से जुड़ी हुई है। रत्ना की मुक्ति केवल माणिक नहीं अपितु समूची पुरुष प्रधान व्यवस्था के गुंजलक से मुक्त होने की दिशा में है।[78] बंजारी का यह सोच यथार्थ के मेल में है कि इस दुनिया में औरत बनना सबसे बड़ा पाप है। औरत को 'मनुष्य' भी नहीं समझा जाता।[79] कपूर की 'जेल' में बंजारी को 'सरकस के सिखाए जानवरों की तरह'[80] अपनी इच्छा के विरुद्ध कुकर्म करने पड़ते हैं। 'जंगल के फूल' में साम्राज्यवादी विस्तारवाद के विरुद्ध आदिवासियों के मुक्ति-अभियान को मूर्त्त रूप दिया गया था। 'सूरज किरन की छाँव' में भी बंजारी की स्वतंत्रता सबकी मुक्ति के साथ जुड़ी हुई है।[81] यह मुक्ति-चेतना व्यक्ति, वर्ग से भी आगे बढ़कर मानव मात्र की स्वाधीनता से जुड़ जाती है। विध्वंसक, संहारात्मक और पाशविक शक्तियों

के प्रकोप से मानवता कराह रही है। लेकिन हिंसा और संहार का यह अँधेरा हमेशा नहीं रहेगा। मनुष्य प्रचंड शक्तिशाली बमों से आक्रांत नहीं हो सकता।[82] बंजारी की तरह प्रशांत (मैला आँचल) भी गाँव से जुड़ता है। वह आँसू से भीगी धरती पर प्यार की खेती करना चाहता है।[83] तभी अज्ञान, फूट और घृणा में फँसा मनुष्यत्व उबरेगा शोषण की बरसात रुकेगी–"मानवता पर से यह बरसात एक दिन अवश्य दूर होगी और तब नई शरद में नए फूल खिलेंगे...।"[84]

आंचलिक उपन्यासों में सामाजिक प्रतिमानों के विरुद्ध व्यक्ति की अभिरुचि को वहीं समर्थन दिया गया है, जहाँ व्यक्ति की प्रगति और विकास में बाधा आने की संभावना लगती है। अनुराधा-गोबिन (सोनभद्र की राधा), कुंजू-बदमी (जल टूटता हुआ), मिगदाद-सैफुनिया (आधा गाँव) आदि के विवाह व्यक्तिगत निर्णय हैं और रूढ़ियों के विरोध में पड़ते हैं। 'कथा कहो उर्वशी' में सोना का रासलीला में राधा बनना कुल मर्यादा के मूल्य को चुनौती देता है और वह अंततः अपने चुनाव की स्वतंत्रता पर अडिग रहती है।[85] 'दूब जनम आई' की विधवा अनुराधा जग्गू के पास बिना विवाह के रहने को प्रस्तुत है, हालाँकि उसे मालूम है कि समाज इस अनहोनी को नहीं स्वीकारेगा।[86]

यह आकस्मिक नहीं कि व्यक्ति-स्वातंत्र्य की चर्चा आंचलिक उपन्यासकारों ने प्रायः नारी-मुक्ति के संदर्भ में की है। वस्तुतः आज भी नारी सर्वाधिक शोषित वर्ग है। जो केवल नारी होने के कारण अत्याचार का शिकार होना पड़ता है।[87] इसीलिए रामविलास शर्मा जैसे विचारक नारी की गुलामी को महज नारी की समस्या तक सीमित न रखकर वर्ग संघर्ष की समस्या के रूप में देखने के हामी हैं।[88] नारी के व्याज से आंचलिक उपन्यासकारों ने प्रायः समूचे दलित-शोषित वर्ग की मुक्ति का आह्वान किया है। 'सागर लहरें और मनुष्य' की 'रत्ना' की नियति इस संदर्भ में द्रष्टव्य है।[89] 'सोना माटी' में 'कोइली' और 'सुनरी' के माध्यम से यही व्यंजित किया गया है कि नारी सबके लिए नरम चारा है, शोषण का सर्वाधिक आसान शिकार है। कभी बाली, कभी साड़ी का प्रलोभन देकर सुनरी जैसी नारियों का शीलहरण संपन्न वर्ग के लिए खिलवाड़ है। इस यौन-शोषण से मुक्ति के लिए सुनरी को आत्मघात के अलावा और कोई मार्ग नहीं जँचता।[90] कोइली की व्यथा अलग है। वह बार-बार बेची जाती है। बेटी कहनेवाले लोग उसके साथ मुँह काला करते हैं।[91] आखिर वह एक वृद्ध के साथ अपने को हमेशा के लिए बाँध लेती है–"अब यही हमारा सासुर है और यही हमारा गंगा नैहर है।"[92] कोइली का यह निर्णय विवशताजन्य होते हुए भी लीक से हटकर है। न तो वह आत्महत्या करती है और न वह सबके यौन-शोषण का शिकार बनने को तैयार है। 'ग्रामदेवता' में किशोरी को निमित्त बनाकर नारी के शोषण का अमानवीय रूप दर्शाया गया है। गाँव की नारी-स्वतंत्रता की प्रतीक 'किशोरी' आखिर में पागल हो जाती है।

गर्भवती किशोरी को उसका सगा भाई आश्रय नहीं देता। वह भाई जो स्वयं भी व्यभिचार के आरोप में पकड़ा जा चुका है। उसके साथ पकड़ी गई लड़की पुरुषों के नैतिकता संबंधी दुहरे प्रतिमानों की पोल करारे शब्दों में खोल देती है। अपने पिता से उसका दो-टूक कथन है—''खबरदार जो हाथ उठाया। चुपचाप चले जाओ, नहीं तो इसी दम कस्बे से चिल्लाकर कहूँगी कि मेरे भाई को पढ़ने के बहाने शहर भेजकर अपनी पतोहू के साथ रंगरेलियाँ मनाते हो।''[93] लेकिन छुटपुट आक्रोश-प्रदर्शन के बावजूद नारी की वरण की स्वतंत्रता का प्रश्न इन उपन्यासों में सामूहिक आक्रोश बनकर नहीं उभरा है। वैसे मूल्य-संक्रमण की दिशा नारी की निजी स्वतंत्रता से समूची नारी जाति की आजादी की तड़प की ओर प्रवाहमान है। सर्वाधिक महत्त्वपूर्ण यह है कि वरण की स्वतंत्रता या व्यक्ति स्वातंत्र्य की माँग नारी की उच्छृंखलता या देहभोग की आजादी का रूप लेते नहीं दिखाई गई है। 'सागर लहरें और मनुष्य' में वंशी का विट्ठल को पीटना[94] श्रमजीवी समाज में एक नए मूल्य की ओर संकेत है, जो पुरुष की परंपरागत निरंकुशता के अधिकार के पक्ष विरोध में उगा है। रत्ना भी मातृसंस्कारों के आधार पर अपने मार्ग का चुनाव स्वयं करती है। ''रत्ना की स्वतंत्र चेतना उसे ठोंक-पीटकर माणिक के विरुद्ध खड़ा करती है अंततः पूँजीवाद के प्रति विद्रोह की शिथिल भंगिमा में वह माणिक का त्याग करती है।''[95] 'कब तक पुकारूँ' में प्यारी और कजरी को अंग्रेज कन्या सूसन की अपेक्षा अधिक वरण की स्वतंत्रता प्राप्त है। बलात्कार का शिकार होकर निर्दोष सूसन को यह आजादी नहीं प्राप्त है कि वह अपने बच्चे को जन्म दे सके और पाले। इस दृष्टि से कसट जाति की कजरी अधिक उन्मुक्त है। वह अनजाने ही शिक्षित और पाश्चात्य नारी की कथित स्वतंत्रता पर प्रश्नचिह्न लगा देती है—''पर यह भी क्या दुनिया है। इतना सब कुछ है, पर फिर भी आपको आजादी नहीं, आपके लिए तो सब कुछ होकर भी नहीं के बराबर है।''[96] भारत के उच्च वर्ग की महिलाओं की स्थिति और भी दयनीय है।[97] 'गंगा मैया' में वैधव्य के संदर्भ में उनकी पराधीनता वर्णित है।[98] नगरबोध के उपन्यासों में एक विशिष्ट प्रकार की आधुनिक दृष्टि नारी के संभोग की स्वतंत्रता में ही मुक्ति मानती है, लेकिन 'कब तक पुकारूँ' में इस तरह की स्वतंत्रता को पाशविकता करार दिया गया है—''वह सतीत्व को रूढ़ि से तोड़कर अलग करते समय जब नारी को मुक्त कर रहा था, तब वह भूल गया था कि संभोग अपने आप में भले ही पाप नहीं हो, किंतु स्त्री को पशु बनाकर उसका भोग करने की प्रवृत्ति पाशविकता ही है और जघन्य है क्योंकि वह स्त्री को समान स्वतंत्रता देना नहीं है, वरन् उसे दासी से भी बदतर बना देना है।''[99] 'नदी फिर बह चली' की परबतिया श्रमजीवी है और वह अपनी सीमाओं के बावजूद गलीज शर्तों पर समझौता प्रायः नहीं करती है। इन उपन्यासों से स्पष्ट है कि जिन वर्गों और जातियों में नारियाँ कर्मक्षेत्र में सक्रिय हैं, अपने पैरों पर खड़ी हो रही हैं, वहाँ

उन्हें वरण की स्वतंत्रता अधिक मिली हुई है।

कुछ विचारकों ने व्यक्ति-स्वातंत्र्य की उपलब्धि न होने की स्थिति में व्यक्ति के अजनबी, अकेले और आत्मनिर्वासित होने की चर्चा की है और इन नकारात्मक पहलुओं को 'मूल्य' के स्तर पर प्रतिष्ठित करना चाहा है। वस्तुतः अजनबीपन और अकेलापन मूल्य-बोध की स्थितियाँ या मनःस्थितियाँ अधिक हैं, इन्हें 'मूल्य' नहीं कहा जा सकता है। अजनबीपन की अस्तित्ववादी धारणा के अनुसार, समूह में व्यक्तिगत अस्तित्व का लोप निंदनीय है। ऐसी स्थिति में व्यक्ति एक पदार्थ या वस्तु हो जाता है तथा अपनी निजता खो बैठता है। कॉलिन विल्सन ने इसे एक सामाजिक समस्या माना है। कार्ल मार्क्स ने इसे अजनबी श्रम की समस्या से संबद्ध किया है और इसे एक आर्थिक विसंगति के रूप में व्याख्यायित किया।[100] 'लोहे के पंख', 'बलचनमा', 'गंगा मैया' आदि कुछ उपन्यासों में मार्क्स द्वारा व्याख्यायित श्रम संबंधी अजनबीपन की आंशिक अनुभूति व्यक्त हुई है। आंचलिक उपन्यासों में स्वतंत्रता परवर्ती मोह भंग से जुड़ा अजनबीपन और अकेलेपन का बोध उभरा है। 'बावनदास' (मैला आँचल), 'जित्तन' (परती परिकथा), 'सतीश' (जल टूटता हुआ) 'रामरूप' (सोना माटी), 'हरखू' (ग्राम देवता), 'हकीम साहब' (आधा गाँव), 'जग्गू मिसिर, विपिन' (अलग-अलग वैतरणी) आदि चरित्र अपने-अपने अकेलेपन में टूट रहे हैं। आंचलिक उपन्यासकारों ने 'अजनबीपन' को वैभव के रूप में प्रस्तुत न कर त्रासदी के रूप में रेखांकित किया है।

यह द्रष्टव्य है कि कुछ आंचलिक उपन्यासों में देशी किस्म का अकेलापन और अजनबीपन वर्णित है। इस तरह के बोध के अंकन में न अस्तित्ववादी सूत्रों की सहायता ली गई है, न मार्क्सवादी उपपत्तियों का कोई योगदान है। यह बोध पिछड़े हुए ग्रामांचल की परिस्थितियों के प्रत्यक्ष अनुभव से जन्मा है। कई उपन्यासों के सकारात्मक चरित्र स्वयं को आपाधापी और मूल्य-विघटन के इस माहौल में 'मिसफिट' पाते हैं और निरंतर अकेले होते चले जाते हैं। प्रायः ऐसे संवेदनशील चरित्रों की यह विवशता है कि वे गलत बातों या अवमूल्यों से समझौता नहीं कर पाते हैं। अतः गाँव को छोड़ जाना उनकी अंतिम परिणति है। उनका ग्रामांचल को छोड़ने का निर्णय उनकी नहीं, मानवीय मूल्यों की पराजय है और नास्ति मूल्यों के वर्चस् की सूचना भी।

'मैला आँचल' में बावनदास और कालीचरन कतिपय सकारात्मक मूल्यों के लिए संघर्षरत है। न केवल गाँव अपितु पार्टी, शहर और यहाँ तक कि पूरे देश में 'स्वार्थ' का सर्वोच्च मूल्य के रूप में स्थापित हो जाने से उनका त्याग, संघर्ष और ईमानदारी उपेक्षित होते हैं। कालीचरन अपराध की दुनिया की ओर धकेल दिया जाता है और बावनदास का अंत बहुत करुण होता है। 'सब चौपट हो गया' की पीड़ा लिए बावनदास प्राणपण से बेईमानी और अन्याय रोकना चाहते हैं और

तस्करों द्वारा मार दिए जाते हैं।[101] बावनदास का अंत गांधीवादी मूल्यों की अप्रासंगिकता की आहट देता है। 'अलग-अलग वैतरणी' के विपिन और देवनाथ, 'रागदरबारी' के रंगनाथ, 'सत्ती मैया का चौरा' के मन्ने के साथ बावनदास जैसा हादसा तो नहीं होता, लेकिन ये सब अपने परिवेश की भद्दगियों से त्रस्त होकर पलायन करने को विवश होते हैं। 'जल टूटता हुआ' का सतीश और 'सोनामाटी' का रामरूप हालाँकि गाँव नहीं छोड़ते, लेकिन वे बराबर हाशिए पर कटे हुए हैं, उस परिवेश से निराश, हताश और स्तब्ध। दूसरों की दृष्टि में वे सनकी से कम नहीं हैं क्योंकि वे कतिपय मूल्यों के लिए संघर्षरत हैं, आसानी से समझौता नहीं कर पाते हैं। सतीश 'सत्य' और 'न्याय' की रक्षा के लिए कृत संकल्प है, लेकिन वह एकदम अकेला रह जाता है। भ्रष्ट शक्तियों के समीकरण भारी पड़ते हैं।[102] उपन्यासकार ने दर्शाया है कि गाँव का अकेलापन शहर के कथित अकेलेपन से कहीं अधिक जटिल और भयावह है। अनजान राय के अनुसार "शहरों में अकेले रहकर आप चैन की साँस तो ले सकते हैं, वहाँ अकेलेपन के तमाम साथी हैं। वहाँ तो आप अकेले हैं मगर चाहकर भी अकेले नहीं रह सकते, न सार्वजनिकता का सुख है यहाँ, न अकेलेपन का। कोई सहायता नहीं करता लेकिन आपके अकेलेपन को छोड़ने के लिए अनेक आलोचनाएँ, गालियाँ, शिकायतें और आक्रामक कार्यवाइयाँ टूट पड़ती हैं...।[103] यह कथन न केवल सतीश अपितु रामरूप (सोनामाटी) पर भी मौजूद है। रामरूप के अकेले पड़ते जाने के कारण गाँव में सिद्धांतविहीन राजनीति का प्रसार है। उपन्यासकार ने चुनावों को ध्यान में रखकर इस कटु सत्य को रेखांकित किया है कि लोकतंत्र ने और कुछ दिया हो या नहीं, 'अलगाव' [104] के सारे सामान जुटा दिए हैं। भुवनेश्वर के चुनाव के समय रामरूप अपने घर में भी अकेला अनुभव करता है–"क्या रामरूप अपने ही घर में दूध की मक्खी की भाँति निकालकर फेंक दिया गया ? परम अवांछित अनावश्यक व्यक्ति बन गया ? क्यों ऐसा हुआ ? कैसे ऐसा हो गया ?"[105] रामरूप गाँव जवार और अपने स्कूल में भी अकेला ही है। उसकी संवेदनशीलता और कुछ मूल्यों की पक्षधरता उसे आज के स्वार्थी और तिकड़मी परिवेश में उपेक्षित बना देती है। लेकिन आंचलिक उपन्यासकारों ने सतीश, रामरूप आदि को हताश एवं एकदम परास्त नहीं दिखाया है। वे गाँव छोड़कर भागते भी नहीं हैं। इससे स्पष्ट है कि उनका अकेलापन 'सत्य', 'साहस', 'न्याय' 'ईमानदारी' आदि कुछ स्वस्थ मूल्यों से संबद्ध है। लेकिन यही बात 'आधा गाँव' के भूतपूर्व जमींदारों के अकेलेपन के विषय में नहीं कही जा सकती है। यह अकेलापन शोषण, विलास आदि सामंती मूल्यों के प्रति मोह से ग्रस्त है सबकी आलमे तनहाई अपनी है। ऐसी तनहाई कि सपने भी दुश्वार हो गए।[106]

नैतिक मूल्यों का बदलता संसार

नैतिकता के दो रूप बताए गए हैं[107]–कर्तव्यपालन (ड्यूटी) और साधुता (वरच्यू) कर्तव्य पालन से जुड़े नैतिक व्यवहार का अर्थ 'सभ्य व्यवहार' है और इस दृष्टि से नैतिकता का स्थान सामाजिक प्रथाओं, नियमों और जीवन के साधनों में होता है। साधुता से संबद्ध नैतिकता एक तरह से व्यक्तिगत नैतिकता है। व्यक्तिगत नैतिकता के अंतर्गत सच्चाई, ईमानदारी, स्वार्थहीनता आदि के साथ यौन-शुचिता का समावेश किया जा सकता है।

नैतिकता के समाजव्यापी अवमूल्यन के संदर्भ में 'रागदरबारी' के गंगादीन की नेक सलाह है–"नैतिकता का नाम न लो मास्टर साहब, किसी ने सुन लिया तो चालान कर देगा।"[108] वह नैतिकता के स्वार्थ संकुल और सुविधानुसार परिवर्तित होनेवाले रूप[109] पर व्यंग्य करता है। आंचलिक उपन्यासकार नैतिकता के अवमूल्यन से न केवल चिंतित हैं, अपितु नैतिक मूल्यों को महत्त्व भी देते हैं।[110] नैतिकता में गिरावट का मुख्य कारण देशव्यापी भ्रष्टता और मूल्य मूढ़ता है। सभी स्तरों पर उच्च मूल्यों से हीन मूल्यों की दिशा में संक्रमण हुआ है। व्यक्ति की नैतिकता में गिरावट का एक पहलू यह है कि 'स्वार्थ' जबर्दस्त मूल्य बनकर उभरा है। ऐसा नहीं है कि यह स्वार्थभावना नई है। हमेशा इसे महत्त्व दिया गया है। धौली गाँव (उड़ीसा) के बड़े-बूढ़े मानते आए हैं–"चोरी, चुगली और व्यभिचार से बचे रहो तो मामला ठीक है। बाकी स्वार्थ के लिए तो खुली छुट्टी है।"[111] 'देहाती दुनिया' में बूढ़ी पीढ़ी की प्रतीक नानी 'स्वार्थ' को जीवनमूल्य के रूप में प्रतिष्ठित करती है।[112] वैद्यजी (राग दरबारी), दीनदयाल (जल टूटता हुआ), हनुमान प्रसाद (सोना माटी) आदि चरित्र स्वार्थपरता की प्रतिमूर्ति हैं। गरीबों की संपत्ति हो या सरकारी अनुदान सब इन लोगों की लिप्सा में होम होते रहते हैं। 'स्वार्थ' इनके लिए इतना प्रमुख हो जाता है कि नजदीकी रिश्ते भी बेमानी हो जाते हैं। वैद्यजी अपने बेटे रुप्पन और हनुमान प्रसाद अपने दामाद रामरूप को भी अपमानित करने में पीछे नहीं रहते। 'स्वार्थ' जैसे हीनतम मूल्य को स्वीकारने का रोग कुछ विशिष्ट व्यक्तियों तक ही सीमित नहीं है। समूचा ग्रामांचल इसकी पकड़ में है। औसत बुद्धिजीवी भी इससे बचा नहीं है।[113]

व्यापक स्वार्थपरता के माहौल में 'सत्य', 'ईमानदारी' और परहित यदि कुछ व्यक्तियों तक सीमित रह गए हैं तो यह आश्चर्य का विषय नहीं है। उपन्यासकारों ने विरल होते जा रहे इन मूल्यों को अपना भरपूर समर्थन दिया है।

आंचलिक उपन्यासों में 'सत्य' को सूर्य कहा गया है। धन का गर्व रखनेवाले, स्वार्थ और अहंकार में मदमस्त लोग इसके आलोक को सह नहीं पाते।[114] सत्य के लिए मूल्य चुकाना पड़ता है। लेकिन किसी एक के मूल्य चुकाने का कोई अर्थ

नहीं। सबको संगठित होकर 'सत्य' की रक्षा करनी पड़ेगी।[115] सत्य, बुद्धि, प्रेम, समता आदि ईश्वर के प्रतिरूप हैं।[116] सत्य की रक्षा से जुड़ी ईमानदारी भी एक धनात्मक मूल्य है। 'जल टूटता हुआ' में अनजानराय और 'दूब जनम आई' में रामपाल ईमानदारी को मूल्य चुकाते हैं। अनजानराय बेईमानी से समझौता न कर त्यागपत्र दे देता है और रामपाल अपने स्थानान्तरण पर दुखी नहीं होता।[117] रामपाल के विचार में—"मैंने आज तक ऐसा कोई काम नहीं किया, जिसके लिए मुझे ग्लानि हो···अच्छी राह कभी सुखद नहीं होती। नया काम भयंकर विरोध झेलने के बाद ही शुरू किया जा सकता है।"[118] बेईमानी के गले तक डूबे हुए लोग भी ईमानदारी के मूल्य को स्वीकार करते हैं। वास्तविकता को नकार नहीं पाते।[119]

'स्वार्थ' के स्थान पर—'परहित' के मूल्य को आंचलिक उपन्यासों में बलपूर्वक स्थापित किया गया है। 'परमार्थ' मानव जीवन का पुण्य है।[120] परहित के लिए जीना ही वास्तविक जीवन है।[121] मटरू (गंगा मैया), प्रशांत (मैला आँचल), सुखराम (कब तक पुकारूँ), 'बलचनमा' (बलचनमा) आदि चरित्र इस मूल्यबोध को व्यवहार में परिणत करते दिखाई देते हैं। प्रशांत का कहना है—"मैं साधना करूँगा, ग्रामवासिनी भारतमाता के मैले आँचल तले। कम से कम एक ही गाँव के कुछ प्राणियों के मुरझाए ओठों पर मुस्कराहट लौटा सकूँ, उनके हृदय में आशा और विश्वास को प्रतिष्ठित कर सकूँ···।[122] 'कब तक पुकारूँ' का गोरखी माली की जान बचाने के एवज में कुछ नहीं लेता। वह पैसे को अपनी विद्या की कीमत नहीं मानता। इसकी तुलना में पश्चिम का व्यवसायी और स्वार्थी दृष्टिकोण सूसन को बहुत तुच्छ लगता है—"वह गरीब माली था। उसने इनाम लेने से इनकार कर दिया। यदि यूरोप में किसी को यह दवा मालूम होती तो वह इसे पेटेण्ट करवा लेता, लाखों कमा लेता, दुनिया में नाम कर लेता।"[123]

यौन नैतिकता के संदर्भ में आंचलिक उपन्यासकारों का मूल्यबोध एकांगी नहीं है। आज कथित आधुनिकता से प्रेरित प्रभावित विचारकों और बुद्धिजीवियों को यौन-उच्छृंखलता प्रगतिशीलता का प्रमाण लगती है। यशदेव शल्य के अनुसार—"आज बहुत से लोग यौन नैतिकता को पिछड़ेपन का पर्याय मानते हैं और यौनवृत्तिता को उचित और प्रगति का पर्याय मानते हैं। ये मूल्य-परिवर्तन नहीं हैं, मूल्य-विपर्यय हैं अथवा कहें मूल्यबोध हैं।"[124] आंचलिक उपन्यासकार इस मूल्य-विपर्यय को 'मूल्य' के रूप में स्थापित नहीं करते। 'बंजारी' (सूरज किरन की छाँव), 'मिगदाद-सैफुनिया' (आधा गाँव), 'कुंजू-बदमी' (जल टूटता हुआ) आदि अनेक पात्र परंपरागत यौन नैतिकता का उल्लंघन करते हैं लेकिन यौन स्वच्छंदता के हामी नहीं हैं। आंचलिक उपन्यासकारों ने स्वयं को पिछड़ा घोषित किए जाने का जोखिम उठाकर भी देह-संबंधों से जुड़ी यौनशुचिता, एकनिष्ठता आदि का समर्थन किया है। जहाँ देह-शुचिता का उल्लंघन है, वहाँ भी 'भोग' या व्यभिचार

की मनःस्थिति नहीं है। वहाँ किसी न किसी सामाजिक रूढ़ि को चुनौती देने का भाव प्रमुख है। प्रायः ऐसी स्थिति में नैतिक अहं (सुपर इगो) कौमार्य या सतीत्व के खंडन का विरोधी होता है लेकिन अंततः संवेगशीलता और तर्क का गँठजोड़ उन्हें नया कदम उठाने के लिए बाध्य कर देता है। इस तरह स्पष्ट है कि यौनवर्जनाओं और यौन नैतिकता का उल्लंघन आंचलिक उपन्यासों में सशर्त है और अपेक्षा है कि नैतिक मूल्यों का संक्रमण उच्चतर स्थितियों की ओर हो।

संदर्भ

1. "...अंततः वे व्यक्ति मूल्य ही प्रधान हैं, जो समाज के मूल्य के विरोधी न होकर उनके पोषक हों। वे ही सच्चे मानवीय मूल्य हैं।" –प्रभाकर माचवे, हिंदी साहित्य कोश, पृ. 605
2. हिंदुस्तानी (त्रैमासिक), भाग-29, अंक 1-4, लेख 'मूल्य स्तबक की वैयक्तिकता और परस्पर स्पर्धा', पृ. 184
3. वही, पृ. 185
4. The frontiers of social sciences, Ed. B. Singh, p. 191
5. The social structure of values, p. 72
6. सौंदर्य मूल्य और मूल्यांकन, पृ. 10
7. आम रास्ता नहीं है, पृ. 97
8. वही, पृ. 99
9. वही, पृ. 100
10. रेणु स्मृति तीर्थ स्मारिका 1987, पृ. 46
11. एक श्रावणी दोपहर की धूप, पृ. 46
12. वही, पृ. 42
13. उदयशंकर भट्ट : व्यक्ति और साहित्यकार, पृ. 144
14. जहाँ मैं खड़ा हूँ, पृ. 7-8
15. रोशनी की पगडंडियाँ, पृ. 147
16. मार्क्सवाद दर्शन संस्कृति और साहित्य, सं. अरुण माहेश्वरी, पृ. 256
17. नवीन दुनिया, 12-8-1990
18. "...प्यार एक वरदान है। वह एक देवता के मंदिर का ऐसा अनोखा प्रसाद है, जो साधक को ही मिलता है। वह प्रसाद पाना सबकी बिसात नहीं।"–सूरज किरन की छाँव, पृ. 97
19. वही
20. "प्रेम ब्रह्म के अखिल आनंद का रहस्य है...जिसके अंतर में प्रकाश नहीं हुआ वह

हतभाग्य मनुष्य सृष्टि के अंधकार में छटपटाता हुआ अपदार्थ वस्तु ही तो है।"
–जल टूटता हुआ, पृ. 284

21. वही
22. "...जहाँ संभोग नारी पर बलात्कार नहीं रहता, सृष्टि के सृजन के पवित्र और महान् कार्य का पर्याय हो जाता है, जहाँ प्रेम और वात्सल्य का उत्तरदायित्व पुरुष और नारी साथ-साथ उठाते हैं और फिर कोई जघन्यता नहीं बच रहती।"–कब तक पुकारूँ, पृ. 418
23. आधुनिक हिंदी उपन्यास (सं. नरेन्द्र मोहन), विश्वंभरनाथ उपाध्याय, पृ.175
24. "...ताजमनी का प्रेम अपने समर्पण के बावजूद उसके अकेलेपन का भागीदार बनने में असमर्थ है। वह इस प्रेम को 'आउट ग्रो' कर गया है। वैसे ही जैसे माँ का प्रेम शिशु को सुरक्षा तथा आश्वासन दे सकता है किंतु वयस्क बेटे को नहीं।"–आधुनिक हिंदी उपन्यासों में प्रेम की परिकल्पना, विजय मोहन सिंह, पृ. 266-267
25. परती परिकथा, पृ. 308
26. आधा गाँव, पृ. 42
27. "लेकिन मिगदाद तो एक अनहोनी बात कर रहा था। इसीलिए वह डर रही थी।...अब तक ऐसा नहीं हुआ।"–आधा गाँव, 10/97
28. अलग-अलग वैतरणी
29. वही, पृ. 630
30. वही, पृ. 444
31. वही, पृ. 444-445
32. "यह विद्रोहों और मानसिक विस्फोटों का युग है। आज हर पुराने कोहेनूर का भाव घटाया जा रहा है, तब प्रेम ही को उसके सर्वोच्च आसन से क्यों न गिराया जाय।"–अमृत और विष, पृ. 395
33. "प्रेम उनके लिए व्यापार नहीं। प्रेम उनके लिए नया पाठ नहीं। न उसे वे पाप समझतीं। प्रेम उनका देवता है। प्रेम उनकी जिंदगी है।"–जंगल के फूल, पृ. 30
34. वही, पृ. 40
35. जल टूटता हुआ, पृ. 534
36. "आप, आपकी संपत्ति और प्रतिष्ठा तो मेरे जैसे आदमी के लिए सड़े गोबर से अधिक मूल्यवान नहीं है...मैंने आपकी बेटी से प्यार किया है, वह आपकी बेटी होकर भी आपसे बिल्कुल अलग है, पूजा के फूल की तरह पवित्र, सुगंधित और सुंदर।"–जल टूटता हुआ, पृ. 554
37. वरुण के बेटे, पृ. 50-51
38. आधुनिक हिंदी उपन्यासों में प्रेम की परिकल्पना, पृ. 374
39. कब तक पुकारूँ, पृ. 455
40. "...रोमांटिक प्रेम जीवन के सर्वोत्तम उल्लास का स्रोत है। स्त्री-पुरुष एक-दूसरे को

प्रेम करते हों और उस प्रेम में उत्कटता, कल्पना और कोमलता हो तो उसका अमूल्य महत्त्व है।''—विवाह और नैतिकता, पृ. 49-50

41. ''अब चाहे जो हो, मुझसे इज्जत देते पार नहीं लगेगा।''—नदी फिर बह चली, पृ. 324
42. कब तक पुकारूँ, पृ. 267
43. आधा गाँव, पृ. 123
44. अलग-अलग वैतरणी, पृ. 49
45. ''उसकी क्रूर वासना ने जीवन में कभी अपने स्नेह को आदान-प्रदान की सहिष्णुता से स्वीकार नहीं किया था। वह लुटेरे की प्रवृत्ति का आदमी था। वह आज तक जो कुछ करता था, उसकी राय में वह सब अपहरण करने पर ही उसे प्राप्त होता था।''—कब तक पुकारूँ, पृ. 268
46. ''...संभोग अपने आप में भले ही पाप नहीं हो, किंतु स्त्री को पशु बनाकर उसका भोग करने की प्रवृत्ति पाशविकता ही है और जघन्य है...''—कब तक पुकारूँ, पृ. 508
47. ''कहाँ वह बच्ची और कहाँ पचास बरस का बूढ़ा गिद्ध। रोज रात में लक्ष्मी रोती थी।... ।''—मैला आँचल, पृ. 27
48. परती परिकथा, पृ. 238
49. 'धरम' तो कमर के ऊपर होता है।—कब तक पुकारूँ, पृ. 217
50. सागर लहरें और मनुष्य, पृ. 181
51. सूरज किरन की छाँव, पृ. 22 और पृ. 174
52. ''...जिस यौन स्वतंत्रता की आवश्यकता है, वह है प्रेम करने की आवश्यकता, न कि किसी अज्ञात स्त्री के साथ शारीरिक आवश्यकता की पूर्ति करने की भद्दी स्वतंत्रता।''—बर्ट्रेंड रसेल, विवाह और नैतिकता, पृ. 201
53. परती परिकथा, पृ. 265
54. जल टूटता हुआ, पृ. 563
55. आधा गाँव, पृ. 291
56. जल टूटता हुआ, पृ. 534
57. (पाँच पंच को जना कर जब जब सादी की बात पक्की हुई, एक न एक विघ्न पड़ गया। इसीलिए कासी के पंडितों ने गंधारब विवाह कराने को कहा।)—मैला आँचल, पृ. 330
58. परती परिकथा
59. राजेन्द्र यादव, अठारह उपन्यास, 'परती परिकथा' की ताजमनी, पृ. 146
60. ''अरे बिहाव तो एक पड़ाव है। जब आदमी चलते-चलते थक जाता है तो किसी मेंड का आसरा ले लेता है, बस। हम अभी थके थोड़े हैं।''—जंगल के फूल, पृ. 223
61. जंगल के फूल, पृ. 224

62. सूरज किरन की छाँव, पृ. 190
63. "शादी ब्याह भी क्या किसी खेल से कम है ? बचपन में हम गुड़ियों का ब्याह रचाते थे। शादी भी तो यही गुड़ियों का ब्याह ही है।...समाज के ये जड़ बंधन न जाने कब से चले आ रहे हैं...।"—सूरज किरन की छाँव, पृ. 158-159
64. "शादी की रस्म तो सामाजिक स्वीकृति को प्रकट करने के लिए होती है और समाज हम लोगों के इस संबंध को स्वीकृति देने से रहा। हाँ, मैं साथ रहने को तैयार हूँ।"—दूब जनम आई, शिवसागर मिश्र, पृ. 195
65. आधा गाँव, पृ. 267
66. "स्वतंत्रता निःसंदेह व्यक्ति की है और व्यक्ति की होकर ही अर्थवान है, लेकिन वह न तो व्यक्ति तक सीमित है, न ही व्यक्ति को शून्य में स्थापित करके किसी सार्थक रूप में उसके साथ जोड़ी जा सकती है।"—सच्चिदानंद वात्स्यायन, 'व्यक्ति और व्यवस्था', पृ. 9
67. वही, पृ. 10
68. वही
69. धर्मबीर भारती, मानवमूल्य और साहित्य, पृ. 127
70. गंगाप्रसाद विमल, आधुनिकता : साहित्य के संदर्भ में, पृ. 16
71. "और यह परम स्वातंत्र्य एक पूँजीवादी अर्थात् एक अराजकतावादी मुहावरा है (क्योंकि दर्शन के रूप में अराजकता उलटी हुई पूँजीवादी विश्व दृष्टि ही है)।"—आलोचना, जुलाई-सितंबर 1969, स्तेफान मोराठस्की के लेख का अनुवाद, अनु. गिरधर राठी, पृ. 12
72. "यह कहना कि हम मूल्यों का आविष्कार करते हैं, इसका इसके सिवाय कोई अर्थ नहीं है कि जीवन का कोई अर्थ नहीं है। यह तुम्हारे ऊपर है कि तुम इसको अर्थ दो। अर्थ जिसका चुनाव करते हो।—उससे अलग मूल्य नाम की कोई दूसरी चीज नहीं है।"—सार्त्र का कथन, विद्याशंकर राय, आधुनिक हिंदी उपन्यास और अजनबीपन, पृ. 20 से उद्धृत।
73. कब तक पुकारूँ, पृ. 570
74. वही, पृ. 39
75. "अब आदमी सचमुच स्वतंत्र है। बिल्कुल स्वतंत्र। पर लोग यह भूल जाते हैं कि बंदर के हाथ में चाकू का रहना कितना खतरनाक है। स्वतंत्रता बिना अक्ल के आदमी के हाथ में दुधारी तलवार की तरह होती है...।"—अलग-अलग वैतरणी, पृ. 444
76. "किसान की आजादी आसमान से उतरकर नहीं आएगी...।"—बलचनमा, पृ. 192
77. "तुम्हारे साथी अपने खून की आखिरी बूँद तक इनकी रक्षा करेंगे। जिस तरह गुजरा जमाना फिर वापस नहीं आता उसी तरह जमींदारों के उखड़े पैर यहाँ फिर कभी न जम पाएँगे।"—गंगा मैया, पृ. 141
78. सागर लहरें और मनुष्य

79. "यदि औरत को भी मनुष्य समझा जाता तो मेरे साथ यह सब न होता।"—सूरज किरन की छाँव, पृ. 173
80. वही, पृ. 179
81. "गाँव की और गाँववालों की सेवा कर अपने पाप-मोचन करूँगी और देखूँगी कि वहाँ की किसी बंजारी को निर्वासित होकर फिर मिसेज बेंजो जोसेफ न बनना पड़े।"—सूरज किरन की छाँव, पृ. 190
82. "विधाता की सृष्टि में मानव ही सबसे बढ़कर शक्तिशाली है। उसको पराजित करना असंभव है, प्रचंड शक्तिशाली बमों से भी नहीं।...पागलो ! आदमी आदमी है, गिनी पिग नहीं।...सबारि ऊपर मानुस सत्य।" —मैला आँचल, पृ. 3
83. "आँसू से भीगी हुई धरती पर प्यार के पौधे लहलहायेंगे। मैं साधना करूँगा, ग्रामवासिनी भारतमाता के मैले आँचल तले। कम से कम एक ही गाँव के कुछ प्राणियों के मुरझाए ओठों पर मुस्कराहट लौटा सकूँ।"—मैला आँचल, पृ. 334
84. कब तक पुकारूँ, पृ. 576
85. "मैं कोई द्रोपदी हूँ कि पाण्डव मुझे जुए में हार जाएँ।...कोई मुझे कौन सा बाण मारेगा ? रासलीला में राधा बनना कुलमर्यादा पर सात घड़े पानी डालने जैसा कैसे हुआ था।"—कथा कहो उर्वशी, पृ. 119
86. दूब जनम आई, पृ. 195
87. "अबला नारी हर जगह अबला ही है। रूप और जवानी...यह भी गलत। औरत होना चाहिए, रूप और उम्र की कोई कैद नहीं।"—मैला आँचल, पृ. 165
88. कथन, जनवरी-फरवरी 1983, 'भारतीय परिवार और समाज में नारी की स्थिति', पृ. 26
89. सागर लहरें और मनुष्य, पृ. 181
90. "अब वह कहाँ जाएगी ? कितना सहेगी ? ये मर्द उसका रहा-सहा मांस भी नोचकर खा जाएँगे।...बस अब मर जा। कोई रास्ता नहीं।"—सोना माटी, पृ. 365
91. "अपने गरीब बाप के घर जवान हुई तबसे हर आदमी हमारे पास खास काम के लिए भी आया है। मास्टर जी। यहाँ एकदम एकांत है। कहिए सेज लगा दूँ, अपने को सौंप दूँ ? एक बेटी और क्या कर सकती है ?"—सोना माटी, पृ. 133
92. वही, पृ. 105
93. ग्राम देवता, पृ. 98
94. "हमको ऐसा आदमी नई पाहिजे। समझ ले बिट्ठल तेरे कूँ मार-मार ठीक करना होयेगा।"—सागर लहरें और मनुष्य, पृ. 31
95. अतुलवीर अरोड़ा, आधुनिकता के संदर्भ में आज का हिंदी उपन्यास, पृ. 146
96. कब तक पुकारूँ, पृ. 541
97. "इधर किसी पर मन आ गया तो हम तो अपने पहले नाते को तोड़ देती हैं।...बड़ी जातों में ऐसा नहीं होता। वहाँ तो एक-एक की कई-कई औरतें होती हैं।...बड़ी साँसत है सरकार, बड़ी जात का होना भी पूरा आफत ही समझो।"—कब तक पुकारूँ,

पृ. 484

98. "यह कैसा रिवाज है, मालकिन आपकी बिरादरी का। इस मामले में तो हमारी ही बिरादरी अच्छी है जो कोई बेबा इस तरह अपनी जिंदगी खराब करने को मजबूर नहीं"—गंगा मैया, पृ. 51

99. कब तक पुकारूँ, पृ. 508

100. "मनुष्य के श्रम द्वारा उत्पादित वस्तु और उसका उत्पादन अजनबी करनेवाली वस्तु के रूप में उसके सामने आने लगता है। इस प्रकार वस्तु की दूसरों के लिए बढ़ती उपयोगिता उसके लिए अजनबीपन के रूप में उभरती है।...यह अजनबी श्रम मनुष्य को उसके मानव शरीर से, प्रकृति से, उसके अपने आत्मिक तत्त्व मनुष्यत्व से अजनबी कर देता है।"—आधुनिक हिंदी उपन्यास और अजनबीपन, पृ. 16 के आधार पर

101. मैला आँचल, पृ. 318

102. जल टूटता हुआ, पृ. 450

103. वही, पृ. 473

104. सोनामाटी, पृ. 295

105. वही, पृ. 309

106. "बिस्तर की तनहाई से लेकर दिलों की तनहाई तक।...लेकिन ख्वाबों की टेढ़ी-मेढ़ी पगडंडियों पर कोई अकेला नहीं जा सकता...।"—आधा गाँव, पृ. 306

107. देवराज, संस्कृति का दार्शनिक विवेचन, पृ. 309

108. राग दरबारी, पृ. 129

109. "नैतिकता समझ लो कि यही चौकी है। एक कोने में पड़ी है। सभा सोसाइटी के वक्त केवल इस पर चादर बिछा दी जाती है। तब बड़ी बढ़िया दीखती है। इस पर चढ़कर लेक्चर फटकार दिया जाता है। यह उसी के लिए है।"—राग दरबारी, पृ. 129

110. जिसके लिए दुनिया में नैतिकता नाम की वस्तु का अस्तित्व नहीं, जिसके लिए कुछ पाप नहीं, कुछ पुण्य नहीं।"—सोना माटी, पृ. 406

111. कथा कहो उर्वशी, पृ. 146

112. "भर पेट कमा लो, नहीं तो पछताओगे, कुछ हाथ न लगेगो। तहसीलदार और पटवारी जहाँ कहीं जाते हैं, नोच-नोचकर खा-चबा जाते हैं, पर तुमको न जाने भगवान् कब सुबुद्धि देंगे।"—देहाती दुनिया, पृ. 95

113. "फिर हमारे जैसे बुद्धिजीवी का सोच भी दीनदयाल से आगे कहाँ पहुँचता है ? सबको अपनी-अपनी लगी है।"—सोना माटी, पृ. 125

114. "...तर्क और सत्य के उज्ज्वल आलोक को सह सकना उनके लिए असंभव है, क्योंकि उसमें उनके स्वार्थों का पर्दाफाश होता है और एक की पोल में दूसरे की पोल घुसी हुई है कि सब उस पर पर्दा डाले रहना चाहते हैं।"—कब तक पुकारूँ, पृ. 454

115. "सत्य के लिए मूल्य तो देना ही पड़ता है। और जब तक कुछ लोग संगठित होकर मूल्य देने को तैयार नहीं होंगे और दूसरों की देखा देखी असत्य की ओर उन्मुख

होते रहेंगे, तब तक गाँव का क्या देश का और पूरे विश्व का उद्धार नहीं होगा।"–जल टूटता हुआ, पृ. 473

116. हजार घोड़ों का सवार, पृ. 159

117. जल टूटता हुआ, पृ. 474

118. दूब जनम आई, पृ. 190

119. "कहीं भीतर से मन कितना डाँटता फटकारता है। लगता है, बेईमानी-शैतानी का चक्कर पाप है, बुरा है।"–सोना माटी, पृ. 95

120. "मानुस जन्म पाकर हम परमारथ के बदले सोआरथ देखें तो इससे बढ़कर क्या पाप हो सकता है ?"–मैला आँचल, पृ. 30-31

121. "जीने के लिए जीना, जीना नहीं है, परोपकार के लिए जीना ही जीना है। अगर मेरी मृत्यु जनसाधारण के लिए लाभप्रद हो तो नहीं चाहिए मुझको यह जीवन।"–बाबा बटेसरनाथ, पृ. 17

122. मैला आचँल, पृ. 334

123. कब तक पुकारूँ, पृ. 474

124. आलोचना, जनवरी-मार्च 1970, पृ. 76

तृतीय प्रकरण

आंचलिक उपन्यासों में मूल्य-संक्रमण : सामाजिक परिपार्श्व

आंचलिक उपन्यासकारों ने स्वयं स्पष्ट किया है कि उनके उपन्यासों में व्यक्त मूल्य क्षेत्र विशेष के न होकर पूरे समाज के हैं। रामदरश मिश्र ने 'पानी के प्राचीर' के 'पूर्वाभास' में लिखा है–"इस प्रदेश की व्यापक पृष्ठभूमि पर जो मानव मूल्यों और उच्चतर सत्यों के रूप उभरे हैं, वे एकदेशीय न होकर पूरे समाज के हैं।"[1] यही मानसिकता अन्य उपन्यासकारों की भी है। उन्होंने ग्रामीण जीवन में घट रहे बहुआयामीय मूल्य-संक्रमण को इस प्रकार प्रस्तुत किया है कि वह पूरे भारतीय समाज में परिवार, जाति, वर्ग, संप्रदाय आदि के स्तर पर हो रहे मूल्य-संक्रमण का साक्ष्य बन गया है।

पारिवारिक मूल्य : परंपरा और आधुनिकता का द्वंद्व

इन उपन्यासों में औद्योगीकरण, शहरीकरण, शिक्षा को प्रचार, राजनीति की घुसपैठ आदि अनेक कारणों से परंपरागत मूल्यों के विचलन को बहुत विस्तार के साथ प्रस्तुत किया है। परंपरा और आधुनिकता के द्वंद्व के परिणाम अच्छे-बुरे दोनों हैं। कहीं आधुनिकता ने रूढ़ियों को तोड़ने में महत्त्वपूर्ण भूमिका निभाई है तो कहीं आपसीपन और सद्भाव को आँच भी आई है। आंचलिक उपन्यासकारों ने इन सभी परिवर्तनों को तटस्थ भाव से नहीं लिया है। देखना होगा कि सामाजिक मूल्यों का संक्रमण कहाँ उन्हें आहत करता है और कहाँ आश्वस्त करता दिखाई देता है।

श्रद्धा, सम्मान, आज्ञाकारिता आदि का अवमूल्यन

संयुक्त परिवार से संबद्ध परंपरागत मूल्य-व्यवस्था में बड़ों का अधिकार और परंपरा की पवित्रता सर्वाधिक महत्त्वपूर्ण माने जाते हैं।[2] स्वतंत्रता के बाद के भारतीय समाज में संयुक्त परिवार का विघटन होने पर न तो बड़ों के अधिकार सुरक्षित रहे और न परंपरा ही सुरक्षित रही। पारिवारिक स्तर पर मूल्य संक्रमण की प्रक्रिया नगर-महानगर में जितनी तीव्र रही, पिछड़े अंचलों में उतनी तेज नहीं रही। फिर भी पारिवारिक व्यवस्था को हिला देनेवाले परिवर्तन को स्पष्ट लक्ष्य किया जा सकता है। आंचलिक उपन्यासों में श्रद्धा, सम्मान, अनुशासन, सहयोग आदि मूल्यों के इस अवमूल्यन को उसकी संपूर्णता में प्रस्तुत किया गया है।

अर्थाभाव, नई रोशनी, पीढ़ियों का अंतराल आदि अनेक कारणों से माता-पिता को आज वह सम्मान प्राप्त नहीं है जो कभी आचरण के प्रतिमानों में प्रमुख था। 'श्रवणकुमार', 'राम' आदि के मिथक बहुत से युवकों को प्रभावित नहीं करते। 'रागदरबारी' के छोटे पहलवान अपने को श्रवणकुमार की हालत में नहीं देखना चाहते। बल्कि वे जब-तब अपने पिता कुसहर प्रसाद को मार बैठते हैं। जब उन्हें समझाया जाता है कि आखिर कुसहर ने तुम्हें पैदा किया है, तब छोटे पहलवान बिगड़ उठते हैं—"कोई हमने स्टाम्प लगाकर दरखास्त दी थी कि हमें पैदा करो। चले साले कहीं के पैदा करनेवाले।"[3] श्रवणकुमार का अनुकरण करना[4] 'अलग-अलग वैतरणी' के हरिया को भी रुचिकर नहीं।[5] हरिया द्वारा पिता के अपमान के कारण शुद्ध आर्थिक हैं। जब तक खेतों में उत्पादन सही था, हरिया के परिवार में सुख-शांति थी। लेकिन प्रकृति के प्रकोपवश जब भरपूर परिश्रम के बावजूद घर की स्थिति नहीं सुधरती तब घरेलू संबंध गड़बड़ा जाते हैं। शहर में काम करनेवाला ग्रामीण युवक मुरतिया अपने पिता भजन के अनुशासन को कतई नहीं मानता। वह अपशब्दों का जवाब अपशब्दों से देता है।[6] पिता के प्रति अवज्ञा का भाव न केवल छोटे, हरिया, मुरतिया जैसे अशिक्षित युवकों में है अपितु कुछ पढ़ी-लिखी युवा पीढ़ी भी पितृभक्ति के आदर्श से विचलित हो उठी है। रुप्पन, ब्रदी (राग दरबारी) जैसे युवक इस संदर्भ में देखे जा सकते हैं। लेकिन उपर्युक्त उदाहरणों से यह समझना भूल होगी कि आंचलिक उपन्यासों में श्रद्धा सम्मान आदि मूल्यों को नेस्तनाबूद होते दिखाया गया है। बल्कि अधिकतर उपन्यासों में माता-पिता और संतति के पारस्परिक लगाव और निकटता के बहुत से प्रमाण मिल जाते हैं। 'जसौंतसिंह' (हौलदार) 'मँगरू' (लोहे के पंख), 'परबतिया' (नदी फिर बह चली), 'गीधू' (हजार घोड़ों का सवार), 'सतीश' (जल टूटता हुआ), 'भोलानाथ' (देहाती दुनिया), 'नीलकंठ' (कथा कहो उर्वशी) आदि चरित्र कहीं भी माता-पिता की अवज्ञा करते नहीं दिखाई देते। सौतेली माताओं को छोड़ दें तो माँ-बाप भी इनसे असंतुष्ट

नहीं हैं। जसौंतसिंह स्पष्ट रूप में पिता को श्रेष्ठ करार देता है।[7] रमुवा (हौलदार), रतिनाथ (रतिनाथ की चाची) और 'मिगदाद' (आधा गाँव) जैसे चरित्र यदि क्रमशः अपनी माँ और पिता से असंतुष्ट नजर आते हैं तो यह साभिप्राय और साधार है, रमुवा अपनी माँ की 'अति' को नहीं सह पाता। चूँकि रतिनाथ ने पिता को माँ की गर्दन रेतते हुए देखा है, अतः वह पिता को श्रद्धा की दृष्टि से नहीं देख पाता।[8] रतिनाथ की चाची पिता-पुत्र के संबंध को लेकर तत्कालीन समाज में प्रचलित धारणा को पूरे विश्वास के साथ प्रस्तुत करती है।[9] पर लोक, तर्पण और सद्‌गति आदि में विश्वास रखनेवाले बहुसंख्यक जनसमुदाय में यह मान्यता आज भी निश्शेष नहीं हुई है। मिगदाद का विरोध वस्तुतः परंपराभंजन का एक रूप है, इसलिए उसे उपन्यासकार की सहानुभूति प्राप्त है।

संबंधहीनता की स्थितियाँ

आंचलिक उपन्यासों में माँ को नकारने के संदर्भ कम हैं। 'रतिनाथ की चाची' में उमानाथ का वीतश्रद्ध होना सकारण है। अपने माँ से संबद्ध प्रवाद को सुनकर वह न केवल कुपित होता है, अपितु माँ पर हाथ भी उठा देता है। इस प्रकार के पुत्र इने-गिने ही हैं। 'असगाँव-पसगाँव' की बासमत्ती अपनी माँ के व्यवहार पर क्षुब्ध होती है लेकिन किसी प्रकार की अश्रद्धा का भाव उसमें नहीं उगता।[10] चूँकि पितृसत्तात्मक समाज में 'पिता' की स्थिति नियामक की होती है, अतः माता की तुलना में 'पिता' को अधिक प्रहार सहने होते हैं। लेकिन कुल मिलाकर आंचलिक उपन्यासकार पिता की अवज्ञा या अवहेलना करने के पक्ष में नहीं हैं। उन्होंने उन चरित्रों को प्रायः महिमामंडित किया है, जो कतिपय मतभेदों के बावजूद पिता के प्रति श्रद्धावनत हैं। इससे स्पष्ट होता है कि व्यापक स्तर पर माता-पिता से जुड़े मूल्यों के हेरफेर को दिखाने के बावजूद आंचलिक उपन्यासकार पुरानी मूल्य-मर्यादाओं को खारिज नहीं करता है।

आंचलिक उपन्यास में न केवल माता-पिता के प्रति श्रद्धा, सम्मान अपितु अन्य बड़ों की प्रतिष्ठा, बंधुत्व, पातिव्रत, आपसी नातेदारी आदि पर गहराते संकट को भी पढ़ा गया है। इस मूल्य संकट का कारण प्रायः आर्थिक है। 'रतिनाथ की चाची' में गौरी और कमलमुखी अर्थात् सास-बहू के संबंध खराब होने के कारणों में एक आर्थिक भी है। गौरी चाहकर भी सड़क निर्माण के लिए दो रुपये चंदा नहीं दे पाती।[11] 'लोकऋण' की आजाद बहू अपनी चचिया सास की खुली अवज्ञा करती है।[12] 'अलग-अलग वैतरणी' का विपिन सदैव 'बबुआन की मर्यादा' का हामी रहा, लेकिन अपने भतीजे बुद्ध की लाठी का प्रहार झेलने के बाद उसे पुरानी परंपरा भहराती हुई लगती है।[13] 'बलचनमा' में दिखाया गया है कि किस प्रकार बड़े-बूढ़ों

की मृत्यु का समाचार पाकर नई रोशनी के नवयुवक सिर मुड़ाने के भय से उल्टे पाँव लौट जाते हैं।[14] विपिन और उसके बड़े भाई के संबंध अच्छे न होते हुए भी खुले तौर पर सामान्य लगते हैं क्योंकि विपिन मूल्यों की लक्ष्मण रेखा को नहीं लाँघना चाहता।[15] लेकिन परती परिकथा के लालचन बाबू 'लैण्ड सर्वे' के दौरान थोड़ी सी जमीन की खातिर अपने सगे भाई सरबन का सिर फोड़ देते हैं। सरबन बाबू भरी कचहरी में लालचन को अपना भाई मानने से इनकार कर देते हैं।[16] जमीन बंदोबस्ती के समय किस प्रकार आपसी संबंधों पर स्वार्थपरता की परत जम जाती है, इसका ब्यौरा 'मैला आँचल' में भी उपलब्ध है। भजू महतो की जमीन उसी का भगिना सरूप महतो लेना चाहता है और सोबरन की जमीन पर उसका चाचा रामेसर नजर लगाए बैठा है।[17] आर्थिक कारणों से ही 'असगाँव-पसगाँव' के सुखई को अपने भाइयों के अविश्वास का सामना करना पड़ता है। हरखू जहाँ अलगाव के लिए तैयार बैठा है, वहाँ सुखई किसी भी मूल्य पर घर में अलग चूल्हा नहीं चाहते।[18] दो विरोधी मूल्यबोध टकराते हैं और उपन्यासकार परिवार को टूटने से बचा लेता है। 'असगाँव-पसगाँव' में पारिवारिक द्वंद्व के दौरान 'सुखई' को पड़ोसियों और नातेदारों की सहानुभूति बराबर प्राप्त होती है लेकिन 'कभी न छोड़े खेत' में स्थिति कुछ जटिल है। बंचित सिंह के कुल को संतानहीन देखकर उसके निकट के संबंधी भीतर ही भीतर खुश होते हैं कि भविष्य में जमीन जायदाद पर उनका अधिकार हो सकेगा। मेला सिंह तो अपने परिवार का एक बच्चा गोद लेने की पेशकश भी कर देता है।[19] इस तरह के व्यवहार से क्षुब्ध जसवंत कौर का बद्दुआ देना असंगत नहीं है—"मोये शरीकों के सूल निकले। मेरे बेटे की मौत पर उन्होंने घी की पूरी खाईं। मुकदमा हारे तो शराबें पी। मोये तुम्हारे जीते जी हमारी जमीन जायदाद के वारिस बन रहे हैं।"[20]

अस्ति मूल्यों और नास्ति मूल्यों का द्वंद्व

आर्थिक कारणों के अतिरिक्त कुछ निहित स्वार्थों के हस्तक्षेप से भी संबंधों में बिगाड़ आता है। 'जल टूटता हुआ' में बड़े भाई कुंजू के प्रति बिरजू का बैर भाव इसी प्रकार का है। बिरजू न केवल बड़े भाई की पवित्रता पर संदेह करता है अपितु उसकी बाँह मरोड़ कर बुरी तरह अपमानित भी करता है।[21] इसी उपन्यास में सतीश और चंद्रकांत का आदर्श बंधुत्व भी प्रदर्शित है। वस्तुतः कुछ आंचलिक उपन्यासकारों ने संबंधों में बिगाड़ के फलस्वरूप मूल्यों के संक्रमण का लिपिबद्ध करते समय जहाँ एक ओर नास्ति मूल्यों के 'मॉडल' खड़े किए हैं, वहीं उनके मुकाबले में अस्ति मूल्यों के चरित्र भी विद्यमान हैं। उपन्यासों से स्पष्ट है कि संक्रमण की दिशा अस्ति मूल्यों से नास्ति मूल्यों की ओर है किंतु उपन्यासकारों ने अस्ति मूल्यों को अपना

भरपूर समर्थन दिया है। 'जल टूटता हुआ' में मुरतिया यदि एक मूल्यबोध का प्रतिनिधि है तो सतीश दूसरे का। 'बिरजू' और 'चंद्रकांत' की मूल्यगत मानसिकता परस्पर विपरीत है। 'रतिनाथ की चाची' में जहाँ जयकिशोर में माँ के प्रति श्रद्धा है, वहीं उमानाथ माँ के प्रति दुर्व्यवहार करता है। असगाँव-पसगाँव में हरखू और सुखई की मूल्य मर्यादाएँ पृथक्-पृथक् हैं। 'हौलदार' में डूँगर सिंह का चरित्र नकारात्मक है और पारिवारिक विघटन को जन्म देता है। उसकी तुलना में उसके दोनों भाइयों का बिंब आश्वस्त करता है। डूँगर का बड़ा भाई प्रेमवश नहीं चाहता कि वह पलटन में भर्ती होकर आँखों से ओझल हो जाए। डूँगर सिंह की भर्ती की सूचना उसे सुखद नहीं लगती।[22] इसके विपरीत डूँगर सिंह को विश्वास नहीं कि भाई-भौजियों से उसका कल्याण हो सकेगा।[23]

'हौलदार' में ही एक ओर खिमुली और भिमुली जैसी बहुएँ हैं, जो परिवार की एकता को बनाए रखना चाहती हैं, स्वार्थ की भावना उन्हें आक्रांत नहीं करती। दूसरी ओर लछमा थोकदार की सारी जमीन पर अपने बालकों के हल चलते देखना चाहती है।[24] अपनी विधवा देवरानी और छोटे देवर के प्रति लछमा का व्यवहार उचित नहीं कहा जा सकता। स्वयं थोकदार इस स्थिति से भली-भाँति अभिज्ञ है।[25] परिवार की संयुक्तता की तुलना में व्यक्तिगत स्वार्थ हीनतर मूल्य है। आंचलिक उपन्यासों में संयुक्त परिवार के विघटन को यथार्थ मानते हुए भी प्रायः उसके बिखरने का समर्थन नहीं किया गया है।

मार्क्सवादी दृष्टिकोण के तहत उत्पादक-शक्ति और उत्पादन संबंधों के संपूर्ण योग से समाज की आर्थिक संरचना निर्मित होती है। इसी नींव पर समाज की संरचना खड़ी होती है। जब हाथ की चक्की थी तब सामंतवादी आर्थिक संरचना थी जब भाप से चलनेवाली चक्की आई तब पूँजीवादी व्यवस्था आ गई। आर्थिक संरचना के बदलने का प्रभाव पारिवारिक संबंधों पर बहुत स्पष्ट दिखाई देता है। सामंतवादी युग में घर का वयोवृद्ध व्यक्ति मुखिया और सर्वशक्ति संपन्न था, इसलिए सेवा, श्रद्धा, आदेशपालन, विनय आदि मान्यताएँ महत्त्वपूर्ण थीं। पूँजीवादी संरचना में महत्त्व कमानेवाले का हो गया और 'स्वार्थ' असहिष्णुता आदि का बोलबाला हो गया। इस तरह पारिवारिक व्यवस्था में मूल्यों की निम्न स्थिति की ओर स्थानांतरण के पीछे आर्थिक संरचना के दबाव की भूमिका पर्याप्त उल्लेखनीय है। उपर्युक्त उदाहरण इस कथन की पुष्टि करते हैं।

आंचलिक उपन्यायों में व्यक्त पीढ़ी-अंतराल वस्तुतः दो तरह के मूल्यों की टकराहट को व्यक्त करता है। कहीं यह टकराहट सकारात्मक और नकारात्मक मूल्यों के बीच है और कहीं सामंती मूल्यों से आधुनिकबोध से निष्पन्न मानवीय मूल्यों की टक्कर हो रही है। आंचलिक उपन्यासों में यह तथ्य विशेषतः ध्यान आकृष्ट करता है कि शोषक वर्ग की दो पीढ़ियों में मूल्यों का फर्क कुछ अपवादों को छोड़

देता नाम मात्र का है। विपरीत प्रकृति के मूल्यों की टकराहट मध्यवर्ग और निम्नवर्ग के स्तर पर अधिक तीव्र है और इसका मुख्य कारण आर्थिक है। शोषक वर्ग के पिता-पुत्र प्रायः एक जैसा सोचते हैं और करते हैं। हनुमान प्रसाद भुवनेश्वर (सोनामाटी), पिताजी-भाई जी (जंगली सूअर), जैपाल सिंह-बुझारथ (अलग-अलग वैतरणी), त्रिभुवन-आजाद (लोकऋण), वैद्यजी-रुप्पन (राग दरबारी) आदि के उदाहरणों से इस तथ्य की पुष्टि की जा सकती है। हनुमान प्रसाद अपार जायदाद और धन का स्वामी है। अधिकतर संपत्ति दूसरों को छलकर या दलकर हथियाई हुई है। वह दया, परोपकार, आदि मूल्यों से शून्य है।[26] शायद ही कोई ऐसा दुर्गुण होगा जो हनुमान प्रसाद में न हो। भुवनेश्वर भी अपने पिता के पद चिह्नों पर चला है। भाई जी के पिताजी (जंगली सूअर) दूसरों की जमीन के अहेरी थे।[27] मरने के समय तक उनकी इच्छा थी कि गाँव में जहाँ-जहाँ पैर रखूँ, मेरे पैर अपनी जमीन में पड़ें। भाई जी ने उनके सपने को पूरा करना प्रारंभ किया...''उनके मरते ही भाई जी को जमीन हड़पने का नशा छा गया था। आज तक वे उसी दिशा में बढ़ते रहे हैं।''[28] जैपाल सिंह (अलग-अलग वैतरणी) का अपनी प्रजा से बाघ और मेमने का संबंध था।[29] उसके पुत्र बुझारथ के व्यक्तित्व में अवमूल्यों की भरमार है। बुझारथ का पुत्र बुट्टू जिस तरह का आचरण करता है[30], उससे लगता है तीसरी पीढ़ी में भी नकारात्मक मूल्यों का संक्रमण नकारात्मक मूल्यों में ही हुआ है। वैद्य जी (राग दरबारी) स्वार्थ के पुतले और राष्ट्रीयता, सेवा, त्याग आदि मूल्यों से रहित व्यक्ति हैं।[31] उनका पुत्र रुप्पन उनसे किसी भी तरह कम नहीं है। सबको तुच्छ समझना और स्वयं हर प्रकार की अनियमितता से संबंधित रहना उनका स्वभाव है।[32] 'लोकऋण' के पिता-पुत्र त्रिभुवन और आजाद की मूल्य-मानसिकता में गहरा साम्य है। सभापति त्रिभुवन जबर्दस्ती सार्वजनिक पोखर को अपना खेत और धर्मशाला को डेरा बना लेता है।[33] वह 'धर्म', 'पुण्य', 'सत्य' आदि अवधारणाओं का खुला उल्लंघन करता है और गाँव का कोई व्यक्ति उसका हाथ नहीं पकड़ पाता। उसका बेटा आजादकुमार एकदम आजाद है। वह श्रद्धा, सम्मान, कुल मर्यादा आदि मूल्यों की कतई परवाह नहीं करता। उसका पिता भी उससे डरता है क्योंकि उसके कई मोर्चे आजाद के कारण तेज रहते हैं।[34]

कुछ उपन्यासों में शोषक वर्ग के पिता-पुत्र तो नहीं हैं लेकिन किसी रूप में दो पीढ़ियाँ अवश्य हैं और थोड़े-बहुत ऊपरी भेद को छोड़ दें तो दोनों की मानसिकता एक सी है। 'बलचनमा' के फूल बाबू यों तो सामंती वर्ग से वर्गच्युत होने का भ्रम देते हैं, लेकिन वास्तविकता यही है कि वे अपने फूफा के वर्ग से अलग नहीं हो पाए हैं। बलचनमा इस रहस्य को आखिरकार समझ ही जाता है–''साफ-साफ दीखने लगा था कि बाबू-भैया लोग वहीं तक हमारा पक्ष लेंगे, जहाँ तक कि उनका अपना मतलब रहेगा।...अरे भैया, फूफा और सर बेटा का रिश्ता

बाप-बेटा का रिश्ता समझो।...सोराजी हो गए थे क्या थे तो आखिर बाबू भैया ही न। गरीब-गुरवा का दुख ये लोग क्या जानें।''[35] लेकिन 'परती परिकथा', 'कब तक पुकारूँ' और 'अलग-अलग वैतरणी', 'जिंदगीनामा' आदि उपन्यासों में शोषकवर्ग की युवा पीढ़ी में पिछली पीढ़ी की अमानवीयता और क्रूरता को नकारने का साहस स्वस्थ और मानवीय मूल्यों की दिशा में विचार-संक्रमण की गवाही देता है। जित्तन का पिता शिवेन्द्र मिश्र दूसरों की जमीन हड़पने के लिए कितनी ही जालसाजियों से गुजरता है। उसने रोज उड से कहा था कि जमींदारों के वंश-परिचय में कोई न कोई डकैत अवश्य होगा। 'अपहरण', 'शोषण', अत्याचार आदि सामंती मूल्यों के पक्षपाती पिता का पुत्र जित्तन उससे एकदम अलग है। वह सामंती मूल्यों को निरस्त करते हुए 'परोपकार', 'समानता' आदि मूल्यों के पक्ष में है। गरीबों को जमीन देना[36] और अपराधियों को पुलिस के हवाले कर देना[37] इस संदर्भ में द्रष्टव्य है। 'कब तक पुकारूँ' का नरेश जिस तरह जाति और वर्ण की रूढ़ मर्यादाओं को तोड़ देना चाहता है, वह उसकी रूढ़िवादी माँ और कथित उदार पिता के मूल्यबोध से न केवल अलग है, अपितु क्रांतिकारी भी। 'अलग-अलग वैतरणी' का विपिन अपने पिता और बड़े भाई की तरह अन्याय और उत्पीड़न का समर्थक नहीं है। दरोगा को डाँटने पर खलील मियाँ ने 'विपिन' के माध्यम से नई मूल्य मर्यादा के उदय की संभावना को पढ़ा है। यह नया मूल्य 'इंसाफ' के रास्ते में रुकावट बननेवाली दीवारों को गला देने में सक्षम है।[38] 'जिंदगीनामा' (पहला भाग) में छोटा शाह शोषण को अनुचित मानता है–''बेचारे गरीब जट्ट किसान को इतना दोहना कहाँ तक वाजिब है भ्राजी।''[39] जित्तन, नरेश छोटा शाह और विपिन, काजल की कोठरी में रहते हुए भी कालिख से बचे हुए हैं। उपन्यासकारों ने दर्शाया है कि शोषक वर्ग के कुछ परिवारों में नई पीढ़ी नकारात्मक और अमानवीय मूल्यों को नकार कर स्वस्थ मूल्य-मर्यादाओं को अंगीकार कर रही है। अर्थात् एक पीढ़ी से दूसरी पीढ़ी में मूल्यों का संक्रमण हीनतर मूल्यों से उच्चतर मूल्यों की ओर हुआ है। उपन्यासकार इस कोटि के संक्रमण को वांछित और सार्थक मानते हैं।

निम्नवर्गीय, निम्नमध्यवर्गीय परिवारों में मूल्यों और विचारों के स्तर पर 'पीढ़ी-अतंराल' विस्तृत और निर्विवाद है। शिक्षा, नई विचार सरणियाँ, कार्य-कारण-संबंध का ज्ञान आदि कई बातों से यह अंतराल निर्मित हुआ है। 'जिंदगीनामा' में फरमान अली अपनी गरीबी के लिए तकदीर को दोषी मानता है, लेकिन उसका बेटा मेहरअली इसके लिए जमींदारों को उत्तरदायी मानता है। वह अपने संघर्ष में सफल होता है जब शाह जमीन पर उसकी मिल्कियत मानने को तैयार हो जाते हैं।[40] बलचनमा का बोध भी अपनी पिछड़ी पीढ़ी के मूल्यों से अलहदा है। निम्न और निर्धन वर्ग में पीढ़ियों का मतभेद प्रायः 'शोषण' को स्वीकारने या अस्वीकारने को लेकर है, जबकि मध्यवर्ग में यह अंतर 'श्रद्धा-सम्मान' आदि मूल्यों की अवज्ञा के

रूप में प्रायः आया है। कारण, दोनों के आर्थिक हैं। अपनी आर्थिक कठिनाइयों के कारण ही नई पीढ़ी उग्र और उद्दंड दिखाई देती है और अधिकतर स्थलों पर वह अपनी दुर्गति के लिए पुरानी पीढ़ी को जिम्मेदार मानती है। इस तरह का मूल्य-द्वंद्व स्वाभाविक है और कुछ स्थितियों को छोड़ दें तो संक्रमण सही और सकारात्मक मूल्यों की दिशा में सक्रिय है। यदि युवा पीढ़ी शोषण को एकदम नकार रही है तो यह एक शुभ लक्षण है।

'अलग-अलग वैतरणी' में पुरानी पीढ़ी के 'सम्मान' के संकट में पड़ जाने के दो उदाहरण ध्यान आकृष्ट करते हैं। हरिया और जगेसर दोनों अपने 'पिता' के प्रति बहुत कटु और असभ्य जान पड़ते हैं। हरिया कठोर श्रम के बाद भी घर में खुशहाली नहीं ला पाता तो उसके स्वभाव में एक तीखापन आ जाता है, जो पिता की भर्त्सना के रूप में व्यक्त होंता है।[41] उपन्यासकार ने इस भर्त्सना को स्वाभाविक माना है, लेकिन थोड़ा सा धन कमाकर अहंकार में फूले हुए जगेसर का अपने पिता को कुली बनाना[42] और माँ के पैर न छूना, उसे नहीं रुचता। पुरानी पीढ़ी के प्रति अश्रद्धा, अवज्ञा और अपमान को आंचलिक उपन्यासकारों ने अपना समर्थन प्रायः नहीं दिया है। 'तथ्य चेतना' यही है कि श्रद्धा, सम्मान आदि मूल्यों का विघटन हो रहा है। लेकिन उपन्यासकारों को लगता है कि यह विघटन अभी व्यापक रूप में 'अमूर्त्त संवेग' की स्थिति में ही है। यह अभी नैतिक प्रतिमान नहीं बन पाया है। यही कारण है कि कई उपन्यासों में युवापीढ़ी के चरित्र बड़ों के प्रति सम्मान-असम्मान के द्वंद्व में पड़े दिखाई देते हैं और अंततः परंपरागत मूल्यों की ओर ही झुकते हैं। 'जल टूटता हुआ' का सतीश अपनी आर्थिक विपन्नता के कारण के रूप में यदा-कदा पिता--अमलेश जी के प्रति क्षुब्ध होता है, लेकिन आखिरकार उसे अपने पिता पर गर्व ही होता है--"कभी वह पिता की निष्क्रियता के प्रति अजीब तरह से बेचैन हो जाता है, बड़ा तीखा-तीखा अनुभव करने लगता है, बरबादी देखकर छटपटाता है, किंतु पिता के प्रति कुछ ऐसा भाव है जो उसे खुलने नहीं देता, भीतर ही भीतर विचित्र प्रकार का द्वंद्व पीता रहता है।...बल्कि उसे सहज क्षणों में अपने पिता पर गर्व ही होता है।"[43] रामकुमार को लगता है कि खेती-बारी के नाश के लिए उसके बनवारी बाबा जिम्मेदार हैं। वह उन्हें घर से निकल जाने तक के लिए कह देता है लेकिन बनवारी बाबा को यह नहीं लगता कि उनकी जीवन-पद्धति सदोष है या उनके जीवनमूल्य गलत हैं। वे अपने बेटे से दबते नहीं हैं--"मैं लाख नालायक था, लेकिन मैंने किसी का अहित नहीं किया, सबसे प्रेम किया। एक तुम हो कि सबके साथ राजनीति खेल रहे हो, धोखे धड़ा से सबका खेत लिखाने के चक्कर में हो, एक-एक अभद्द काम कर धरम बदनाम किया।"[44] यह कथन स्पष्ट करता है कि पुरानी पीढ़ी जहाँ 'हित', 'प्रेम', 'सद्‌भाव' और 'धर्म' को जीवन मूल्यों के रूप में मान्यता देती रही, वहीं गाँव की युवा पीढ़ी

में 'धोखा', 'राजनीतिक कुटिलता', 'स्वार्थ' आदि अवमूल्य पसरते गए हैं। युवा पीढ़ी से सहानुभूति के बावजूद मूल्यधर्मिता की दृष्टि से उपन्यासकार पुरानी पीढ़ी के साथ है। बंसी-महावीर दुबे प्रसंग में भी वह पुरानी पीढ़ी के मूल्यबोध को प्रासंगिक पाता है। बंसी का कर्मशील होना अवमूल्यों पर श्रम, श्रद्धा, ममत्व आदि की जीत का द्योतक है।[45] दोनों उदाहरणों से स्पष्ट है कि जहाँ रामकुमार के स्तर पर पुरानी पीढ़ी के मूल्यों का संक्रमण लगभग नास्ति मूल्यों के रूप में हुआ है, वहाँ बंसी के स्तर पर ये नास्ति मूल्य पुनः स्वस्थ और प्रासंगिक मूल्यों में परिवर्तित हो गए हैं। रामकुमार जैसे युवकों की मानसिकता जहाँ चिंता उत्पन्न करती है, वहीं बंसी का परिवर्तन आश्वस्त करता है। सोनामाटी के पिता-पुत्र का संबंध भी आश्वस्त करता है। हालाँकि विलास बाबा की संगीत-प्रियता ने घर के आर्थिक ढाँचे को अस्त-व्यस्त किया है, चकबंदी में एक मौजे में सब उनके कारण बिगड़ गया[46] लेकिन इस सबको लेकर रामरूप उन पर आरोप-प्रत्यारोप नहीं करता। विलास बाबा भी अपने पुत्र के कमासुत हो जाने के बाद निष्क्रिय और अकर्मण्य नहीं हो जाते—"कोई सोच भी नहीं सकता था कि सारी जिंदगी मौज मस्ती में काटकर बेटा जब कमासुत हुआ तो चौथेपन में इस प्रकार वे खेती की माया में फँस जाएँगे।"[47] विलास बाबा गाँव की सांस्कृतिक मुद्रा के प्रतीक भी हैं। आर्थिक कारणों से यह सांस्कृतिक मुद्रा आहत हो रही है, इसका प्रमाण झिरहिरी का जुलूस है। जुलूस तो तैयार हो जाता है, लेकिन आर्थिक अभाव के चलते पुराना उल्लास नहीं लौट पाता।[48] विलास बाबा सहयोग, आत्मीयता, सद्भाव आदि जिन मान्यताओं पर विश्वास रखते हैं, वे आज के स्वार्थ-संकुल यथार्थ से टकराकर लहूलुहान हो रही हैं। दीनदयाल जैसे 'स्वार्थ' और 'अनीति' के पथ पर चलनेवाले फल-फूल रहे हैं। इस तथ्यचेतना के विपरीत विवेकीराय आदि उपन्यासकार अस्ति और मानवीय मूल्यों की दिशा में संक्रमण को वांछित मानते हैं। उनकी पक्षधरता पीढ़ी-विशेष के प्रति कहीं नहीं है। पक्षधरता सदैव मूल्य-विशेष के प्रति है। जो पीढ़ी स्वस्थ, मानवीय और सकारात्मक मूल्यों को जीवनपद्धति का अंग बनाए हुए है, अधिकतर आंचलिक उपन्यासकार उसी के पक्ष में हैं।

एकपत्नीव्रत, सतीत्व आदि की प्रासंगिकता

नगर-महानगर जीवन पर लिखे गए बहुत से उपन्यासों में विवाह की प्रासंगिकता पर जिस तरह बार-बार प्रश्नचिह्न लगाया गया और नर-नारी के काम संबंधों को लेकर यौनवर्जनाओं को नकारने का साहस दिखाया गया वह आंचलिक उपन्यासों में विरल है। झूठा सच, अँधेरे बंद कमरे, एक पति के नोट्स और उखड़े हुए लोग आदि में पति-पत्नी के संबंधों में तनाव के समानांतर जिस तरह नई मर्यादाओं के

उन्मेष को रेखांकित किया गया है, उस तरह की चेतना 'धरती लहरें और मनुष्य' जैसे कुछ आंचलिक उपन्यासों में ही उपलब्ध है। स्यात् ही किसी आंचलिक उपन्यासकार ने 'विवाह' की सार्थकता और प्रासंगिकता को चुनौती दी हो। इन कृतियों में पति-पत्नी के संबंध से जुड़े पातिव्रत, सतीत्व, पति की एकनिष्ठा आदि मूल्यों को यथावत् स्वीकारा गया है। 'असगाँव-पसगाँव' की सुनयना के संदर्भ में कहा गया है--''हिंदू औरत अब भी सुहाग को अपना अनमोल धन मानती है।''[49] 'कभी न छोड़े खेत' में ठाकुर शीतल कौर की बातचीत से पति के प्रति पत्नी की अनन्य निष्ठा बहुत मूल्यवान पदार्थ के रूप में सामने आती है।[50] पति या सुहाग को सर्वोच्च मूल्य के तौर पर मान्यता का आग्रह 'नदी फिर बह चली' की अंतिम पंक्तियों में द्रष्टव्य है। मरणोन्मुख परबतिया जगलाल को वास्तविक 'मँगटीका' कहकर संबोधित करती है।[51] जगलाल में कई ऐब हैं, लेकिन उसके प्रति परबतिया का लगाव कभी समाप्त नहीं होता। सुगनी (बलचनमा), रामरूप की पत्नी (सोनामाटी) वासंती (जल टूटता हुआ) आदि नारियों की मानसिकता कमोबेश इसी प्रकार की है। विधवा धूपो सतीत्व को इतना मूल्यवान समझती है कि अपमानित होने के बाद आत्महत्या कर लेती है।[52] एकनिष्ठता का यह भाव अधिकतर पतियों में विद्यमान है। बलचनमा, सुखई, सतीश आदि किसी भी स्तर पर परनारी से जुड़ते नहीं दिखाई देते । आधा गाँव में सैयद परिवारों के पुरुष अवश्य बीवी के अलावा रखैल भी रखे हुए हैं। 'अलग-अलग वैतरणी' के सुरजूसिंह, बुझारथ सिंह, 'नदी फिर बह चली' का जगलाल, 'जल टूटता हुआ' का दीनदयाल, रागदरबारी के वैद्य जी आदि पुरुष भी एकाधिक नारियों–विशेषतः निम्नवर्गीय युवतियों से अपनी वासना की तृप्ति करते देखे जा सकते हैं। 'आधा गाँव' का मिगदाद इस प्रकार की हीनतर मर्यादाओं के विरोध में दुस्साहसपूर्ण निर्णय करता है।[53] वह कुल की श्रेष्ठता और ऊँच-नीच की धारणा को तिरस्कृत करते हुए सैफुनिया नाइन से विवाह करता है। अपने वर्ग के अन्य लोगों की तरह वह रखैल रखने के पक्ष में नहीं है। वह विवाह भी एक से अधिक नहीं करना चाहता।[54] इस प्रकार वह एक तरह से वर्गच्युत होता है, उसे बिरादरी बाहर कर दिया जाता है, लेकिन वह अपने निर्णय पर पश्चात्ताप नहीं करता।

आंचलिक उपन्यासों में जिन नारियों को पति के 'परमेश्वरत्व' और जन्मजन्मांतर के संबंध को नकारते दिखाया गया है, उनकी यह परंपरा-विरोधी धारणा अकारण नहीं है। या तो इसके पीछे आर्थिक विवशताएँ हैं या नई मूल्य मर्यादा को स्वीकारने का दुस्साहस है। केवल यौन-बुभुक्षा के लिए पर-पुरुषगामी नारियाँ आंचलिक उपन्यासों में कम हैं। कुछ पत्नियों की वितृष्णा का कारण अनमेल विवाह है।[55] और कुछ की एकनिष्ठता खंडित होने के पीछे कुछ विशिष्ट महत्त्वाकांक्षाएँ, रुचियों की टकराहट और संतानहीनता जैसी स्थितियाँ हैं। 'कथा

कहो उर्वशी' की कोइली को कवयित्री बनने की महत्त्वाकांक्षा उसे हरिपद से काट देती है।[56] लेकिन अंत में कोइली का घर लौटना इस बात का प्रमाण है कि उपन्यासकार इस प्रकार के स्वैराचार को अपना समर्थन नहीं देता। निम्न वर्ग की नारियों के पतन के पीछे प्रायः गाँव के सामंती तत्त्वों के प्रलोभन या दबाव का हाथ होता है। रमेसर की घरवाली बाबू देवराम सिंह के जाल में फँस जाती है।[57] 'देहाती दुनिया' की सुगिया को दरोगा की वासना का शिकार बनना पड़ता है। 'परती परिकथा' के महीचन चमार को संदेह है कि उसकी पत्नी और योगेन्द्र भूमिहर में अवैध संबंध हैं।[58] निश्चय ही यह संबंध सवर्ण द्वारा हरिजन के परंपरागत शोषण की एक कड़ी होगा। करनटों की बहू-बेटियों का उपयोग ये तत्त्व न जाने कब से करते चले आ रहे हैं। प्यारी और कजरी को विवश होकर दूसरों की अंकशायिनी बनना पड़ता है। अनूपी के पलायन के पीछे आर्थिक विवशता के साथ-साथ कुछ मनोवैज्ञानिक कारण भी हैं। अनूपी अपने पति में एक अधिकार भावना चाहती है। नथुनी पानवाले के हाथों पिटकर उसे तृप्ति मिलती है।[59] 'अलग-अलग वैतरणी' में कनिया बुझारथ के कुकृत्यों से क्षुब्ध है। पति-पत्नी के संबंध बस नाम भर के हैं।[60] लेकिन कनिया में कोई नकारात्मक प्रतिक्रिया नहीं जन्मती। गिरीश और उनकी पत्नी का संबंध भी समाप्त प्राय है लेकिन किसी प्रकार का स्पष्ट विखंडन वहाँ नहीं दिखाई देता।[61] जहाँ पति की निरंकुशता सीमा पार कर गई है, वहाँ उसके प्रति पत्नी का वीतश्रद्ध होना सर्वथा स्वाभाविक है। ऐसी स्थितियों में आंचलिक उपन्यासकार पति के अबाध और निरंकुश अधिकार को नकार कर किसी अन्य पुरुष से जुड़ने के साहस को मान्यता देते हैं। 'सूरज किरन की छाँव' में जोसेफ अपनी पत्नी बंजारी को बेच देता है।[62] अतः अंत में बंजारी का कांगला के साथ जाना सर्वथा नैतिक है। बदमी को अपने दो-दो पतियों से जो यंत्रणा मिलती है वह उसकी श्रद्धा और निष्ठा को तोड़ देने के लिए पर्याप्त है। दूसरा पति उसे अस्मत बेचने पर मजबूर करता है और इनकार करने पर मारता-पीटता है।[63] आखिर वह पिता के घर आकर उस नरक से मुक्ति प्राप्त करती है। रत्ना और माणिक के संबंध विच्छेद का आधार भी 'जेनुइन' है। माणिक में न तो पुरुषत्व है न रत्ना की महत्त्वाकांक्षाओं को पूरी करने की क्षमता। वह धन के लिए 'पत्नी' को इस्तेमाल करने से नहीं चूकता। संबंध विच्छेद के उदाहरण आंचलिक उपन्यासों में बहुत कम हैं। इससे स्पष्ट है कि अधिकतर उपन्यासकार, नए मूल्यबोध के हावी होते हुए भी पति-पत्नी के संबंध को सामान्यतः भंग होने देने के पक्ष में नहीं हैं। लेकिन जहाँ नारी की अस्मिता और शुचिता पर आघात होता है, वहाँ वे 'मुक्ति' या 'विच्छेद' का विरोध नहीं करते। आंचलिक उपन्यासकार मनुस्मृति की इस व्यवस्था को आँख मींचकर नहीं स्वीकारते कि पति का पत्नी पर पूरा अधिकार होना है। कालिदास ने भी पत्नी पर पति के सर्वतोमुख अधिकार की चर्चा की है।[64] 'सूरज

किरन की छाँव', 'जल टूटता हुआ', 'सागर लहरें और मनुष्य' आदि उपन्यास इस सर्वतोमुख अधिकार को स्वीकार नहीं करते हैं। इसके साथ वे विवाहिता नारी के स्वच्छंदाचरण को भी मान्यता नहीं देते हैं। यहाँ नगर-महानगर के जीवन पर आधारित उपन्यासों के मूल्यबोध से आंचलिक उपन्यासों की मूल्यचेतना का अंतर समझा जा सकता है। 'वैशाखियों वाली इमारत' (रमेश बक्षी), 'मित्रो मरजानी' (कृष्णा सोवती), 'एक पति के नोट्स' (महेन्द्र भल्ला) आदि कृतियों में यौन स्वच्छंदता का विरोध नहीं किया गया है। 'अमृत और विष' में मिसेज माथुर को नागर जी ने अत्याधुनिक नारी की मानसिकता का संवाहक बनाया है। मिसेज माथुर को दुख है कि पवित्रता की बीमारी हमारे जाहिल देश में ही क्यों है ?[65] 'वे दिन' (निर्मल वर्मा) की रायना परपुरुष से संबंध स्थापित करने में नहीं हिचकती।[66] आंचलिक उपन्यासों में पति-पत्नी के संबंधों में आए बदलाव के समानांतर मूल्यों के संक्रमण को समझते हुए अंततः शारीरिक पवित्रता, एक निष्ठा, पातिव्रत आदि मूल्यों को प्रायः प्रासंगिक ठहराया गया है। स्थिति विशेष में ही इनके उल्लंघन का औचित्य माना गया है।

यौन शुचिता का समर्थन

'भूल' या 'विवशता' में यौन शुचिता की लक्ष्मण रेखा का अतिक्रमण होने पर यदि पति-पत्नी अनैतिकता से उबरना चाहते हैं तो कई उपन्यासों में उनकी वापसी को शुभ माना गया है। कोइली के लौटने पर हरिपद उसे सहर्ष स्वीकारने के लिए तत्पर है।[67] हीतलाल भी अनूपी को अपनाने के लिए तैयार है।[68] जगलाल भी अंततः 'कुपथगमन' छोड़ देता है।[69]

आंचलिक उपन्यासों में अवैध यौन संबंधों की चर्चा विस्तार से हुई है। लेकिन परंपरा से वर्जित यौन संबंधों को नैतिक मूल्यों का विरोधी समझा गया है। मौसेरी बहन (मैला आँचल), अनुजवधू (रतिनाथ की चाची, जल टूटता हुआ, सूखता हुआ तालाब), भाभी (अलग-अलग वैतरणी), पुत्रवधू (वरुण के बेटे, जुलूस) आदि के साथ यौन संबंधों में थोड़ी बहुत सहानुभूति भाभी के साथ जग्गन मिसिर के संबंध को लेकर है। चूँकि यह संबंध दबा-ढँका न होकर खुलेआम है, अतः इसे समर्थन देकर उपन्यासकार नई मूल्य-मर्यादा का साथ देता है। 'अनुजवधू' 'भगिनी' 'सुतनारी' के प्रति उपन्यासकार का रवैया परंपरागत है। 'रतिनाथ की चाची' में एक बार पाँव फिसल जाने के बाद गौरी दुबारा अपने जेठ को मर्यादा का अतिक्रमण नहीं करने देती। 'जल टूटता हुआ' का कुंजू बिरजू की बहू के खुले आमंत्रण को नकार कर अपनी नैतिक सबलता का परिचय देता है। 'सूखता हुआ तालाब' के मोतीलाल का अपनी विधवा अनुजवधू के साथ संबंध 'व्यभिचार' की सीमा को

नहीं लाँघ पाता। 'वरुण के बेटे' की मधुरी अपने शराबी श्वसुर की हरकतों को नहीं सह पाती। 'जुलूस' के तालेवर गोढ़ी का अपनी पुत्रवधू के साथ संबंध सबकी निंदा का विषय बनता है।

कुलीनता और कुलमर्यादा

संयुक्त परिवार की व्यवस्था में कुलीनता और कुलमर्यादा का बोध एक नियंत्रक की भूमिका निभाता है। व्यक्ति की निजी अभिरुचियाँ केवल इसलिए भी दमित होती हैं कि वे कुलीनता या कुलाभिमान के विरुद्ध पड़ती हैं। कुल की यह 'मरजाद' संयुक्त परिवार के बिखर जाने पर भी बरी रहती है। इसी 'मरजाद' की रक्षा के लिए 'गोदान' का होरी अपने भाई हीरा के घर तलाशी नहीं होने देता। आंचलिक उपन्यासों में केवल 'कुल' के आधार पर श्रेष्ठता के दंभ को न केवल खारिज किया गया है, अपितु गुणों के आधार पर व्यक्ति के छोटे-बड़े होने की धारणा प्रतिपादित हुई है। अशरफ उल्लाह खाँ अशरफ ताजियेदारी में महज इसलिए शरीक हो लेते हैं कि बाप-दादा की परंपरा बनी रहे।[70] विपिन 'बबुआन की मर्यादा' की रक्षा के लिए बुझारथ के अनुचित कार्यों को अनदेखा करता है।[71] चूँकि स्वतंत्रता के बाद सामंत वर्ग का प्रत्यक्षतः खात्मा हो गया, अतः कुदम की ठसक जैसी चीज शेष नहीं रही। महीपसिंह को जनता के दरबार में हाजिर होना पड़ता है।[72] शिवेन्द्र मिश्र इस सत्य से अवगत है कि जमीदारों की कुलीनता लूटखसोट जैसे नीच कर्मों से बनी है। वह रोज उड से स्पष्ट कहता है कि हर जमींदार की वंशावली में कोई न कोई डकैत जरूर होगा।[73] कुलीनता के दंग के तहत न केवल दूसरों को बहुत तुच्छ समझने की भूल की जाती है, अपितु बेईमानी, छल, गर्भपात, बलात्कार आदि कुकर्म भी संपन्न होते हैं। गौरी की माँ से चमाइन के कहे गए इन शब्दों से लगता है कि नीची कही जानेवाली जातियाँ सवर्णों से कहीं बेहतर हैं–"माफ करना, बड़ी जातवालों की तुम्हारी बिरादरी बड़ी मलिच्छ, बड़ी निठुर होती है मलिकाइन।...हमारी बिरादरी में किसी के पेट से आठ-आठ, नौ-नौ महीने का बच्चा निकालकर जंगल में फेंक आने का रिवाज नहीं है।"[74] बदमी विवाह पूर्व के अपने गर्भ को नहीं गिराती और सवर्ण परिवारों पर सीधा आपेक्ष करती है।[75] 'हौलदार' में ब्राह्मण उमादत्त मानसिंह को धक्का देकर मृत्यु के कगार पर पहुँचा देता है। किसन मिस्त्री मानसिंह का पक्ष लेता है और उमादत्त से कहीं अधिक भला सिद्ध होता है।[76]

जातिगत, वर्णगत मूल्य-मर्यादाएँ : संपूर्ण अस्वीकार

डॉ. राममनोहर लोहिया की निश्चित धारणा थी कि वर्ण और यौन, इन दो कठघरों पर प्रहार करने से बड़ा कोई पुण्य नहीं।[77] वर्ण-व्यवस्था का विकृत रूप जातिप्रथा

है। समाज के खंडात्मक विभाजन, खान-पान सामाजिक सहवास और व्यवसाय में स्वतंत्र चुनाव पर प्रतिबंध आदि दुर्बलताओं से जुड़ी जाति-व्यवस्था जहाँ समाज को छोटे-छोटे वर्गों में बाँटती है और पारस्परिक कटुता, मतभेद और घृणा का प्रश्रय देती है, वहीं संकुचित मूल्यों या नास्ति मूल्यों को उभारती है। 'जाति-व्यवस्था' को बनाए रखने में एक ओर उच्च कही जानेवाली जातियों के वर्ग हित सक्रिय हैं, दूसरी ओर भारतीय जीवन विशेषतः ग्रामीण जीवन पर धार्मिक मान्यताओं की मजबूत पकड़ भी इसके लिए उत्तरदायी है। 'जाति-व्यवस्था' की मान्यता के पीछे बहुत पहले से ही अलौकिक सत्ता में विश्वास और रहस्यात्मक पवित्रता-अपवित्रता की धारणाएँ विद्यमान रही हैं।[78] जातिप्रथा की कुरूपता कभी जातिगत श्रेष्ठता का दंभ बनकर व्यक्त होती है, तो कभी जाति-निष्ठा के आगे राजनीति, राष्ट्र और मानवता के प्रति निष्ठाओं के दुर्बल होने की विसंगति के रूप में उभरती है। 'जातिवाद' का रूप धारण करके जाति-निष्ठा न केवल मानवीय मूल्यों और आदर्शों के विरोध में खड़ी होती है अपितु स्वार्थ, अन्याय, अत्याचार आदि को खुला समर्थन देती दिखाई देती है। आंचलिक उपन्यासों में दिखाया गया है कि आधुनिकता के दबाव और प्रगति की आहट के बावजूद जाति-प्रथा का गुंजलक और कसता गया है। यह आकस्मिक नहीं है कि 'मैला आँचल' के डॉ. प्रशांत को जाति-संबंधी सवाल का सामना करना पड़ता है[79] और 'परानपुर' (परती परिकथा) में 'अस्पताल' और 'हाईस्कूल' में क्रमशः डॉक्टर और 'हेडमास्टर' नहीं टिकते।[80] कायस्थ डॉक्टर सिर्फ कायस्थों को अच्छी दवा देता है अतः दूसरी जाति के लोग उसे टिकने नहीं देते। यही हाल हेडमास्टर का है। इन हादसों को देखते हुए 'रेणु' की यह टिप्पणी सार्थक लगती है कि मनुष्य का हृदय हमेशा से जातिवाद के दीमकों का मुख्य आहार रहा है।[81]

'मैला आँचल', 'परती परिकथा', 'अलग-अलग वैतरणी', 'राग दरबारी', 'कब तक पुकारूँ' और 'आधा गाँव' के अध्ययन के आधार पर डॉ. विश्वंभरदयाल गुप्त ने दिखाया है कि जहाँ 'अलग-अलग वैतरणी' और 'कब तक पुकारूँ' के कथा-आंचल में ठाकुरों का प्रभुत्व है, वहीं 'परानपुर' और 'शिवपालगंज' में ब्राह्मणों का वर्चस् है। 'मैला आँचल' में कायस्थ प्रभावी हैं जबकि 'आधा गाँव' में चमार प्रमुख हैं।[82] वस्तुतः 'आधा गाँव' में बहुमत और प्रभाव शिया मुसलमानों का है। 'धरती धन न अपना', 'कभी न छोड़े खेत' में चौधरियों की चलती है, 'जल टूटता हुआ', 'रतिनाथ की चाची', 'बाबा बटेसरनाथ' और 'लोकऋण' स्थित अंचलों में ब्राह्मणों का प्रभुत्व है। 'देहाती दुनिया', 'लोहे के पंख' और 'हौलदार' में गाँव पर क्षत्रियों का नियंत्रण है अर्थात् पिछड़े अंचलों में सर्वत्र ऊँची जातिवालों की तूती बोलती है। उत्पादन के साधन इनके अधिकार में हैं और निम्न कही जानेवाली जातियों का शोषण करना वे अपना जन्मसिद्ध अधिकार समझते हैं। इस अधिकार

की व्यापकता और शक्ति असीमित है।[83] इसी अधिकार के चलते वे नान्हजात की महिलाओं की बेइज्जती करते हैं। 'अलग-अलग वैतरणी' का सिरिपा सरूप भगत से साफ कह देता है कि ठाकुर और चमार की इज्जत एक नहीं हो सकती।[84] चूँकि हरिजनों के पास भूमि नहीं है, वे पूरी तरह से सवर्णों पर निर्भर हैं,[85] अतः उनकी विवशता स्वयंसिद्ध है। 'धरती धन न अपना' से स्पष्ट है कि चौधरियों के मुकाबले गलती हमेशा कमीन की होती है। जातिगत ऊँचनीच की इस विसंगति को निम्न वर्ग ने आधुनिक युग से पहले बहुत कम चुनौती दी बल्कि जनसाधारण ने इसे, विवशता में ही सही, स्वीकृति दे रखी है। यह मान्यता आज भी निर्मूल नहीं हुई है कि व्यक्ति का छोटा-बड़ा होना ईश्वर की कृपा पर निर्भर है।[86] बहुसंख्यक निम्नवर्ग जो पिछले अंचलों में जी रहा है, जातिप्रथा के संदर्भ में उसका मूल्यबोध गोदान के 'होरी'[87] से आगे नहीं बढ़ा है। 'रागदरबारी' में वैद्यजी को लंगड़ जिस तरह मुर्गा बनकर प्रणाम करता है, उससे उपन्यासकार को लगता है, आज भी शास्त्र सर्वोपरि है और जातिप्रथा को मिटाने की सारी कोशिशें अगर फरेब नहीं तो रोमांटिक कार्यवाइयाँ जरूर हैं।[88]

जातिप्रथा खान-पान, चुनाव आदि अवसरों पर अपने समूचे खुलेपन में प्रस्तुत होती है। खानपान की गड़बड़ी होते ही जाति-बिरादरी की अप्रियता मोल लेनी पड़ती है। 'मैला आँचल' में बिरंची को कायस्थ तहसीलदार का जूठा खाने की अफवाह मात्र पर कड़ा प्रायश्चित्त करना पड़ता है।[89] भंडारे की घोषणा होने पर जातियों के खानपान संबंधी दुराग्रह उभर कर सामने आते हैं।[90] उच्च वर्ग के पाखंडी निम्नवर्ग की औरतों के साथ सोते हैं, लेकिन उनका छुआ नहीं खाते। इसके पीछे तर्क यह है कि 'धर्म' तो कमर से ऊपर होता है।[91] चुनाव के दिनों में जातिवाद बुरी तरह उभरता है। यादव, यादव उम्मीदवार को वोट देने के लिए प्रतिश्रुत हैं[92], उम्मीदवार की योग्यता से कोई लेना-देना नहीं। जाति से जुड़े परंपरागत मूल्यों का संक्रमण तीन दिशाओं में हुआ है। एक ओर 'स्वार्थ' और 'अर्थ' के आगे जातिगत मर्यादाएँ विचलित होती दिखाई देती हैं, दूसरी ओर पढ़े-लिखे लोगों द्वारा इनके आगे प्रश्नचिह्न लगाया गया है या इन्हें झटका देने के लिए व्यक्तिगत स्तर पर कुछ कार्य किए गए हैं। अस्पृश्य कही जानेवाली जातियों में अपने 'हीनत्व' के विरुद्ध चेतना जाति-व्यवस्था के प्रति संदेह और गुस्से की मिली-जुली अभिव्यक्ति है।

'रेणु' की यह पकड़ सही है कि धन की ऊँचाई जाति के बुर्ज से भी ऊँची होती है।[93] 'जाति' का 'धन' के आगे झुकना पूँजीवाद के आगे सामंतवादी समाज व्यवस्था का झुक जाना सूचित करता है। स्वतंत्रता के बाद जातिगत दायरे में संस्कृतीकरण और असंस्कृतीकरण की प्रक्रिया तीव्र हुई है। ब्राह्मणों की देखा-देखी निम्न मानी जानेवाली जातियों ने भी यज्ञोपवीत धारण करना शुरू किया और क्षत्रियों की स्पर्द्धा में कितने ही नए 'क्षत्रिय' पैदा हो गए।[94] सालकन्ह अपने को राजपूत

घोषित कर देते हैं और यादव स्वयं को क्षत्रिय मानते हैं। 'लोहे के पंख' का अकलू कहार कहारजाति की पैदाइश जरासंध से मानकर खुद को राजपूत मान लेता है।[95] लेकिन आजादी के बाद असंस्कृतीकरण की प्रक्रिया चली। निम्न जातियों को मिलनेवाली सरकारी असुविधाओं ने आल्हा-ऊदल के वंशजों को 'अनुसूचित जाति' और 'अनुसूचित जनजाति' की फेहरिस्त में अपना नाम लिखाने के लिए प्रेरित किया।[96] राजपूत माने जानेवाले बुनियादी बाबुओं ने परिगणित जाति का होने के पक्ष में तर्क देने शुरू किए—"कौन कहता है कि हम लोग राजपूत हैं। देख लीजिए गाँव में जाकर हमारी जाति के लोग भेड़ चराते हैं। औरतें साल में तीन ही बार नहाती हैं, आज भी"[97] अजीब गिरगिटिया जमाना है और 'प्रजातंत्र' नहीं 'लघुजातंत्र' है।[98] लेकिन यह 'सत्य' है कि 'उच्च जातियों' में शामिल होने की घटनाओं की तुलना में असंस्कृतीकरण की घटनाएँ कम देखने में आती हैं।

जातिप्रथा की अस्वीकृति

समाज की सवर्ण और असवर्ण दोनों जातियों में एक समझदार तबका उभरा है जो तर्क और बौद्धिकता के आधार पर जातिप्रथा को अस्वीकार करता है। सवर्ण जहाँ एक प्रकार का बौद्धिक असंतोष व्यक्त कर चुप हो जाता है, वहीं अस्पृश्य की अस्वीकृति उग्र और आक्रामक भी दिखाई देती है। 'बबूल' में 'अस्पृश्यता' के प्रति बौद्धिक शंका 'नैरेटर' के इस सोच में निहित है कि अछूत उसके लोटे से पानी क्यों नहीं पी सकता है—"क्यों इसे अछूत समझें...यदि नियम, कानून और व्यवहार को चीरकर अलग कर दिया जाए तो मैं कितना तुच्छ हूँ, इसके सामने।"[99] न केवल हिंदुओं अपितु मुसलमानों में भी समझदार लोगों ने जान लिया है कि जातिगत, कुलगत मर्यादाएँ जमींदारी का चोंचला थीं।[100] 'सतीश' (जल टूटता हुआ) के विचार में जाति-पाँति अन्याय को सह लेने का एक मिथ्या संकोच सिखानेवाली रूढ़ि है।[101] जाति प्रथा के प्रति सवर्ण व्यक्तियों के विरोधी रवैये में फिर भी ठंडापन है, क्योंकि उन्होंने उस उपेक्षा और दमन के विष को नहीं पिया है, जो हरिजनों तथा अन्य दलितों को प्रायः पीना पड़ता है। फिर भी बौद्धिक स्तर पर ही सही जाति-पाँति और अस्पृश्यता को नकारना उस मूल्य-संक्रमण का द्योतक है, जो शिक्षा और विज्ञान प्रभाव से शिक्षित मध्यवर्ग में जन्मा है।

दलितवर्ग की उग्र प्रतिक्रिया

जाति-प्रथा के संदर्भ में दलित वर्ग के मूल्यों का संक्रमण केवल 'सोच' के स्तर पर घटित नहीं होता, अपितु 'व्यवहार' में हिंसा के सीमांत तक पहुँचता दिखाई देता है। कुछ थोड़े से हरिजन युवक बगैर किसी वर्ग-संघर्ष के अपने को ऊपर

उठाने में विश्वास रखते हैं।[102] लेकिन यह जानी हुई बात है कि दलितों का हित-साधन उच्चवर्गीय सवर्णों के वर्ग-हितों से टक्कर लिए बिना नहीं हो सकता। जहाँ 'बलचनमा' को विश्वास नहीं था कि वर्गभेद नहीं रहेगा।[103] वहीं 'धरती धन न अपना', 'अलग-अलग वैतरणी', 'जंगली सुअर', 'कब तक पुकारूँ' आदि उपन्यासों के दलित यह मानकर चलते हैं कि संगठित संघर्ष से ऊँच-नीच, छुआछूत की खाई पाटी जा सकती है। इसीलिए उनमें एक किस्म की आक्रामकता है। 'धरती धन न अपना' में काली के नेतृत्व में हरिजन चौधरियों से जमकर टक्कर लेते हैं। उन्हें आगाह कर देते हैं कि हम भी इंसान हैं।[104] लेकिन उन्हें संघर्ष में सफलता नहीं मिलती, क्योंकि उनमें वह चेतना नहीं थी जो स्थैतिक यथार्थ (स्टैटिक रीयलिटी) को प्रावैगिक यथार्थ (डाइनैमिक रीयलिटी) में बदल देती।[105] इसके बावजूद शोषण की मूक स्वीकृति के स्थान पर अन्याय के विरोध को 'मूल्य' के रूप में प्रतिष्ठित किया गया है। अब उच्चवर्ग के अत्याचारों को दलित वर्ग अपनी 'नियति' मानकर सहज भाव से नहीं स्वीकारता। एक जमाना था जब छोटी जाति के व्यक्ति को गाँव में घोड़े या ऊँट की सवारी करने की सजा लात-घूँसों से दी जाती थी।[106] ब्राह्मण-ठाकुर निकलने पर चमरही या चमरौठी के लोग हाथ जोड़कर खड़े हो जाते थे। हुक्के जमीन पर रख दिए जाते थे। चिलमें फेंक दी जाती थीं। "और महाराज चारों ओर आशीर्वाद लुटाते हुए और इस बात की पड़ताल करते हुए कि पिछले चार महीनों में किसकी लड़की पहले के मुकाबले जवान दिखने लगी और कौन लड़की ससुराल से वापस आ गई, त्रेता युग की तरह वातावरण पर सवारी गाँठते हुए निकल जाते थे।"[107] लेकिन आजादी के बाद के वर्षों में इतना बदलाव आया कि वैद्यजी (रागदरबारी) जैसे लोगों ने उधर से निकलना बंद कर दिया। लेकिन वैद्यजी जैसे व्यक्तियों के सोच में कोई फर्क नहीं आया। वे हरिजनों को 'पैर की जूती' से अधिक न तब समझते थे, न अब मानते हैं। 'सोनभद्र की राधा' में रामधनी सिंह हरभजन को खबरदार कर देते हैं—"ऐसी वैसी बातें यहाँ फैलाईं तो बनगाँव में रहना मुश्किल हो जाएगा। दादे जूती बनकर जिए हैं, तुम्हें भी बाबुओं की जूती बनकर रहना है।"[108] जाहिर है मूल्यों का संक्रमण वैद्यजी, रामधनी सिंह जैसों के चिंतन के स्तर पर नहीं हुआ है। यह कुछ समझदार सवर्णों और भुक्तभोगी हरिजनों की चेतना स्तर पर घट रहा है। महात्मा गांधी, अम्बेडकर के प्रभाव से हरिजनों में अपनी स्थिति से उबरने की छटपटाहट पैदा हो गई थी। वे मंदिर, कुएँ आदि पर लगी बंदिशों को तोड़ने लगे थे।[109] चाहे भीतर से उगी चेतना हो या अस्पृश्यता अधिनियम 1955 का प्रभाव हो, आजादी के बाद हरिजनों और दलितों को सवर्णों से बहस करते, तर्क करते और कभी-कभी आत्मरक्षार्थ लाठी उठाते देखा जा सकता है। उनमें यह 'सोच' प्रबल हो रहा है कि निम्न जाति में पैदा होने मात्र से कोई बड़ी जातिवालों का गुलाम नहीं हो जाता।[110] लवंगी (जल टूटता हुआ) ने अपने

भाई के पीटे जाने पर जो सवाल पूछा है, वह सामंती व्यवस्था में नहीं पूछा जा सकता था–"चमार का खून खून नहीं है, बामन का खून खून है। हमारी कोई इज्जत नहीं होती क्या, बामनों की ही इज्जत होती है।"[111] 'असगाँव-पसगाँव' के हरिजन जमींदारी के जमाने की मजदूरी पर काम करने से इनकार करते हैं और सुखई जैसे समझदार सवर्ण भी जानते हैं कि बँधे कुत्ते अहेर नहीं होनेवाला है।[112]

जाति वर्ण से जुड़े पूरे मूल्यों पर एक जबर्दस्त प्रहार अंतर्जातीय विवाहों--खासतौर पर प्रतिलोम विवाहों ने किया है। हालाँकि उपन्यासों में अनुलोम विवाह के उदाहरण ही अधिक हैं। समझदार सवर्ण युवक 'अस्पृश्यता' या 'ऊँचनीच' की लक्ष्मण-रेखा लाँघते हुए अन्त्यज युवतियों का हाथ थाम लेते हैं, जबकि उनके पूर्वज उनका यौन शोषण करना बहुत साधारण बात समझते थे। 'परती परिकथा' में सुवंश और मलारी[113] अग्निबीज में हरिजन छबिया और हुड़दंगी ब्राह्मण[114], 'जल टूटता हुआ' में कुंजुतिवारी और बदमी कहारिन[115], 'आधा गाँव' में मियाँदाद और सैफुनिया नाइन[116] के विवाह परंपरागत मूल्यों को खुली चुनौती देते हैं। प्रतिलोम विवाह के उदाहरण 'सोनभद्र की राधा' और 'मैला आँचल' में देखे जा सकते हैं। उच्चवर्ण की अनुराधा हरिजन युवक की अर्द्धांगिनी बनती है और अज्ञात कुलशील प्रशांत को तहसीलदार साहब जामाता के रूप में स्वीकारते हैं।[117] यदि उपन्यासकारों ने अंतर्जातीय विवाहों पर बल दिया है तो यह साभिप्राय है। एक सर्वेक्षण के अंतर्गत यह पाया गया कि अधिकतर व्यक्ति जहाँ छुआछूत, खानपान आदि के प्रति उदार थे, वहीं हरिजनों से विवाह के प्रश्न पर उनका रुख सकारात्मक नहीं था।[118] अतः सवर्ण-हरिजन विवाह दिखाकर उपन्यासकारों ने वस्तुस्थिति का अतिक्रमण करने और भावी यथार्थ को रेखांकित करने की कोशिश की है। लेकिन यादवेंद्र शर्मा चंद्र जैसे कुछ उपन्यासकार अंतर्जातीय विवाह को समस्या का हल नहीं मानते। 'हजार घोड़ों का सवार' के नायक गीधू का विचार है–"इससे कोई क्रांति नहीं होगी। सामूहिक रूप से आर्थिक समता ही वास्तविक वर्गहीन समाज की रचना का कदम है।"[119]

'मुक्ति' और सामाजिक मूल्यों के बीच जबर्दस्त तनाव होता है।[120] पुराने और यथास्थितिवादी मूल्य 'मुक्ति' के आड़े आते हैं। इसलिए प्रायः मुक्ति के लिए संघर्ष अनिवार्य हो जाता है और हमेशा यह संघर्ष अहिंसक ही नहीं होता। हरिवंश और अनुराग चतुर्वेदी के साथ बातचीत में समाजशास्त्री आंद्रे बेते ने स्वीकार किया है कि मानव इतिहास से मालूम होता है, पद दलित वर्ग और सताया हुआ जनमानस एक सीमा तक संघर्ष से आगे बढ़ा है। "इसलिए यह धारणा कि मुक्ति की यह प्रक्रिया बिल्कुल ही शांतिपूर्बक पूरी हो जाएगी, यथार्थपरक नहीं है। इसका यह अर्थ भी कतई नहीं है कि जानबूझकर संघर्ष और तनाव की स्थिति बनाई जाए। पर इस प्रक्रिया में संघर्ष और तनाव अवश्य ही निहित हैं।"[121] जिनके वर्गहितों पर आँच आएगी वे दलितों के उत्थान को नहीं सह सकते। आजादी के बाद

हरिजन-सवर्ण-संघर्ष और हरिजन-दहन की ढेरों घटनाएँ सिद्ध करती हैं कि संविधान और सरकार द्वारा निम्न वर्ग के ऊपर उठने की हिमायत के बावजूद उच्च वर्ग इस परिवर्तन के लिए तैयार नहीं है। इसलिए पहल दलितों को ही करनी है। 'अलग-अलग वैतरणी', 'जंगली सुअर', 'धरती धन न अपना' आदि उपन्यासों में यह 'सत्य' प्रखरता से उभरा है।

हालाँकि 'धरती धन न अपना' में अछूतों का संघर्ष अहिंसा की हद से बाहर नहीं गया और उनकी जीत भी नहीं हुई, इसके बावजूद उनकी लड़ाई सामाजिक बदलाव की अनिवार्यता को रेखांकित करती है।[122] दलित बदलाव की आवश्यकता को महसूसें, यह कम महत्त्वपूर्ण बात नहीं है। सदियों से सोई झील का जागना एक ऐतिहासिक घटना से कम न होगा। अन्याय के विरोध में संघर्ष की प्रतिष्ठा 'अलग-अलग वैतरणी' में हुई है। यह संघर्ष व्यक्तिगत न होकर सामूहिक है। हरिजन संगठित होकर सुगनी को सुरजू सिंह के घर बिठाने यानी कि पत्नी का अधिकार दिलाने के लिए जुलूस की शक्ल में चल पड़ते हैं।[123] हालाँकि उनका अभियान सफल नहीं होता, फिर भी उनके गुस्से के भावी परिणामों की चेतावनी देने की दृष्टि से वह असफल नहीं है। जंगली सुअर में भी दलित वर्ग की चेतना का उभार द्रष्टव्य है।[124] 'सोनभद्र की राधा' में उच्च वर्ग के इस मनोविज्ञान को शोषित वर्ग जानता है कि अधिकार माँगने और लेने के पक्ष में वे नहीं होंगे।[125] इसलिए उपन्यास की अंतिम पंक्तियों में संघर्ष का स्पष्ट आह्वान मिलता है–"इस असली सूरज की कसम/तुम्हें मरते दम तक/इस लाल और इंसान सूरज के लिए/संघर्ष करते रहना होगा/ओ प्रिय···मेरे दोस्तो।"[126] 'असगाँव-पसगाँव' में महाजनी सभ्यता के चंगुल में फँसे हरिजनों की मुक्ति चेतना एक छटपटाहट के रूप में व्यक्त हुई है। बहुत सोचने-विचारने के बाद 'संघर्ष' एक मात्र रास्ता दिखाई देता है। लड़कों का नारा–"जो कमाएगा/वह खाएगा" इस समस्या के समाधान की दिशा की ओर इंगित करता है।[127] 'हजार घोड़ों का सवार' में गीधू के नेतृत्व में हरिजनों का प्रदर्शन भी इस संदर्भ में द्रष्टव्य है।

दलित-विद्रोह की सीमा

तमाम संघर्ष के बावजूद दलित वर्ग का संघर्ष अभी जाति-संघर्ष से आगे नहीं बढ़ा है। कुछ मार्क्सवादी विचारक आवेश में आकर हरिजन-सवर्ण संघर्ष को वर्ग संघर्ष मान बैठते हैं।[128] प्रायः देखा गया है कि पिछड़ी और उच्च जाति के भूमिहीन भी इस संघर्ष में अपनी जाति का साथ देते हैं। लेकिन आंचलिक उपन्यासकार इसी पक्ष में दिखाई देते हैं कि जाति-संघर्ष 'वर्गसंघर्ष' का रूप धारण करे। यहाँ वे मराठी के दलित कथाकारों से अलग दिखाई देते हैं। दलित कथाकारों का विद्रोह

'व्यवस्था' या 'शोषणतंत्र' के प्रति उतना नहीं है, जितना उच्च जातियों के प्रति। दया पवार जैसे कथाकार उच्च वर्गों के प्रति इतने कटु और आक्रामक हैं कि वे मल उठाने के कार्य में यानी कि भंगी की नौकरी में सवर्णों के पाँच प्रतिशत आरक्षण की माँग करते हैं।[129] इसके विपरीत आंचलिक कथाकार जातिगत घृणा का अतिक्रमण करते हुए जाति-संघर्ष को वर्गसंघर्ष की शक्ल देने के आकांक्षी हैं। यही कारण है कि वे बार-बार इस तथ्य को सामने लाते हैं कि जातियाँ सिर्फ दो हैं--अमीर, गरीब अर्थात् शोषक-शोषित। यदि 'मैला आँचल' में कहा गया--''जाति क्या है ? जाति दो ही हैं, एक अमीर और दूसरी गरीब।''[130] तो 'जल टूटता हुआ' में भी अनुभव किया गया कि वर्ग केवल दो ही हैं।[131] 'सोनभद्र की राधा' का महंत इसी नतीजे पर पहुँचा है कि असल में दो ही जात होती हैं--अमीर-गरीब।[132] एक सर्वेक्षण के अनुसार पुरानी और नई पीढ़ी के बहुत से लोगों का स्पष्ट विचार है कि आर्थिक असमानता ही व्यक्ति-व्यक्ति के बीच सामाजिक दूरी की खाई को चौड़ा कर रही है।[133] अस्पृश्यता के संदर्भ में उपन्यासकारों का 'विजन' भी इसी ओर संकेत कर रहा है। वे इसे आर्थिक समस्या के रूप में लेते हुए समानता, संघर्ष, त्याग आदि मूल्यों को अपना भरपूर समर्थन देते हैं। ग्रामीण अंचल के संदर्भ में यह उल्लेखनीय है कि छुआछूत आदि को लेकर मूल्यों का संक्रमण युवा मानस के स्तर पर जितना तीव्र है उतना पुरानी पीढ़ी के स्तर पर नहीं। इसीलिए युवा पीढ़ी के औपन्यासिक चरित्र इन विसंगतियों के विरुद्ध पर्याप्त सक्रिय दिखाई देते हैं। 'काली' (धरती धन न अपना), 'कुंजू' (जल टूटता हुआ), 'गीधू' (हजार घोड़ों का सवार), गोबिन (सोनभद्र की राधा), सुवंश-मलारी (परती परिकथा), सागर सुनीत (अग्नि बीज) आदि युवा चरित्र इस संदर्भ में द्रष्टव्य हैं। इनमें भी दलित वर्ग के चरित्रों के मानसिक स्तर पर मूल्यों का संक्रमण अपेक्षाकृत तीव्र और मुखर है। शताब्दियों से सवर्ण हितों के पोषक मूल्यों के विरुद्ध उठ खड़े होना साधारण बात नहीं है।

दलित वर्ग की यह नियति विडंबनापूर्ण है कि उसके कुछ सदस्य शिक्षित और संपन्न होकर न केवल अपने परिकर के लोगों से घृणा करने लगते हैं, बल्कि उनका शोषण भी करते हैं। 'आधा गाँव' में गरीब तबके को नेता परसुराम की खिदमत में उसी तरह जमीन पर बैठना पड़ता है, जैसे कभी जमींदारों के सामने बैठना होता था।[134] 'सोनभद्र की राधा' का बलेसर रैदास हरिजन होते हुए भी हरिजनों से घृणा करता है। चमरौली के लोग उसके सामने खाट या ऊँची जगह नहीं बैठ पाते।[135] इस प्रकार की घृणा के पीछे इन व्यक्तियों का 'डिक्लास' होना तो है ही, अपनी 'हीनताग्रंथि' को ढकने का प्रयास भी एक कारण है। आंचलिक उपन्यासकार अच्छी तरह दिखा पाते हैं कि संपत्ति और अधिकार मिलने पर शोषित वर्ग के ही कुछ व्यक्ति अपने वर्ग के लोगों का शोषण करने लगते हैं। 'हजार

घोड़ों का सवार' में विश्वेश्वर शर्मा ने इस विसंगति को स्पष्ट करते हुए पूँजीवादी विकृतियों के प्रभाव को इसके लिए जिम्मेदार ठहराया है।[136] इसके अतिरिक्त अजीब त्रासदी है कि हरिजनों में आपसी छुआछूत कम नहीं है। चमार भंगी के हाथ का पानी नहीं पीता और भंगी के लिए धोबी अछूत है। चूँकि धोबी रजस्वला नारियों के कपड़े भी धोता है। अतः भंगी उसे नीच और छोटा मानते हैं।[137]

दलित जीवन पर मराठी साहित्य में स्वयं दलित लेखकों द्वारा बहुत लिखा गया है। दया पवार, बाबूराम बागूल, अरुण साधू, राजा ढाले, अर्जुन डाँगले आदि मराठी कथाकारों ने जिस 'दलित' साहित्य की रचना की है, उसमें उत्कट मुक्ति-चेतना मुखर है। उनकी रचनाओं में 'दलित चेतना' से आशय अनिवार्यतः दलितों में 'मुक्ति' की चेतना से है। हर तरह के शोषण से मुक्ति की छटपटाहट और समानाधिकार की समवेत माँग दलित चेतना का प्रमुख पक्ष है।[138] दलितों का लेखन दलितों द्वारा दलितों के लिए है। स्वयं असमानता और जातिभेद के भुक्तभोगी होने के कारण वर्तमान व्यवस्था के प्रति मराठी के दलित लेखक बहुत कटु हैं। वे डॉ. अम्बेडकर के विचारों से प्रभावित हैं और दलितों के लिए कष्टदायी इस व्यवस्था को बदलना चाहते हैं। उनके संबंध में डॉ. चंद्रकांत बांदिवडेकर का यह कथन गौरतलब है–

"प्राणों की बाजी लगाकर लड़नेवाले योद्धा के तेवर में वे लिखते हैं। ऐसी व्यवस्था वे चाहते हैं, जो न्यायोचित विकास के अवसर दे सके, जाति, वर्ण, अर्थ के नाम पर किसी प्रकार की विषमता न रहने दे।"[139]

मराठी कथासाहित्य में असमानता और शोषण आदि अवमूल्यों के प्रति कितना आक्रोश है, इसका संकेत दया पवार के इस प्रस्ताव से मिलता है कि मैला ढोने के काम के लिए ब्राह्मणों का अनिवार्य आरक्षण किया जाए। मराठी दलित-लेखन में अमानवीय मूल्यों से हटकर मानवीय और शुभ मूल्यों की दिशा में संक्रमण काम्य है। हिंदी के आंचलिक उपन्यासों का मूल्यबोध भी दलित-जीवन के संदर्भ में लगभग यही है। लेकिन दोनों में एक अंतर है। चूँकि मराठी लेखक स्वयं दलित वर्ग के हैं, दलित-जीवन की यातनाओं के वे भुक्तभोगी हैं, अतः उनका सोच उग्र और आक्रामक है। उन्होंने यथार्थ के अंगारे को चिमटे से नहीं पकड़ा है, उसे अपनी हथेली पर अनुभव किया है। इसलिए उनके मूल्यबोध में अनुभूत यथार्थ का ताप अपेक्षाकृत अधिक है। वे रूढ़ियों और पुरामूल्यों के प्रति आक्रामक हैं। इनकी तुलना में हिंदी आंचलिक उपन्यासकार प्रायः मध्यवर्ग से आए हैं और मधुकर सिंह जैसे कुछ उपन्यासकारों को छोड़कर अन्य सभी ने दलितों की पीड़ा को दूर से ही देखा और अनुभव किया है। अतः दलित-जीवन के संदर्भ में मूल्यों का तीव्र संक्रमण, उनकी रचनाओं में है अवश्य, लेकिन 'मुक्ति' की ललक और रूढ़ियों के प्रति घृणा उनमें उतनी उत्कट और तीव्र न होकर पर्याप्त संयमित है।

यह आश्चर्यजनक है कि शोषण और उत्पीड़न का विरोध करनेवाले मराठी दलित लेखकों ने मार्क्सवादी विचारधारा से परहेज किया है और प्रायः 'अम्बेडकरवादी' बने रहे हैं। डॉ. अम्बेडकर ने जहाँ दलितों की मुक्ति, शिक्षा और संगठन में निहित मानी है, वहीं धर्म-परिवर्तन को भी वे बहुत कारगर मानते हैं। बौद्ध धर्म अंगीकार करना वस्तुतः करुणा, विश्वमैत्री आदि मूल्यों को स्वीकार करना है। धर्म परिवर्तन को हिंदी उपन्यासकारों ने एकदम खारिज कर दिया है।[140] हिंदी उपन्यासकारों ने प्रायः दलितों की नियति का हल मार्क्सवादी चिंतन के अनुरूप 'वर्ग संघर्ष' के जरिए ढूँढ़ा है। इसके लिए वे 'हिंसा' को भी एक विकल्प के रूप में स्वीकार करते हैं। 'जंगली सुअर' में दलितों का जुलूस, 'सोनामाटी' में दलितों द्वारा घिराव का आयोजन और नागार्जुन के 'वरुण के बेटे' आदि उपन्यासों में जन-प्रतिरोध को अहिंसक नहीं कहा जा सकता है। प्रत्यक्ष अनुभव की कमी को आंचलिक उपन्यासकारों ने अपने सुचिंतित प्रगतिशील चिंतन द्वारा पूरा किया है।

नारी जीवन से जुड़े मूल्यों में परिवर्तन की आहट

आंचलिक उपन्यासों में आए प्रमुख नारी पात्र--'रत्ना' (सागर, लहरें और मनुष्य), 'बदमी' (जल टूटता हुआ), 'परबतिया' (नदी फिर बह चली), 'प्यारी' (कब तक पुकारूँ), 'सनीचर बहू' (जंगली सुअर), 'मलारी' (परती परिकथा), 'मधुरी' (वरुण के बेटे) आदि किसी न किसी मूल्य का प्रतिनिधित्व करती हैं। ये नारियाँ रूढ़ मूल्यों से जूझती हुई सकारात्मक मूल्यों की दिशा में प्रस्थान कर रही हैं। रत्ना अपने पति को नकार देती है। यह नकार पुरुष के निरंकुश एकाधिकार का अस्वीकार करना है। रत्ना आदि सभी नारियाँ श्रमजीवी वर्ग से संबंधित हैं। एक तो श्रमजीवी वर्ग स्वयं रूढ़ियों के मलबे में दबा रहा है, ऊपर से उनकी नारियाँ अपने वर्ग तथा शोषक वर्ग के पुरुषों के द्वारा बराबर उत्पीड़ित होती रही हैं। इस दुहरे दबाव में जी रही नारियों में अपनी अस्मिता के प्रति चेतना का उभार स्वातंत्र्योत्तर परिवर्तनों के मेल में है। नारी-शिक्षा के प्रसार ने नारी चेतना को थोड़ा बहुत बल प्रदान किया है। दलित वर्ग की नारी 'मलारी' शिक्षित होकर सवर्ण सुवंश से विवाह करने का निर्णय करती है।[141] सनीचर बहू का पढ़ा-लिखा होना भूस्वामियों को खटकता है। उसका चमटोली में स्कूल खोलने का निर्णय सवर्ण भूस्वामियों को उनकी 'कुलीनता', 'जातीय श्रेष्ठता', और धन की ऊँचाई पर एक प्रहार सा लगता है।[142] सनीचर बहू हर तरह का अपवाद और अपमान सहकर दलितों में साक्षरता, सम्मान और विद्रोह भाव का प्रसार करती है। न केवल दलितों अपितु अभिजात कहे जानेवाले वर्ग में भी लड़कियों की शिक्षा कुछ समय पहले तक गैरजरूरी मानी जाती थी। शिया मुसलमानों में किसी लड़की का नौकरी करना किसी कयामत से कम नहीं

था, सईदा (आधा गाँव) पढ़कर नौकरी करती है और तमाम अपवाद और लांछन के बावजूद 'स्वावलंबन' और आर्थिक 'मुक्ति' के रास्ते पर चलती है। उसके जमींदार पिता का उससे संवाद खत्म कर देना [143] और पड़ोसियों का अभिभावकों को लड़की की कमाई खाने का ताना देना प्रमाण है कि सईदा का निर्णय उस रूढ़िवादी परिवेश में कितना क्रांतिकारी था। परबतिया का अपने बच्चे को पढ़ाने का निर्णय कम क्रांतिकारी नहीं है। अभिजात वर्ग के व्यक्ति उसके इस निर्णय का विरोध करते हैं क्योंकि उन्हें डर है कि वह पढ़-लिखकर कहीं शोषण-चक्र का विरोध न करने लगे।[144] 'प्यारी' (कब तक पुकारूँ) अपने ढंग से शोषण का विरोध करती है। इन नारी पात्रों के माध्यम से उपन्यासकारों ने ग्रामांचल की नारियों में सुगबुगाती मुक्ति-चेतना को रेखांकित किया है। इस मुक्ति-चेतना के अंतर्गत सामंती और रूढ़िवादी मूल्यों को निरस्त करते हुए संक्रमण 'श्रम', 'सम्मान', 'समानता' आदि मूल्यों की दिशा में हुआ है। इसे उदग्र सामाजिक 'गतिशीलता' का प्रमाण माना जा सकता है। मधुरी (वरुण के बेटे) सिद्ध करती है कि अब नारी जनसंघर्ष में प्रत्यक्ष भाग ले सकती है।

पूरनचंद जोशी के अनुसार—''नए सांस्कृतिक मूल्यों को, जिनमें नारी के प्रति आदर एवं नारी मुक्ति स्वयं सर्वश्रेष्ठ मूल्य है, तब तक नहीं बढ़ाया जा सकता है जब तक परजीविता के प्रोत्साहन देनेवाली आर्थिक व्यवस्था के स्थान पर श्रम, उद्यम, सहयोग और भागीदारी पर आधारित आर्थिक व्यवस्था की स्थापना नहीं होती।''[145] लगभग इसी निष्कर्ष पर आंचलिक उपन्यासकार भी पहुँचे हैं। वे मानते हैं कि हर तरह की मूल्यगत असंगति मौजूदा व्यवस्था के अंतर्विरोधों की देन है। इस व्यवस्था में 'कोइली' (सोनामाटी), 'बदमी' (जल टूटता हुआ), 'बंजारी' (सूरज किरन की छाँव) आदि युवतियों की नियति यही है कि वे सभी भेड़ियों का आहार बनती रहें। वे बनती भी हैं, लेकिन अब इस शोषण को वे भाग्य या ईश्वर की देन मानकर स्वीकार नहीं करती हैं। तीव्र आक्रोश का भाव उनमें खौल रहा है और नए मूल्य-बोध की स्वीकृति का द्योतक है। लेकिन यह विद्रोह भाव अभी कुछ इनीगिनी नारियों के स्तर पर ही उगा है, अधिकतर ग्रामीण नारियाँ—विशेषतः दलित नारियाँ अभी रूढ़ियों और गलत मूल्यों की गुंजलक में छटपटा रही हैं और नास्ति मूल्यों के प्रभाव को व्यंजित करती हैं।

सतीत्व, यौनशुचिता, पतिनिष्ठा आदि नैतिक मूल्यों को लेकर आंचलिक उपन्यासों की नारी का रुख प्रायः परंपरागत है। कोई नारी स्वेच्छा से इनका उल्लंघन नहीं करती। लेकिन कतिपय विशिष्ट संदर्भों में कुछ नारियों को इन लक्ष्मण रेखाओं को लाँघते दिखाया गया है और ऐसे स्थलों पर नई मानसिकता का उभार द्रष्टव्य है। बदमी और कुंजू जानते हैं कि चोरी-चोरी मिलना प्यार को बदनाम करना है लेकिन बिना विवाह के देह-संपर्क उन्हें पाप कतई नहीं लगता।[146] 'मैला आँचल'

में कमली और प्रशांत का विवाह पूर्व संबंध और कमला का विवाहहीन मातृत्व हालाँकि सबके सामने नहीं है, फिर भी कमली कुँआरी माँ बनकर नई मूल्य-मर्यादा का संकेत देती है। उसे महाभारत के मिथकों से बल मिलता है–"माँ रोती क्यों थी ? महाभारत में कुंती, देवयानी, अहल्या, द्रोपदी, कौन ऐसी है जिसको...।"[147] इस तरह के नारी चरित्र जहाँ भी यौनशुचिता का अतिक्रमण करते हैं, वहाँ जानबूझकर करते हैं। वे उसके परिणामों से अवगत हैं और प्रायः किसी न किसी सामाजिक रूढ़ि को चुनौती देते हैं। कहीं भी आंचलिक उपन्यासकारों ने यौन-उच्छृंखलता या व्यभिचार को गौरवान्वित नहीं किया है। कमली, बदमी और रत्ना जैसी नारियों में पुराने मूल्यों का अतिक्रमण अमूर्त्त संवेग के स्तर पर नहीं है। यह अहम् या कर्तव्याभिमान के स्तर तक दृढ़ हो चुका है। क्षणिक आवेश में आकर किसी मूल्य को अस्वीकार नहीं किया गया है। ऊपरी तौर पर परंपरागत दृष्टिकोण से ये मूल्य-निर्णय अनुचित और अनैतिक धारणाओं की ओर संक्रमण करते दिखाई देते हैं। लेकिन ऐसा वास्तव में है नहीं। स्थिति विशेष में इनकी प्रासंगिकता है और न तो इन नारियों ने और न उपन्यासकार ने इन्हें 'पाप' या अनैतिक माना है। बल्कि ये मूल्य-निर्णय इस सत्य को उजागर करने में समर्थ हैं कि नारी को वर्जनाओं में बाँधकर नहीं रखा जा सकता। चाहे वह नगर की आधुनिक नारी हो या गाँव की परंपराप्रिय नारी।

सांप्रदायिकता : सकारात्मक मूल्य-दृष्टि

'अलग-अलग वैतरणी', 'आधा गाँव' आदि में सांप्रदायिक मूल्यों को सीधे नकारा गया है। खलील मियाँ, फुन्नन खाँ वगैरह मुसलमान 'पाकिस्तान' को खारिज कर देते हैं। 'पाकिस्तान' को खारिज करने का अर्थ है, दो कौम, दो राष्ट्र के अलगाववादी दृष्टिकोण को नकार देना। अपने पाकिस्तान स्थित पुत्र को जवाब देते हुए खलील मियाँ पाकिस्तान पर लानत भेजते हैं। जिस जमीन में दर्जनों पुश्त गल गए, वह पराई कैसे है। तोहमत लगाकर वतन छोड़ने को वे 'कुफ्र' मानते हैं।[148] हालाँकि उनकी जमीन देवी चौधरी हड़प लेता है, लेकिन वे एक व्यक्ति के चलते समूचे 'वतन' को दोषी नहीं ठहराते। समसुद्दीन (मैला आँचल) फर्जी दावा खारिज होने पर राष्ट्रद्रोही तेवर अख्त्यार करता है, जबकि खलील मियाँ अपनी जमीन चले जाने पर भी नफरत और गुस्से के शिकार नहीं होते। यह अंतर केवल समसुद्दीन और खलील का नहीं, दो परस्पर विरोधी मूल्य-मर्यादाओं का भी है। फुन्नन मियाँ की समझ में भी यह बात नहीं आती कि गंगौली को छोड़कर 'पाकिस्तान' क्यों जाना चाहिए।[149] उधर स्वामियों के लाख भड़काने पर भी आम हिंदू नहीं समझ पाता कि उन्हें मुसलमानों पर क्यों हाथ उठाना चाहिए। उनकी समझ में यह बात आती

थी कि झगड़े की जमीन की फसल काट ली जाए, लेकिन किसी मुसलमान को क्यों कत्ल किया जाए, यह उनकी समझ से बाहर था।

ईसाई सांप्रदायिकता की चर्चा बहुत कम हुई है। 'सूरज किरन की छाँव' में बलात् धर्म परिवर्तन की निंदा की गई है। स्वयं ईसाई डाक्टर इस पक्ष में है कि मरजी से धर्म परिवर्तन हो तभी ठीक है। वह तर्क देता है कि ईशू ने कब कहा था, पर धर्मवालों की सेवा न करो।[150] वस्तुतः जब व्यक्ति भूखा होता है, तब उसे कोई धर्म नहीं दिखाई देता। आदिवासियों के धर्म-परिवर्तन का प्रमुख कारण उनकी गरीबी और भुखमरी थी–''धरम को क्या हम चाटेंगे ? पहले हमारा पेट भरो, दो जून हमें खाने को दो, हाथ भर पहनने को कपड़ा दो, तब धरम की बातें करो।''[151] ग्रेसरी इस सत्य को जानती है कि पैसा न मिले तो कोई भी धर्म-परिवर्तन न करे।[152]

'झूठा सच', 'तमस' वगैरह उपन्यासों में सांप्रदायिकता विरोधी मूल्यों की प्रतिष्ठा के लिए जिन चरित्रों को रचा गया है, उन्हें चीजों को सही परिप्रेक्ष्य में देखने के लिए 'मार्क्सवादी जीवनदृष्टि' से लैस भी किया गया है। आंचलिक उपन्यासों के 'पॉजिटिव' चरित्रों में कोई न तो किसी वामपंथी संगठन का सदस्य है और न वह उस तरह की भाषा बोलता दिखाई देता है। इसके बावजूद उनकी चेतना में यह बात बहुत स्पष्ट है कि रीति-रिवाज, रहन-सहन की विभिन्नता के बावजूद हिंदू-मुसलमान एक साथ रहते आए हैं, एक साथ रह सकते हैं, उनके बीच 'मजहब' के नाम पर संघर्ष का कोई तर्क नहीं है।

अपनी धर्मनिरपेक्ष और मानवीय समझ के बावजूद यदि जनसाधारण साम्प्रदायिक उन्माद का शिकार हो गया तो इसके पीछे सांप्रदायिक शक्तियों द्वारा उनकी भावनाओं को लगातार उभारते रहना था। इस प्रकार व्यवहार में उनके मूल्य-संक्रमण की दिशा अस्ति मूल्य से नास्तिमूल्य की ओर थी। लेकिन आंचलिक उपन्यासों में सांप्रदायिकता की कटु आलोचना करते हुए मानवीय मूल्यों की वकालत की गई है। निश्चय ही वे नकारात्मक दृष्टि को निरस्त करते हुए सकारात्मक सोच की ओर बढ़े हैं। इस संदर्भ में कोई बहुत नया मूल्यबोध नहीं निर्मित हुआ है, लेकिन धर्मशास्त्र और इतिहास का आश्रय लेकर पैदा की जानेवाली घृणा का सशक्त प्रतिरोध करने में यह समर्थ है।

संदर्भ

1. पानी के प्राचीर, पूर्वाभास
2. The traditional value system supports the authority of elders and sancitity of

tradition. –Crisis values, A study in generation gap, p. 5

3. "कंधे पर काँवर रखे हुए, माँ-बाप को इधर-उधर मुर्गों की तरह लटकाकर चलना एक शर्मनाक बात थी। यह मजूदरों का काम था।"–रागदरबारी, पृ. 167
4. वही, पृ. 123
5. "यह अंधा समझता है कि मैं इसे काँवर में बिठाकर ढोता रहूँगा।"–अलग-अलग वैतरणी, पृ. 150
6. "तुम गँवार कहार हो, साहब बेटे की बराबरी करते हो। गाली-वाली बकी तो ठीक नहीं होगा।"–जल टूटता हुआ, पृ. 138
7. "बेटों से बाप में दो अंगुल ज्यादा बुद्धि तो हर हालत में अधिक रहनी ही चाहिए, बौज्यू जो करेंगे, हम लोगों से ज्यादा दूरंदेशी और समझदारी के साथ ही करेंगे।"–हौलदार, पृ. 171
8. रतिनाथ की चाची, पृ. 31
9. "परंतु सद्गति तो उनकी तुम्हारे तर्पण ही से होगी। संसार उन्हें खिला सकता है, पिला सकता है, जिला सकता है, पर मरने के बाद उन्हें प्रेत होने से नहीं बचा सकता। वह तुम्हीं कर सकते हो।"–रतिनाथ की चाची, पृ. 95
10. "हम लड़की होय के भी करेजा फारि के मेहनत करीला, बाकी भाई कबौं भरमुँह बात नाहीं करत, हमेसा कोसल और गारी देवल करे ले।"–असगाँव-पसगाँव, पृ. 72
11. रतिनाथ की चाची, पृ. 158
12. लोकऋण, पृ. 33
13. "आज तक भाई साहब ने भी कभी कोई कड़ी बात नहीं कही।…बड़ा भाई मार भी दे तो उसका कुछ भी जवाब न देने की परंपरा आज अचानक भहरा कर गिर गई थी।"–अलग-अलग वैतरणी, पृ. 397
14. बलचनमा, पृ. 47
15. "यह बबुआन की मर्यादा के खिलाफ है कि छोटा भाई बड़े भाई के इंतजाम की नुक्ताचीनी करे।"–अलग-अलग वैतरणी, पृ. 96
16. "लालचन मेरा कोई नहीं।…इसके बाप का ठिकाना नहीं। मेरे बाबूजी के मरने के तीन बरस बाद…", परती परिकथा, पृ. 34
17. मैला आँचल, पृ. 175
18. "कम से कम ऐसी तरकीब करो कि मेरे जीते जी घर में अलग चूल्हा न जले और किसी तरह लस्टमपस्टम में बेड़ा गर्क होने से बच जाए।"–असगाँव-पसगाँव, पृ. 51
19. कभी न छोड़े खेत, पृ. 185
20. वही, पृ. 208
21. जल टूटता हुआ, पृ. 482
22. "जिस दिन तुम चले गए थे, पलटन में भरती होने–दिवान के बौज्यू को खबर

लगी तो दुकान में ताला ठोंककर रिगरूटिंग हौफिस को दौड़े। मगर तुम हाथ नहीं पड़े तो सिर के बालों को हाथों से गुजगुजाते हुए आधीरात को घर लौटे··· ।"—हौलदार पृ. 57

23. वही, पृ. 77
24. हौलदार, पृ. 19
25. वही, पृ. 77
26. "कहाँ है रंचमात्र भी इसके भीतर दया माया ? वहाँ तो बस लोभ का अपार कीचड़-कादों जमा है, बारहमासी।"—सोनामाटी, पृ. 11
27. जंगली सुअर, पृ. 62
28. वही, पृ. 63
29. अलग-अलग वैतरणी, पृ. 47
30. वही, पृ. 397
31. राग दरबारी, पृ. 41
32. वही, पृ. 23
33. लोकऋण, पृ. 1
34. वही, पृ. 31
35. बलचनमा, पृ. 94
36. परती परिकथा, पृ. 107
37. वही, पृ. 277
38. अलग-अलग वैतरणी, पृ. 363
39. जिंदगीनामा भाग-1, पृ. 84
40. वही, पृ. 261
41. अलग-अलग वैतरणी, पृ. 150
42. वही, पृ. 319
43. जल टूटता हुआ, पृ. 83
44. वही, पृ. 401
45. वही, पृ. 251
46. सोनामाटी, पृ. 443
47. वही।
48. वही, पृ. 452
49. असगाँव-पसगाँव, पृ. 48
50. "वह औरत ही क्या जिसका मन अपने मर्द के आँखों से ओझल होते ही डोल जाए।"—कभी न छोड़े खेत, पृ. 218-219
51. नदी फिर बह चली, पृ. 410
52. कब तक पुकारूँ
53. आधा गाँव, पृ. 18-19

54. "हम इक्के ठो ब्याह करेंगे। नहीं त करबे न करेंगे।"—आधा गाँव, पृ. 198
55. "मुँह झौंसे के किसी इंग में छूकर भी लाज नहीं है। मुझे अपनी खुरखुरी दाढ़ी और पिचके हुए गाल दिखाने आता है···बातें करते भी जी घिनाता है।"—देहाती दुनिया, पृ. 56
56. कथा कहो उर्वशी, पृ. 378
57. माटी के लोग : सोने की दैया, मायानंद मिश्रा, पृ. 12
58. परती परिकथा, पृ. 287
59. माटी के लोग, सोने की दैया, पृ. 130
60. अलग-अलग वैतरणी, पृ. 95
61. लोकऋण, पृ. 142
62. सूरज किरन की छाँव, पृ. 174
63. "हरजाई बड़ी पतिबरता बनी है तो खा अपना पतिबरतापन।"।—जल टूटता हुआ, पृ. 143
64. अभिज्ञान शाकुंतलम्, पृ. 5-26
65. अमृत और विष, पृ. 496
66. वे दिन, पृ. 204
67. कथा कहो उर्वशी, पृ. 398
68. माटी के लोग : सोने की दैया, पृ. 28
69. नदी फिर बह चली, पृ. 405
70. आधा गाँव, पृ. 103
71. अलग-अलग वैतरणी, पृ. 96
72. जल टूटता हुआ, पृ. 514
73. परती परिकथा, पृ. 389
74. रतिनाथ की चाची, पृ. 26
75. "यह गिरने-गिराने का काम आप लोगों के घरों की बाभनियाँ करती हैं। मुझसे किसी के घर का कुछ छिपा नहीं है।"—जल टूटता हुआ, पृ. 531
76. हौलदार, पृ. 292-293
77. 'बिंदु' (त्रैमासिक), वर्ष 4, अंक-2, सं. नंद चतुर्वेदी, 'हिंदू बनाम हिंदू', पृ. 169
78. 'The hold of religious belief, with its supernatural explanation of caste itself, its doctrine of the elect and the pale 'its attribution of a mystic cleanness and uncleanness, its instillation of reverence and awe, and its over ruling conception of the secred and the profane, is essential to the continuance of the system.' —Society, R.M. Maciver se charles H. p. 357
79. "जाति बहुत बड़ी चीज है। जातपाँत नहीं माननेवालों की भी जाति होती है। सिर्फ हिंदू कहने से ही पिण्ड नहीं छूट सकता। ब्राह्मण हैं ? कौन ब्राह्मण ! गोत्र क्या है ? मूल कौन है ? शहर में कोई किसी से जाति नहीं पूछता। शहर के लोगों

की जाति का क्या ठिकाना ! लेकिन गाँव में तो बिना जाति के आपका पानी नहीं चल सकता।"—मैला आँचल, पृ. 52

80. परती परिकथा, पृ. 26-27
81. वही।
82. "....दो गाँवों में ठाकुर, दो गाँवों में ब्राह्मण, एक गाँव में कायस्थ तथा एक गाँव में चमार प्रभावी जाति हैं। जमीन आदि भी ग्रामीण प्रभावी जाति के अस्तित्व में प्रभाव रखती हैं। द्वितीय आधार पद और योग्यता तथा तृतीय आधार जाति के सदस्यों की संख्या है।"—'ग्रामीण समाजशास्त्र : साहित्य-परिप्रेक्ष्य में', पृ. 67
83. "गाँव में ठाकुर अभी तक हुकूमत कर रहा है। मैं उस अधिकार की व्यापकता को देखकर सिहर उठता हूँ, क्योंकि वह धर्म की आड़ लेकर इतिहास की शताब्दियों रूपी पसलियों में भाला बनकर धँसा हुआ है। उसको देखकर चमार अभी तक मन में अभाव अनुभव करता है।"—कब तक पुकारूँ, पृ. 40
84. "आए बड़ी इज्जतवाले, चमार और ठाकुर की इज्जत एक हो जाएगी ? हूँह ?"—अलग-अलग वैतरणी, पृ. 249
85. "अपनी खेती हम फुटकपालियों के पास ठहरी नहीं। पराए खेतों में अपने हाड़ों का रस निचोड़ा, तब कहीं जाके हमको चार डाडू जौल मादिरे का नसीब होता है...।"—हौलदार, शैलेश मटियानी, पृ. 311
86. जाति के अठोत और करम के हीन हैं। आपके चरन की धूर बुहारते पीढ़ियाँ गल गईं।...छोटा-बड़ा। भगवान के द्वार से ही लोग बनकर आते हैं मालिक !—बबूल, पृ. 14
87. "यह बात नहीं है बेटा, छोटे-बड़े भगवान के घर से बनकर आते हैं"—गोदान, पृ. 20
88. राग दरबारी, पृ. 18
89. मैला आँचल, पृ. 28
90. "बाभनों ने तो साफ इनकार कर दिया है। यदि बाभनों के लिए अलग प्रबंध नहीं हुआ तो सरब संघटन में नहीं खाएँगे।"—मैला आँचल, पृ. 29
91. 'कब तक पुकारूँ', पृ. 237
92. अलग-अलग वैतरणी, पृ. 49
93. परती परिकथा, पृ. 145
94. "....आज चारों ओर, हर जाति के लोग गले में जनेऊ डाले फिर रहे हैं।...भूमफोड़ क्षत्री तो कभी नहीं सुना था।"—मैला आँचल, पृ. 16
95. लोहे के पंख, पृ. 275
96. "तीन साल पहले तक जो क्षत्रिय अपने को खास मानसिंह के वंशज बतलाते थे अथवा आल्हा-ऊदल की संतान बताकर दंगाफसाद करते थे—देख लीजिए उन्हें ! उनके लड़के 'शिड्यूल्ड कास्ट' और 'एबॉरिजिनल कम्यूनिटी' की फेहरिश्त में नाम लिखाने के लिए धक्कमधुक्की कर रहे हैं।"—परती परिकथा, पृ. 146

97. वही।
98. वही।
99. बबूल, पृ. 88
100. आधा गाँव, पृ. 329
101. जल टूटता हुआ, पृ. 52
102. "'"किसी लकीर को बिना छुए, बिना काटे-पीटे हम उसके नीचे एक उससे बड़ी लकीर खींचकर छोटी कर सकते हैं। तो छोटों को शिक्षा द्वारा अपना स्तर उठाकर बड़ों को बिना छेड़े सहज क्रांति करनी है।"—लोकऋण, पृ. 192-193
103. "ऊँच-नीच का भेद सदा से चला आया है, सदा रहेगा। चार आदमियों के न मानने से क्या आता-जाता है।"—बलचनमा, पृ. 88-89
104. "हमने तुम्हारी बहुत बातें सुन ली हैं, लेकिन हर चीज की हद होती है। हम पत्थर के नहीं हैं, हम भी इंसान हैं।"—धरती धन न अपना
105. "स्थैतिक यथार्थ के प्रावैगिक यथार्थ में बदलाव की सामाजिक-आर्थिक और राजनैतिक प्रक्रिया होती है। हमारे समाज के इस कटे हुए अंग को इससे वंचित रखा गया। सुधारवादी शक्तियाँ इस वर्ग को नया नाम देकर संतुष्ट हो गईं उनका एकमात्र उद्देश्य इनके प्रति छुआछूत को सिर्फ अंकित करना था, इससे अधिक कुछ नहीं।"—आधुनिक हिंदी उपन्यास (संपादक भीष्म साहनी तथा अन्य) राजकमल प्रकाशन, दिल्ली, प्रथम सं. 1980, जगदीश चन्द्र की टिप्पणी, पृ. 342
106. हजार घोड़ों का सवार, पृ. 144
107. रागदरबारी, पृ. 335
108. सोनभद्र की राधा, पृ. 9
109. "और कोई महीना भर पहले चमारों का एक गोल परुसरमवा की लीडरी में पंडिताने के कुएँ पर चढ़ गया और पानी भर लाया।"—आधा गाँव, पृ. 122
110. "हम आपका काम करते हैं, मजूरी लेते हैं। हमें गरज है कि करते हैं। आपको गरज है कि कराते हो। इसका मतलब ई थोड़े हो गया कि हम आपके गुलाम हैं।"—अलग-अलग वैतरणी, पृ. 249
111. जल टूटता हुआ, पृ. 109
112. असगाँव-पसगाँव, शिवकरण सिंह, संजय बुक सेंटर, वाराणसी, प्रथम संस्करण 1979, पृ. 55
113. परती परिकथा, पृ. 306
114. अग्निबीज
115. जल टूटता हुआ, पृ. 532
116. आधा गाँव, पृ. 196
117. मैला आँचल, पृ. 330
118. 'The respondents gave the lowest proportion of liberal responses in the sphere of marraige, the resistance being more to marriage with a Harijan girl than to a low

caste girl.' –The changing concept of caste in India, p. 134

119. 'Between liberty and other social values there is high tension.' –R.T. Harris, Social Ethics, p. 55

120. धर्मयुग, 20 अप्रैल 1980, पृ. 10

121. हजार घोड़ों का सवार, पृ. 371

122. ''...यह त्रासदी कहीं गहरे जाकर पाठक की संवेदना को, मनुष्यता के उन्हीं अहम सरोकारों की ओर उत्प्रेरित करती है, आमूल सामाजिक बदलाव की उसी दिशा में सोचने को प्रेरित करती है, जिसके बिना लगता है कि अब कोई निस्तार नहीं है।''–'अलोचना'–51-52, डॉ. शिवकुमार मिश्र, 'प्रेमचंद और परवर्ती कथा परिदृश्य', पृ. 133

123. अलग-अलग वैतरणी, पृ. 305

124. जंगली सुअर, पृ. 119

125. ''लोग बाँटने के नाम पर ही बौखला उठते हैं। जब छीनकर लेने की बात उठेगी तब पता नहीं कैसी स्थिति पैदा हो जाएगी।''–सोनभद्र की राधा, पृ. 9

126. सोनभद्र की राधा, पृ. 116

127. असगाँव-पसगाँव, पृ. 145

128. ''आज हरिजनों और पिछड़ी जातियों पर जो अत्याचार हो रहा है, वह एक तरह से वर्गसंघर्ष ही है।''–'कथन' मई-जून 1982 में पी.सी.जोशी के विचारों से उद्धृत, पृ. 53

129. श्री वर्षा 15-22 अगस्त, 'दलित किससे कहें, कब तक सहें', पृ. 7

130. मैला आँचल, पृ. 180

131. ''हमें तो लगता है कि हमारे इलाके में केवल दो ही वर्ग हैं, एक गरीब का और एक धनी गुंडों का।''–जल टूटता हुआ, पृ. 16

132. सोनभद्र की राधा, पृ. 29

133. "A very large mejority felt that economic inequalities are responsible for increasing social distance between the rich and the poor."–Crisis of values of study in generation gap. K.D. Gangrade, . 238

134. आधा गाँव, पृ. 3

135. सोनभद्र की राधा, पृ. 15

136. ''...मुट्ठी भर जो हरिजन शिक्षित हैं, वे अपने से छोटे व अज्ञान के अँधेरे में भटकते हुए लोगों का कभी शोषण करने लग जाएँगे। क्योंकि धीरे-धीरे वे भी पूँजीवादी विकृतियों से ग्रस्त हो जाएँगे।''–हजार घोड़ों का सवार, पृ. 326

137. वही, पृ. 91

138. भाषा, दिसंबर 1989, पृ. 102

139. दस्तावेज, जनवरी 1979, पृ. 86

140. हजार घोड़ों का सवार, पृ. 184

141. परती परिकथा, पृ. 306
142. जंगली सुअर, पृ. 105
143. आधा गाँव, पृ. 311
144. नदी फिर बह चली, पृ. 393
145. आलोचना, जनवरी-मार्च 1986, पृ. 13
146. जल टूटता हुआ, पृ. 276
147. मैला आँचल, पृ. 274-275
148. ''काफिर मुझे सता रहे हैं, ऐसा कहना सरासर झूठ होता। बेटे, मुझे लगा कि यह धरती के साथ दगा करना है। झूठी तोहमत लगाकर वतन को छोड़ना सबसे बड़ा कुफ्र है। मैंने बिल्कुल पक्का कर लिया कि कुछ भी हो जाए, मैं करैता छोड़कर नहीं आऊँगा।''—अलग-अलग वैतरणी, पृ. 266
149. ''ए भाई बाप-दादा की कबर हियाँ है, चौक इमामबाड़ा हियाँ है, खेती बाड़ी हियाँ है। हम कोनो बुखक हैं कि तोरे पाकिस्तान जिंदाबाद में फँस जाएँ।''
—'आधा गाँव', पृ. 162
150. सूरज किरन की छाँव, पृ. 64-65
151. वही, पृ. 83
152. ''यदि ये पैसा देना बंद कर दें तो लोग ईसाइयत से बदल जाएँ। जब आदमी का पेट तड़पता है और जेब खाली रहती है, तब वह धरम नहीं देखता।''—सूरज किरन की छाँव, पृ. 107

चतुर्थ प्रकरण

आंचलिक उपन्यासों में राजनीतिक-आर्थिक मूल्यों का संक्रमण

पिछड़े अंचलों के राजनीतिक-आर्थिक समीकरण स्वतंत्रता के बाद तेजी से बने और बिगड़े हैं। 'तंत्र' और 'यंत्र' दोनों से ग्रामीण जीवन के संपर्क ने बहुत-सी नवीनताएँ पैदा की हैं। हरित क्रांति, श्वेतक्रांति, शिक्षाक्रांति तथा अन्य परिवर्तनों को ग्रामीण मानस सहज ढंग से आत्मसात् न कर सका। इस स्थिति का बयान करते हुए डॉ. विवेकीराय ने लिखा है :

"...अपरिपक्व ग्राम-मस्तिष्क के लिए पंचायत एक संघर्ष है, चकबंदी एक तनाव है, सहकारिता लड़ाई है और वोट पार्टी तथा चुनाव तो जैसे साक्षात् भिड़ाई। यहाँ तक कि कभी-कभी आती हुई बिजली के खंभे, खिंचती सड़क, बँधते बाँध और पुल पुलिया भी गंभीर तनाव बन गए।" [1]

एक सर्वेक्षण में सुरेन्द्रसिंह ने जौनपुर (उ. प्र.) के कुसुम्ही गाँव के आधार पर पाया है कि कृषि नए-नए उपकरणों के प्रयोग से ग्रामीणों की आर्थिक स्थिति सुधरी है। इसके साथ ही उनके रहन-सहन, सोच-विचार में भी फर्क आया है। मालिक-खेतिहर संबंध प्रभावित हुए हैं।[2] इन व्यापक परिवर्तनों के समानांतर मूल्यों के विपर्यय और संक्रमण की प्रक्रिया भी चल रही है। यह देखना पर्याप्त महत्त्वपूर्ण है कि आंचलिक उपन्यासकारों ने आर्थिक-राजनीतिक क्षेत्र में आए देशव्यापी परिवर्तन को किस रूप में देखा और प्रस्तुत किया है।

'श्रम' के मूल्य की प्रतिष्ठा और सामंती शोषण का विरोध

समाजशास्त्रियों के विचार में 'मूल्य' जीवन, मन और समाज के संघर्ष और समूह से पृथक् नहीं होते।[2] मूल्य-संक्रमण के आर्थिक परिपार्श्व को देखते हुए यह स्थापना सर्वथा युक्तियुक्त लगती है। पिछड़े हुए अंचलों में जब उत्पादन के साधनों और भूमिसंबंधों में उल्लेखनीय परिवर्तन हुए, तभी परंपरागत मूल्य कड़ी आजमाइश में पड़ गए। जमींदारी व्यवस्था का अंत और विकसित प्रौद्योगिकी का उपयोग, इन अंचलों को झकझोरनेवाली सर्वप्रमुख घटनाएँ हैं। जमींदारी-उन्मूलन ने जहाँ ह्रासोन्मुख सामंत वर्ग को एक धक्का दिया, वहीं जमींदार और रिआया के संबंधों को नए अर्थ दिए। पहले प्रजा और जमींदार के बीच मेमने और बाघ का रिश्ता होता था।[4] चौधरी और कमीन के मुकाबले गलती हमेशा कमीन की होती थी।[5] छोटा सा भूमिपति भी 'अन्नदाता' का संबोधन पाता था। चूँकि जमींदार नौकरियाँ, खेत वगैरह दे सकता था, इसलिए बहुत से मजूर उसके इशारे पर लड़ने-मरने के लिए तैयार रहते थे।[6] नमक हलाली या स्वामिभक्ति के लिए वे जान पर खेल जाते थे।[7] 'लोहे के पंख' में मँगरू का दादा अपने मलिकार की जमीन के लिए हुई फौजदारी में खेत रहता है।[8] इस स्वामिभक्ति के मूल्य के तौर पर उसके बेटे को बंजर खेत का एक टुकड़ा मिलता है। मँगरू की पीढ़ी तक आते-आते स्वामिभक्ति का मूल्य खंडित हो लेता है। मँगरुआ अपने साहब के दोनों हाथ पकड़ लेता है। वह बिना बात पिटने को तैयार नहीं है।[9]

गाँव में किसानों और मजदूरों का शोषण दो तरह से होता रहा है। एक ओर व्यक्तिगत पूँजीवाले बंधक रखने या सूदखोरी के धंधे में अन्याय और बेईमानी करते हैं और दूसरी ओर भू-स्वामी राज्य का सहारा लेकर जुल्म ढाते हैं।[10] जमींदारी उन्मूलन से धनी भू-स्वामियों को कानून राज्य की सहायता मिलनी बंद हो गई। स्वतंत्रता-प्राप्ति के बाद सरकारी स्तर पर ग्रामीण जीवन में व्याप्त आर्थिक असमानता को दूर करने के लिए जो प्रयास किए गए, उन्होंने ग्रामजीवन की मानसिकता को झिंझोड़ने में कारगर भूमिका निभाई है। जमींदारी उन्मूलन का निर्णय एक क्रांतिकारी कदम था। 'यू.पी. जमींदारी अबोलीशन एण्ड लैण्ड रिफार्म्स एक्ट 1950' तथा 'बिहार लैण्ड रिफार्म्स एक्ट 1950' ने जहाँ भूस्वामियों की चूलें हिला दीं वहीं भूमिहीनों और खेतिहर मजदूरों में आशा का संचार किया। अधिनियमों के माध्यम से भू-सुधार के प्रयास पूरे भारतवर्ष में हुए और इनका प्रभाव मुख्यतः ग्रामंचल पर पड़ा। भूमि और किसानों से संबद्ध अन्य अधिनियमों में 'यू.पी. कान्सोलिडेसन आफ होल्डिंग्स एक्ट 1953', 'यू.पी. विलेज आबादी एक्ट 1947', 'कुमाऊँ एण्ड उत्तराखंड जमींदारी अबोलीशन एण्ड रिफार्म्स एक्ट 1960', 'यू. पी. लैण्ड डेवलेपमेंट टैक्स एक्ट 1972' आदि प्रमुख हैं। इस तरह के अधिनियमों ने

भमि के स्वामित्व, बंधुआ मजदूरी, भूमि के वितरण आदि बहुत से मुद्दों को नया रूप दिया है। कम से कम कानून के स्तर पर शोषण और अत्याचार की समाप्ति की औपचारिक घोषणा ने शोषितों-उत्पीड़ितों को बहुत बल प्रदान किया और शोषण, अन्याय आदि अवमूल्यों के विरुद्ध उठ खड़े होने की प्रेरणा दी।

जब जमींदारों के प्रभाव और आतंक का सूरज तप रहा था, तब भी शोषित-वर्ग में कुछ युवक यह अनुभव कर रहे थे, कि अमीरों का सारा वैभव उनके श्रम की नींव पर खड़ा है। चूँकि अमीरों का खेतों पर अधिकार है अतः वे बिना तिनका तोड़े सुख-भोग करते रहते हैं।[11] 'जिंदगीनामा' में फरमान अली का बोध पुरा मूल्यों का समर्थक है, जबकि मेहर अली का सोच[12] अस्ति मूल्यों की दिशा में गतिशील है। आंचलिक उपन्यासों में यह 'सत्य' विशेष रूप से अंकित है कि स्वतंत्रता मिलने और जमींदारी उन्मूलन के बाद शोषितों का एक बड़ा समूह, जिसमें न केवल युवा हैं, अपितु बड़े-बूढ़े भी हैं, शोषण-विरोधी चेतना से लैस हो गया है। 'अलग-अलग वैतरणी', 'आधा गाँव', 'जल टूटता हुआ' आदि में साफ दिखाई देता है कि अधिकतर ग्रामीणजन जमींदारों की जकड़ से मुक्त हो चले हैं। जमींदारी उन्मूलन के बाद भी कुछ भूस्वामी अपनी निरंकुशता को नहीं छोड़ पाए[13], बावजूद इसके कि राज्य या शासन का सहारा अब नहीं रहा था। लेकिन जनसाधारण ने वास्तविकता को अनुभव करना प्रारंभ कर दिया था। 'स्वामीभक्ति', 'कुलीनता', 'कृतज्ञता' आदि मूल्य बिखरने लगे।[14] कुछ संपन्न भूस्वामियों ने रिआया के बदले तेवर को नहीं पढ़ा तो आखिर में उन्हें टूटना पड़ा। नीची जाति के व्यक्ति का कुर्सी पर बैठ जाना[15] जिनके लिए अपमानजनक था वे ही जूते की दुकान[16] खोलने के लिए बाध्य होते हैं। ऐसे सामंतों द्वारा खयाल किया जाता था कि जमींदारी मजहब की तरह मजबूर है।[17] लेकिन जमींदारी टूट कर रही। जमींदारों के जलसे और प्रस्ताव व्यर्थ साबित हुए। कल तक जो सर्वेसर्वा थे, उनके अपराधों का निर्णय जनता की पंचायत में होने लगा।[18] जो रिआया संस्कारवश या आतंक से जमींदारों को ईश्वर मानती आई, वह अब 'गारी-गार' खाने के लिए तैयार नहीं है। अपने अधिकारों की रक्षा के लिए वह न केवल सचेत है अपितु एकजुट भी, वह अपनी एक-एक आह का बदला लेना चाहती है।[19] कालांतर में भी उसकी विद्रोह-चेतना कुंद नहीं होती। यह आकस्मिक नहीं कि जमींदारी के जमाने की मजदूरी पर खेतिहर मजदूर काम नहीं करना चाहता।[20] बनिहारों-मजूदरों के चेहरों पर बदलाव के चिह्न देखकर भूपतियों के कसे हुए तेवर ढीले होने लगते हैं।[21]

आंचलिक उपन्यासों में बार-बार जोर दिया गया है कि समाज में केवल दो वर्ग हैं—अमीर और गरीब[22] यानी कि शोषक और शोषित। वर्गचेतना का यह उभार जहाँ ईश्वर भाग्य, स्वामीभक्ति, आदि के आगे प्रश्नचिह्न लगाता है, वहीं सत्य, न्याय और अधिकार के लिए जूझ सकने की शक्ति प्रदान करता है। ब्राह्मण, राजपूत,

भूमिहार आदि जातिगत सीमाओं से उबर कर जनसाधारण किसानों और मजूरों के वर्ग को मान्यता देता है। अनपढ़ मेहनतकश की पक्षधरता भी अस्पष्ट नहीं रहती।[23] शोषित जन एकजुट होने की आवश्यकता को तीव्रता के साथ अनुभव करने लगे हैं। शोषितों के समर्थकों की दृष्टि में उस वर्गविहीन समाज की स्थापना काम्य है, जहाँ दासता जैसी चीज बिल्कुल नहीं होगी।[24] गरीबी और जहालत को प्रश्रय देनेवाली व्यवस्था ढह कर रहेगी–"दरार पड़ी दीवार ! यह गिरेगी ! इसे गिरने दो ! यह समाज कब तक टिका रहेगा ?"[25] यह आशा करना मूर्खता है कि भूखे और अतृप्त इंसानों की आत्मा कभी विद्रोह न करेगी।[26] शोषण विरोधी चेतना का व्यक्त रूप 'लोहे के पंख', 'सोनभद्र की राधा', 'बलचनमा', 'बाबा बटेसरनाथ', 'वरुण के बेटे' आदि उपन्यासों में देखा जा सकता है, शोषक वर्ग के प्रति एक तीखी घृणा ने शोषितों को न केवल एकजुट किया है अपितु उन्हें हर तरह की दुरभि संधि का सामना करने की प्रेरणा भी दी है। अब यह सहन नहीं हो सकता कि मजदूर के खून-पसीने पर मिल मालिक ऐश करे।[27] इस वर्ग वैषम्य को दूर करने का एक रास्ता है कि सर्वहारा ईंट का जबाव पत्थर से देना सीखें।[28] 'बलचनमा' में खुलेआम वर्ग-संघर्ष को ही समता, समानता, न्याय आदि मूल्यों की स्थापना का साधन माना गया है–"जमींदार और सरकारी अफसर दुरजोधन ठहरे, उनको जुधिस्ठिल नहीं पस्त कर सकते भैया ! पिटाई पर पिटाई खाना और भेड़-बकरी की तरह पकड़ा कर जेल चले जाना बहादुरी नहीं है। ऐसी सिधाई से पूजा तुम्हारी हो तो जमीन सुई की नोक भर भी नहीं मिलने की, हाँ।"[29] यह बदली हुई रणनीति निश्चय ही अहिंसक संघर्ष से आगे बढ़ी हुई है और बदले हुए संदर्भों में सार्थक है। आदिवासी क्षेत्रों में भी परंपरागत शोषण के प्रति उग्र प्रतिरोध का स्वर उठा है।[30] चाहे साहूकार का कर्जा पटाने के लिए प्रचलित भगेला प्रथा हो या जमीन की अवैध बंदोबस्त[31], शोषित आदिवासी अब अन्याय सहने के लिए तैयार नहीं हैं। उस स्थिति में तो और भी नहीं, जबकि उसे ज्ञात है कि भूमि सुधार संबंधी कानून उनके पक्ष में है।[32] भूमिहीन कृषकों के शोषण के संबंध में अध्येताओं का मत है कि यह तभी रुक सकता है जब शोषक वर्ग का प्रतिनिधित्व करनेवाली राज्य व्यवस्था को तहस-नहस कर दिया जाए।[33] नक्सलवादियों के कार्यक्रम में इस तरह का दुस्साहस सम्मिलित था। लेकिन आंचलिक उपन्यासों में अभी जनतांत्रिक ढाँचे के भीतर बदलाव की आशा धूमिल नहीं हुई है। अतः वहाँ छुटपुट या सामूहिक हिंसा वाले मार्ग का समर्थन नहीं मिलता। लेकिन सामूहिक एवं एकजुट जनसंघर्ष का समर्थन प्रायः प्रत्येक उपन्यासकार ने किया है। 'धरती धन न अपना', 'कब तक पुकारूँ', 'नदी फिर बह चली', 'बलचनमा', 'सोनभद्र की राधा' आदि उपन्यासों में इस जनसंघर्ष को आंशिक या पूर्ण सफलता प्राप्त करते हुए दिखाना इस संदर्भ में उल्लेखनीय है। लेकिन उपन्यासकार जनसंघर्ष के

सिलसिले में राजनीतिक दलों—विशेषतः प्रगतिशील दलों की भूमिका से संतुष्ट नहीं है। सत्ता पक्ष के विधायकों और नेताओं का जन-विरोधी रुख समझ में आता है, लेकिन विपक्षी दलों का समझौतावादी रवैया समझ में नहीं आता। 'रेणु' ने 'मैला आँचल' में जनसंघर्ष को लेकर सोशलिस्ट पार्टी के ढुलमुलपन पर सही व्यंग्य प्रहार किया है। सेक्रेटरी साहब संघर्ष की प्रक्रिया का जो ब्यौरा देते हैं[34], वह निरा किताबी है और उस तरीके से कभी जनसंघर्ष शायद ही छिड़ सके। 'धरती धन न अपना' में काली को कामरेड बिशनदास से ही सहयोग और समर्थन नहीं मिलता।[35] 'लोहे के पंख' में 'इंटक' हड़ताल का विरोध करती है। बाद में सोशलिस्ट नेता भी उदासीन हो जाते हैं। ऐसी स्थिति में यदि मेहनतकश व्यक्ति का विश्वास नेताओं पर से उठ जाता है, तो यह अस्वाभाविक नहीं है।[36] जहाँ संघर्ष की बागडोर शोषितों में से ऊपर उठे जन-नेताओं के हाथ में है, वहाँ संघर्ष सफल होता है, जनविरोधी शक्तियों को झुकना पड़ता है।

ग्रामांचल में शोषितों विशेषतः भूमिहीनों में अपनी स्थिति और श्रम की अवज्ञा को लेकर असंतोष और विद्रोह एक वास्तविकता है। हिंदुस्तान में 5 करोड़ भूमिहीन हैं और इनमें से अधिकतर ग्रामवासी हैं। इन भूमिहीनों में वर्ग-जागरूकता बढ़ रही है। रामबली सिंह ने गाजीपुर जिले के धाखा गाँव के भूमिहीनों के 97 परिवारों के सर्वेक्षण के आधार पर पाया है कि वर्ग-जागरूकता के आधार पर भूमिहीनों की तीन श्रेणियाँ बनाई जा सकती हैं।[37] भूमिपतियों-भूमिहीनों के संघर्ष में भाग लेने के पक्षधरों को अति जागरूक, संघर्ष से सर्वथा अलग रहनेवाले अल्प जागरूक हैं और शोषण विरोधी मानसिकता के बावजूद संघर्ष से विरत रहनेवाले सामान्य जागरूक हैं। जागरूक भूमिहीनों ने केवल प्रत्यक्ष संघर्ष का सहारा नहीं लिया है। अपने पेशों के परित्याग से भी वे वर्ग-संघर्ष को बढ़ावा देते हैं। यह गौरतलब है कि निम्न जातियों के भूमिहीन, पिछड़ी और सवर्ण कही जानेवाली जातियों के भूमिहीनों की तुलना में अधिक जागरूक और सक्रिय है।[38] दलितों में विद्रोह-चेतना का उभार इस संदर्भ में प्रमाण स्वरूप देखा जा सकता है।

'बलचनमा', 'सोना माटी', 'जल टूटता हुआ' आदि उपन्यासों में भूमिहीनों में उगते क्रांति-भाव को नए मूल्योदय के रूप में देखा गया है। ये उपन्यास दर्शाते हैं कि एक ही आर्थिक स्तर के समुदाय में मूल्यों के संक्रमण की गति एक सी नहीं होती। शिक्षा, राजनीतिक समझ आदि कई कारणों से कुछ भूमिहीन अति जागरूक होते हैं और वे सीधे संघर्ष से ही 'मुक्ति', 'समानता', 'समता' आदि मूल्यों की प्रतिष्ठा को संभव मानते हैं। बलचनमा का जुझारू सोच इस संदर्भ में द्रष्टव्य है।[39] 'जगपतिया' (जल टूटता हुआ), 'मँगरू' (लोहे के पंख) 'सुखुआ' (सोनामाटी) आदि किसी भी स्थिति में शोषण को सहने के लिए तैयार नहीं हैं। यह विद्रोह-भाव एक या दो व्यक्तियों का न होकर बहुत से शोषितों-उत्पीड़ितों का सामूहिक

मूल्य-निर्णय है। 'सोनामाटी' में सुखुआ-सिटहला आदि द्वारा विधायक का घिराव[40] इस संदर्भ में द्रष्टव्य है। 'जंगली सुअर' में दलितों का जुलूस और उस पर गोली प्रहार[41] जताता है कि 'न्याय', 'मुक्ति', 'समानता' आदि धारणाएँ दलितों के लिए शब्द या नारा मात्र न होकर वाकई 'जीवन मूल्य' बन चुकी हैं। कई व्यक्तियों का आहत होना सिद्ध करता है कि भूमिहीनों ने मात्र आवेश में आकर विद्रोह नहीं किया है, इसके पीछे कार्य-कारण की स्पष्ट समझ भी है। 'जल टूटता हुआ' में कामरेड जगपति के नेतृत्व में हलवाहे अपनी मजूरी बढ़ाने की माँग करते हैं। उनकी दृढ़ता इस बात से जाहिर है कि उन्होंने कसम खाई है–"जो कोई इस माँग से कम ले, वह अपनी बेटी के साथ शादी करे।"[42] दीनदयाल जैसे शोषक और रामकुमार जैसे छद्म बुद्धिजीवी उनकी मुश्किलों को नहीं समझते हैं, लेकिन मानवीय मूल्यों का पक्षधर सतीश उनकी इस माँग से सहमत है। वह एक ओर मजूरी बढ़ाने का कायल है, दूसरी ओर कथित कुलीनता और धर्म के आडंबर का विरोध करता है। उसका निम्नलिखित कथन छोटे भूस्वामियों के मूल्यबोध में आ रहे परिवर्तन का द्योतक है :

"दो पैसे का जनेव पहनकर सारा धर्म ओढ़ने का दंभ कर रखा है इन लोगों ने। मैं तो कब से चिल्ला रहा हूँ कि धर्म के मिथ्या आडंबर को छोड़ो, अपना काम करना सबसे बड़ा धर्म है, लेकिन कोई सुनता ही नहीं। सारा पाप करेंगे, लेकिन अपना खेत नहीं जातेंगे।"[43]

इस उद्धरण में व्यक्त मानसिकता मजूर विरोधी नहीं है। कथित जातिगत श्रेष्ठता या कुलीनता जैसे अवमूल्यों को खारिज करते हुए दर्शाया गया है कि मँझोले भूस्वामियों के सोच में मूल्यों के संक्रमण की दिशा 'श्रम', 'स्वावलंबन' आदि धनात्मक मूल्यों की ओर होनी चाहिए न कि विलासिता, शोषण आदि अवमूल्यों की ओर। मँझोले दर्जे के भूस्वामियों के टनमना जाने से उत्पन्न समस्याओं और विशेषतः विलासिता में डूबने की ओर संकेत 'मैला आँचल' में स्पष्ट तौर पर है :

"यदि मालिक जवान हो तो तुरंत औन-पौन करने लगता है। हरमुनियाँ, फर्श, शतरंजी, शामियाना, जाजिम, लैट, पंचलैट, पहाड़िया घोड़ा, शम्पनी, टेबुल-कुर्सी, बैंच खरीदकर ढेर लगा देता है। इससे भी जब गरमी कम नहीं होती तब बन्नूक के लैसन के लिए आफिसरों को डॉली देना शुरू करता है…लाल बाग मेला के समय रात-रात भर मुजरा सुनता है और दिनभर आफिसरों के साथ कचहरी में घूमता है। बन्नूक के लैसन के बाद नौटंकी कंपनी खोलता है। उससे भी मगज ठंडा नहीं होता तो कोई खूनी केस होकर समापत्तन।"[44]

यह उद्धरण 'तथ्य चेतना' और 'मूल्य चेतना' को संश्लिष्ट रूप में प्रस्तुत करता है। अर्थ से होनेवाले अनर्थ अंय्याशी से शुरू होकर हत्या तक पहुँचते हैं और नैतिक मूल्यों का स्पष्ट तिरस्कार करते हैं। 'परहित', 'सद्भाव', आदि मूल्यों

के लिए वहाँ कोई स्थान नहीं होता। लेकिन हीनतर मूल्यों की दिशा में हुए संक्रमणको उपन्यासकार का समर्थन प्राप्त नहीं है, इस उद्धरण में निहित व्यंग्य से यह तथ्य ध्वनित है।

जमींदारी उन्मूलन के बाद ग्रामांचल में कुछ नए सामंतों का उदय हुआ है। इनमें कुछ तो वे ही टनमना गए भूस्वामी हैं, और कुछ पुराने ही सामंत नए रूप में 'शोषण', 'अन्याय' और 'अत्याचार' को यथावत् बनाए रखने के लिए प्रयत्नशील हैं। सामंत नया हो या पुराना उसकी मानसिकता रूढ़िवादी और जनविरोधी ही है। दूसरों की भूमि और श्रम को हड़पने की हवस ज्यों की त्यों है। 'जंगली सुअर' और 'सोनामाटी' के भू-स्वामियों का लक्ष्य एक है। भाई जी के पिता जी ने मरते समय अपने बेटे से कहा था कि गैर की जमीन हथियाना मेरा सपना था, उसे तुम मरते दम तक पूरा करना।[45] भाईजी ने उस सपने को पूरा करने का भरसक प्रयास किया। यह बात और है कि जमाना बदल जाने के कारण वे जोर-जुल्म के रास्ते[46] को छोड़कर चालाकी और बेईमानी के रास्ते पर अधिक चले। जरूरत पड़ने पर जोर-जुल्म भी काम आया। 'सोना माटी' के हनुमान प्रसाद भी उन नव-सामंतों में से एक हैं, जो येन केन प्रकारेण दूसरों की जमीन-संपत्ति आदि के हरण में प्रवृत्त हैं। हनुमान प्रसाद के ही वर्ग के दीनदयाल ने अपना जो 'दर्शन' प्रस्तुत किया है, वह अवमूल्यों की खान है। उसके अनुसार--"मैं तो सिर्फ मलाई का शौकीन हूँ। ढाई छटाँक रोज मिलनी चाहिए।...कुछ लोगों से कुर्सी सट जाती है, कुछ लोगों से नौकरी चिपक जाती है और मेरी कुण्डली में जमीन है कि अनचाहे जोत में समा जाती है।"[47] उपन्यासकार को आश्चर्य है कि अधिकतर व्यक्ति इसमें कोई अनुचित या गलत नहीं मानते। 'गलत मूल्यों के आगे ऐसा आत्मसमर्पण'[48] उपन्यासकार को छील देता है। जाहिर है, यथार्थ में मूल्यों का संक्रमण उचित और सही के बजाय गलत मूल्यों की दिशा में हुआ है जबकि उपन्यासकार चाहता है कि इसके विपरीत हो। पीड़ितों और शोषित में चेतना और जागृति से वह आश्वस्त होता है। अधिकतर आंचलिक उपन्यासकारों में आश्वस्ति का यह भाव मुखर है।

सरकारी योजनाओं की आंशिक सफलता ने भी भूमिहीनों और पीड़ितों को क्रुद्ध किया है। प्रथम पंचवर्षीय योजना के तीन मुख्य लक्ष्य बताए गए थे--कृषि उत्पादन में वृद्धि, आय का समुचित वितरण कर दरिद्रता को दूर करना, नए कार्य क्षेत्र पैदा कर बेकारी को दूर करना। लेकिन इन उद्देश्यों की सिद्धि आंशिक तौर पर ही हो पाई। हरित क्रांति तो हुई लेकिन शोषण-उत्पीड़न कम नहीं हुआ, बेरोजगारी और बढ़ी, आर्थिक असमानता और बढ़ी। अतः शोषितों ने संघर्ष-संगठित संघर्ष का मार्ग अपनाना उचित समझा। अपनी 'मुक्ति' के लिए 'हिंसा' तक को अनुचित न मानना इस बात का प्रमाण है कि अब श्रमजीवियों ने आखिरी लड़ाई लड़ने का मन बना लिया है और वे सामंती मूल्यों का त्याग कर समाजवादी मूल्यों

को अंगीकार कर चले हैं।

मूल्य संक्रमण : विज्ञान और प्रौद्योगिकी का प्रभाव

यदि सभ्यता की प्रगति को प्रौद्योगिकी की प्रगति के संदर्भ में आँका जाता है तो यह आश्चर्यजनक नहीं है।[49] यांत्रिकी के विकास को लेकर प्रायः यह शंका व्यक्त की जाती है कि यह मूल्यों के लिए घातक है। वस्तुतः जहाँ यांत्रिकी या प्रौद्योगिकी कुछ मूल्यों के लिए संकट पैदा करती है, वहीं मूल्यों के संक्रमण में भी उसकी अहम भूमिका होती है। इसका एक सकारात्मक पक्ष यह है कि सामंतों के एकाधिकार, जमींदारों की निरंकुशता और खेतिहर मजदूरों की दासवृत्ति पर कड़ा प्रहार हुआ। औद्योगिक क्रांति ने सामंतवाद और दासता का एक तरह से समापन कर दिया।[50] भारत जैसे अर्द्धविकसित देश में यांत्रिकी का लाभ जितना नगरों को मिला उतना पिछड़े हुए क्षेत्रों को नहीं। 'लोकऋण' में इस स्थिति पर खेद व्यक्त करते हुए कहा गया–"नगर का बुद्धि या विज्ञानवादी उछलकर चन्द्रमा पर चला गया किंतु गाँव का साधारण किसान कहाँ तक पहुँचा है ? कुछ के हाथ बिजली के स्विच तक पहुँचे जरूर किंतु उस बिजली के प्रकाश में गाँव का अँधेरा भी तो बढ़ गया है। एक अँधेरे से दूसरे नए अँधेरे तक की उसकी यात्रा को कौन सी उपलब्धि कही जाए।"[51] गाँव से एकतरफा निर्यात[52] के कारणों में से एक यह भी है। औद्योगिक क्रांति से अलग-थलग रहने के कारण जूट मिल का साइरन[53], ट्रैक्टर[54], अस्पताल[55], परिवार नियोजन की सामग्री, यातायात के साधन[56] आदि पिछड़े अंचलों के लिए बहुत उल्लेखनीय और नई चीजें हैं। अपने पेशे या व्यवसाय के आधुनिकीकरण या उन्हें वैज्ञानिक रूप देने की कल्पना साकार नहीं हो पाती[57] एक बूँद आई ड्राप के अभाव में सुंदर आँखें हमेशा के लिए ज्योतिहीन हो जाती हैं।[58] जहाँ आवश्यकता है, वहाँ नलकूप का पानी नहीं पहुँचता।[59]

इसके बावजूद जहाँ ट्रैक्टर, पंप, अस्पताल आदि के रूप में विज्ञान का प्रवेश हुआ है, वहाँ 'सोच' के स्तर पर किंचित् परिवर्तन को लक्ष्य किया जा सकता है। परती पड़ी लाखों एकड़ जमीन को कोसी मैया का शाप या अपनी नियति मान लेनेवाली रूढ़ विचारधारा को ट्रैक्टर चलने या मिट्टी का परीक्षण होने जैसी घटनाओं से आघात पहुँचता है। भवेशनाथ और जित्तन के प्रयास यथास्थिति को बदलने की कोशिश में हैं।[60] सिंचाई के लिए अब कथित इंद्र भगवान् या भाग्य के आसरे रहने की आवश्यकता नहीं–"पानी का पम्पू आएगा। इंद्र भगवान की खुशामद की जरूरत नहीं। कमला नदी में पम्पू लगा दिया, मिसिन इसटाट कर दिया और हाथिया सूँड की तरह सब पानी सोख कर खेत पटा देगा।"[61] डाइन मानी जानेवाली विध्वंसक नदी को यंत्रों के सहारे बाँधने की योजना नई मानसिकता से प्रेरित है।[62]

अस्पताल पिछड़े अंचलों की एक बड़ी आवश्यकता है। झाड़-फूँक आदि अंधविश्वास न केवल नास्ति मूल्यों के संवाहक हैं अपितु मानव की प्रगति में बाधक भी। उचित चिकित्सा के अभाव में मरीज की मृत्यु को 'ईश्वर की लीला'[63] या डायन का करिश्मा[64] कहकर स्वीकार लेना उसी भाग्यवादी मनःस्थिति का अंग है, जो मनुष्य को अकर्मण्य बनाती है। नई पीढ़ी इस अवधारणा को खारिज करती हुई स्वावलंबन, कर्म, सहयोग आदि पर बल देती है। चिकित्सा की आधुनिकतम सुविधाएँ नगर में उपलब्ध हैं लेकिन पिछड़े गाँवों को सड़क, मोटर आदि भी उपलब्ध नहीं कि मरीज वहाँ तक पहुँच सकें। इसलिए वैद्य की पुड़िया, पंडिताई, सोखाई आदि पर निर्भर रहना उनकी नियति है। अस्पतालों की जो यूनिटें गाँव में खुली हैं उनमें कभी डाक्टर है तो दवा नहीं है। सभी डाक्टर 'मैला आँचल' के प्रशांत की तरह जानबूझकर जनसेवा के लिए मेरीगंज जैसे पिछड़े अंचलों में नहीं जाते। अधिकतर डाक्टर 'सेवा' के बजाय 'व्यवसाय' और स्वार्थसिद्धि की दृष्टि से इन क्षेत्रों में आए हैं। प्रायः सरकारी दवाएँ[65] बेच दी जाती हैं।[66] प्राइवेट प्रेक्टिस करने वाले डाक्टर भी अर्थलाभ के लिए अंततः शहर या कस्बे चले जाना अच्छा समझते हैं।[67] मानव हित के लिए हुआ हर आविष्कार अंततः पूँजीपतियों के व्यवसाय का साधन बन जाता है। फिर कोई ईमानदार डाक्टर काला आजार जैसे भीषण रोग की ओषधि ढूँढ़कर भी क्या करे।[68] ट्रैक्टर पंप आदि ने जहाँ संपन्न वर्ग की संपन्नता में योग दिया है वहीं बेरोजगारी की समस्या पैदा की है। अपना गाँव छोड़कर मजदूर आदमी मिल में काम करने को विवश हो रहा है।[69] ट्रैक्टर गरीब किसानों के पास जाकर उनकी दशा सुधारने में उल्लेखनीय योग कर सकता था[70] लेकिन उत्पादन के इस महत्त्वपूर्ण साधन पर संपन्न भू-स्वामियों का एकाधिकार है और 'शोषण' के नकारात्मक मूल्य को और प्रश्रय मिल रहा है। सड़क के माध्यम से यातायात के साधनों का प्रवेश पिछड़े अंचलों में होता है, वे नगरों से जुड़ते हैं। लेकिन सड़क जैसी जनउपयोगी माध्यम भी नेताओं की रस्साकशी का शिकार हो जाती है। जहाँ बहुत आवश्यकता है वहाँ भी सड़क नहीं बन पाती।[71] और विकास का रथ वहाँ तक नहीं पहुँच पाता।

कार्ल मार्क्स ने सामाजिक परिवर्तन को एक अनोखी नहीं, वरन् स्वाभाविक घटना कहा है। यह परिवर्तन उत्पादन के साधनों और शक्तियों से बहुत घनिष्ठ संबंध रखते हैं। विज्ञान और प्रौद्योगिकी की सहायता से उत्पादन प्रणाली में बराबर परिवर्तन आया है और सामंतवादी समाज व्यवस्था पूँजीवादी समाज में परिवर्तित होकर समाजवादी व्यवस्था में परिणत हो रही है। हाथ से चलनेवाली चक्की के जमाने में सामंतवादी समाज था और जब भाप से चलनेवाली चक्की आई, तब औद्योगिक पूँजीपति के प्रभुत्ववाली समाज-व्यवस्था निर्मित हुई। इस व्यवस्था में प्रौद्योगिकी स्वार्थ, विलास, शोषण, अनीति आदि नास्ति मूल्यों से जुड़ी रही।

आंचलिक उपन्यासों में दिखाया गया है कि पिछड़े अंचल जिस संक्रमण काल से गुजर रहे हैं, उसमें 'प्रौद्योगिकी' और विज्ञान के आविष्कार पुराने सामंतों या नवधनाढ्यों के एकाधिकार में हैं। आंचलिक उपन्यासकार जनतांत्रिक व्यवस्था का समर्थन इसलिए भी करता है कि उत्पादन के आधुनिक उपकरणों पर वर्गविशेष का एकाधिकार समाप्त हो और उनका लाभ जनसाधारण तक पहुँचे। इसके लिए 'सोनभद्र की राधा', 'वरुण के बेटे', 'धरती धन न अपना', 'मैला आँचल', 'परती परिकथा' आदि में स्थापित आर्थिक-सामाजिक संरचना को बदलने का आग्रह किया गया है। 'रेणु' रामदरश मिश्र, विवेकीराय जैसे कथाकार इस उद्देश्य के लिए 'वर्गच्युति' का उदाहरण भी प्रस्तुत करते हैं, जबकि मधुकर सिंह, नागार्जुन, जगदीशचंद्र आदि संघर्ष-वर्ग संघर्ष में ही व्यवस्था-परिवर्तन और धनात्मक मूल्यों की प्रतिष्ठा का भविष्य देखते हैं।

समानता, अशोषण, स्वतंत्रता आदि प्रजातांत्रिक मूल्यों का समर्थन

आंचलिक उपन्यासों ने बदले हुए परिदृश्य को लिपिबद्ध करते हुए स्पष्ट कर दिया कि शोषक शक्तियों के दिन लद चुके हैं।[72] आजादी के बाद गाँवों में जो नए सामंत पैदा हुए हैं, वे भी जन-असंतोष के रथ को नहीं रोक पा रहे हैं। बल्कि कुछ सामंती तत्त्वों में भी बदलाव आया है। यह बदलाव 'मांसाहार' से 'शाकाहार' की ओर नहीं है। नए युग के नए तेवरों से तहसीलदार (मैला आँचल) और जमींदार (परती परिकथा) सबक लेते हैं और जनसाधारण के हित के लिए सक्रिय दिखाई देते हैं। इनका 'डिक्लास' होना यह सिद्ध करता है कि आर्थिक संबंधों से जुड़े मूल्यों का संक्रमण न केवल सर्वहारा के स्तर पर हुआ है अपितु भूस्वामी भी उससे अछूते न रहे। जहाँ सर्वहारा के स्तर पर संक्रमण की प्रक्रिया तीव्र है, वहाँ संपन्न भूस्वामियों के स्तर पर यह आंशिक और धीमी गति से घटित हो रहा है। तहसीलदार का गरीबों को जमीन लौटा देना[73] एक भावुकतापूर्ण समाधान है, लेकिन सर्वथा अव्यावहारिक भी नहीं है। इसकी तुलना में जित्तन का परिवर्तन अधिक विश्वसनीय लगता है। जित्तन के पिता जमीन के लिए अनेक जालसाजियों से गुजरे लेकिन जित्तन कुछ गरीबों को यूँ ही जमीन दे देता है।[74] अपहरण, शोषण और अनाचार के स्थान पर जित्तन बंधुत्व, सौहार्द, त्याग आदि मूल्यों से संचालित और प्रेरित है। वह स्टेट के समर्थक किंतु जनता के लिए साक्षात् आतंक बकला अहीर, ननकू नट, खत्तर गुलाबछड़ी वाला को स्वयं पुलिस के हवाले कर देता है।[75] धरती के वंध्यापन को तोड़ने के लिए ट्रैक्टर सँभालने वाला जित्तन कहीं से भी शोषक वर्ग का व्यक्ति नहीं लगता। लेकिन सभी भू-स्वामी जित्तन या तहसीलदार नहीं हैं। वे बिना संघर्ष के सूई की नोक भर जमीन देने को प्रस्तुत नहीं। वे बाँटने के नाम

से ही घबराते हैं[76], व्यवहार में लाने पर तो जाने क्या स्थिति हो। इसीलिए नागार्जुन जैसे उपन्यासकार सामंती तत्त्वों की दया का मोहताज न रहकर उस विराट् जनशक्ति में विश्वास प्रकट करते हैं, जिसके आगे कोई भी जनद्रोही तत्त्व नहीं टिक सकता।[77] कुछ उपन्यासकार संघर्षविहीन क्रांति[78] की चर्चा करते हैं, लेकिन वहन तो व्यावहारिक है और न स्थितियों को अच्छी तरह समझने की गवाही देती है। बल्कि एक तरह से यथास्थितिवादी शक्तियों के हक में पड़ती है। इस तरह के स्वर विरल हैं। परिवर्तन के विरोध में पड़नेवाली शक्तियों को प्रायः आंचलिक उपन्यासकारों ने नहीं बख्शा है, भले ही वे प्रगतिशीलता का नकाब लगाए हुए हो। रामकुमार (जल टूटता हुआ), सेक्रेटरी (मैला आँचल), वर्मा (सोनामाटी), डॉक्टर (धरती धन न अपना) इसी प्रकार के छद्म प्रगतिशील व्यक्ति हैं।

वर्ग संघर्ष की धार को कुंठित करनेवाले तत्त्वों में कुछ धार्मिक अवधारणाएँ और पुरातन मान्यताएँ विशेषतः आलोचना का विषय बनी हैं। सामंती और पूँजीवादी शक्तियाँ जनसंघर्ष को कमजोर करने के लिए 'धर्म' को अस्त्र बना लेती हैं। चूँकि हमारे समाज के सैद्धांतिक बाह्य ढाँचे की जड़ें मुख्यतः सामंती अतीत में गड़ी हैं, इसलिए धर्मांधता, जातपाँत, अलौकिक शक्तियों में विश्वास आदि से वर्ग एकता में बाधा पहुँचती है।[79] इसलिए अलगरजिया बावा जैसे प्रबुद्ध लोग गरीबों को धर्म और ईश्वर के खोखले आतंक से मुक्त करने का आह्वान करते हैं।[80] मजदूरों की हड़ताल के संदर्भ में 'लोहे के पंख' में ईश्वर के अस्तित्व पर लगाया गया प्रश्नचिह्न परंपरागत मूल्यों के विचलन का साक्षी है–"कहाँ है वह भगवान्, जो बैठे बिठाए किसी को खाना दे देता है···दस हजार हड़ताली मजदूरों के लिए राम कहाँ अंतर्धान हो गए थे ?"[81] प्रायः उपन्यासकारों ने 'धर्म' को अलौकिकता, पाखंड और शोषण से अलग करके ही स्वीकार्य माना है। धर्म यदि कुछ लोगों के स्वार्थसाधन का उपकरण है[82], धर्म के नाम पर अमानवीय शोषण का क्रम चलता रहता है तो वह मानव-विरोधी है। ऐसे धर्म का त्याग बेहतर है–"जो धर्म हमारी खुशी को मिटाता हो, हमारा खून पीता हो, हमें कुत्ते से बदतर जिंदगी जीने के लिए बाध्य करता हो उस धर्म में रहने से क्या फायदा ?"[83] भगवान् के न्याय का भी कोई विश्वास नहीं।[84] प्रगतिकामी और प्रतिगामी शक्तियों के संघर्ष के दौरान भी धर्म और धर्म के प्रतिनिधियों की भूमिका दूषित और धार्मिक होती है। प्रगतिशील नीतियों के विरुद्ध 'परती परिकथा' में पुजारी, परमादेव के स्वप्न को प्रचारित करता है।[85] इस तरह के जनविरोधी चरित्रों का चित्रण करके उपन्यासकारों ने जहाँ ईश्वर जैसे 'चरम मूल्य' में अपनी अनास्था व्यक्त की है, वहीं जनसाधारण की बढ़ती हुई समझदारी को भी रेखांकित किया है कि वह नास्ति मूल्यों की अप्रासंगिकता से अवगत हो रहा है। बढ़ते हुए वर्ग वैषम्य को देखकर कट्टर आस्तिक भी संशयग्रस्त हो चला है।[86] असली है भूख। पहले पेट है, फिर धर्म।[87] भूख

धर्म के शिकार लोगों का नया धर्म बनाना चाहिए–"...वह धर्म होगा--मनुष्यता, गरीबी...उस धर्म को माननेवाला आदमी जातियों में नहीं बँट सकता।...उस धर्म के विरुद्ध एक और धर्म होगा--अमीरी।"[88] वर्ग विषमता के पीछे कुछ निहित स्वार्थों की साजिश को जनसाधारण पढ़ रहा है और यह उसकी समझ में आ गया है कि रंगभेद, वर्गभेद आदि के लिए ईश्वर का इस्तेमाल किया जाता है।[89] सामंती अधिकार को सदा धर्म का संरक्षण प्राप्त रहा है।[90]

गांधीवादी मूल्यों के प्रति संदेहात्मक दृष्टि

राजनीतिक आजादी स्वस्थ मूल्यों की समूची व्यवस्था के रूप में जानी जाती है। इसके अंतर्गत न्याय, राष्ट्रीयता, सेवा, एकता, समता आदि अनेक मूल्य समाहित हैं। जनमानस में आजादी की जो संकल्पना थी, उसके तहत यह विश्वास निर्मूल न था कि आजादी मिलते ही न केवल भ्रष्टाचार, दमन और शोषण से मुक्ति मिलेगी अपितु न्याय, ईमानदारी और सहयोग आदि को प्रश्रय मिलेगा। 'ब्रह्मपुत्र' के अंधे सूरदास का विचार था कि फिरंगी के राज्य में न्याय कहीं नहीं है।[91] स्वतंत्रता के बाद भी न्याय ढूँढ़े से नहीं मिलता।[92] जनसाधारण अवाक् था कि आत्मबलिदान, राष्ट्रीयता और अन्याय के विरुद्ध संघर्ष की जिन मूल्य-मर्यादाओं के सहारे स्वाधीनता का संग्राम लड़ा गया था, वे आजादी के बाद अप्रासंगिक ठहरा दी गईं और उनकी खुली अवज्ञा होने लगी। रेणु ने दिखाया है कि किस तरह कथित जनसेवक जनसेवा के नाम पर अपने स्वार्थों की पूर्ति के लिए उत्सुक हो उठा।[93] स्वयं गांधीवादियों ने गांधी की अहिंसा को विनोबा के अनाथालय में भेज दिया।[94] सुराज एक क्रांति के रूप में आया लेकिन जनसाधारण के लिए बेमानी रहा–"करान्ती (क्रांति) एक बार हुई। सुराज हुआ। पर जमाने की शक्ल नहीं बदली और दिन पर दिन बिगड़ गई।"[95] सरकार या प्रजातंत्र उनके लिए है जो समर्थ हैं। गरीब के लिए भगवान् तक पहुँचना आसान है, लेकिन न्यायालय या सरकार तक उसकी पहुँच नहीं हो सकती।[96] वास्तविक आजादी उन्हें मिली जो जनसेवक की खाल में शोषक और स्वार्थी हैं।[97] स्वार्थ जिनका चरम मूल्य है, अवसरवाद मूल प्रवृत्ति। अवसरवादी नेताओं ने समय रहते ही टोपियाँ बदल लीं। जिन्होंने वास्तव में आजादी की लड़ाई में सक्रिय भाग लिया, वे पीछे धकेल दिए गए। जमींदारों ने कांग्रेस की अगुवाई हथिया ली।[98] स्वाधीनता संग्राम के स्वयंसेवकों के साथ दुर्व्यवहार करनेवाले तत्त्व[99] सत्तारूढ़ दल के कर्ताधर्ता बन गए।[100] सर्वोदय, अहिंसा, जनसेवा, सत्याग्रह आदि को स्वयं गांधीवादियों ने खारिज कर दिया। कथन और आचरण की असंगति स्पष्ट दिखाई देने लगी। गांधी से जुड़े संस्थानों में मांसाहार और मदिरा सेवन खुलेआम होने लगा। आपत्ति करने पर बहुत ढिठाई

से अपने आचरण को संगत बताने के उदाहरण कम नहीं मिलते।[101] गांधीजी के देहावसान के बाद कांग्रेसी नेताओं में इस बात की होड़ लगती है कि गांधीजी की भस्म कौन लाएगा। इस होड़ के मूल में श्रद्धाभाव न होकर सार्वजनिक छबि निखारने का स्वार्थ सक्रिय है।[102]

ऐसा नहीं कि मूल्यों की गिरावट केवल सत्तारूढ़ दल में आई। अन्य राजनीतिक दल भी 'चुनाव' और 'कुर्सी' की राजनीति में मानवीय और जनधर्मी मूल्यों का उल्लंघन करते दिखाई देते हैं। सोशलिस्ट पार्टी के सदस्य भी चुपचाप चंदा वसूल कर हजम कर जाते हैं।[103] कथित वामपंथी भी 'नीति' की अवहेलना कर राजनीति करने में संलग्न दिखाई देते हैं।[104] कामरेड मकबूल जैसे लोग लाभदायक योजनाओं का विरोध करते हैं क्योंकि जनमत अभी उन्हें स्वीकार नहीं कर पा रहा है।[105] समूची राजनीति अनीति या उखाड़-पछाड़ पर केंद्रित हो चली है।[106] आंचलिक उपन्यासों में राजनीतिक दलों की गिरावट को जहाँ व्यंग्य के साथ प्रस्तुत किया गया है, वहीं पिछड़े अंचलों के जनसाधारण पर उसके दुष्प्रभाव को बहुत चिंता के साथ देखा गया है। ''कुटिल राजनीति के प्रवेश ने ग्रामीणों के बीच नए ढंग का वैमनस्य रोपा, हिंसा-द्वेष को बढ़ावा दिया और आत्मीयता, सहयोग, परोपकार आदि मूल्यों को गंभीर क्षति पहुँचाई। इस तरह पहली नजर में यही लगता है कि गाँवों में राजनीति का प्रवेश महाअशुभकर सिद्ध हुआ।''[107] लेकिन यह कहना अनुचित होगा कि राजनीति के संपर्क के अभाव में ग्रामीण जीवन अधिक सार्थक और स्वस्थ होता। राजनीति समकालीन जीवन की महत्त्वपूर्ण सचाई है और इससे निरपेक्ष रहने का अर्थ समकालीन यथार्थ के एक बहुत बड़े आयाम को अनदेखा करना है।

राजनीतिक मूल्य संक्रमण को स्पष्ट तौर पर दर्शाने के लिए उपन्यासकारों ने सही और गलत मूल्यों के दो परस्पर विरोधी 'मॉडल' रचे हैं। महीपसिंह (जल टूटता हुआ), वैद्यजी (रागदरबारी), परसराम (आधा गाँव), सुखदेव (अलग-अलग वैतरणी), छोटन बाबू (जुलूस), लुत्तो (परती परिकथा), सागरमल, दुलारचंद कापरा (मैला आँचल), रामकुमार (जल टूटता हुआ), बड़ोदकर (लोहे के पंख), फूलबाबू (बलचनमा), जनार्दन राय (नदी फिर बह चली) आदि चरित्र सुविधाजीवी, स्वार्थी और जनविरोधी नेतृत्व का प्रतिनिधित्व करते हैं। इनमें जनसेवा का चोला पहने हुए भूतपूर्व सामंत धनी भू-स्वामी और पूँजीपति तो हैं ही, जनसाधारण से उभरे परसराम, रामकुमार, सुखदेव आदि व्यक्ति भी हैं, जिनकी गतिविधियाँ अंततः जनता के हितों के विरोध में पड़ती हैं। ये चरित्र स्पष्ट करते हैं कि आजादी के बाद राजनीतिक मूल्यों का संक्रमण उच्चतर मूल्यों से हीनतर मूल्यों की दिशा में हुआ है। सुविधाजीवी नेताओं ने व्यक्तिगत इच्छाओं अभिरुचियों को महत्त्व देते हुए सामाजिक आवश्यकता और नैतिकता की खुली अवहेलना की है। त्याग, जनसेवा,

संघर्ष, ईमानदारी आदि उनके लिए प्रासंगिक नहीं रह गए। संक्रमण का यह दृश्यालेख वर्तमान यथार्थ के मेल में है।[108] लेकिन सत्य, ईमानदारी और जनहित के लिए संघर्षरत नेता भी मिल जाते हैं, भले ही उनकी संख्या कम है। अतः उपन्यासकारों की संक्रमण की उस सही दिशा की ओर भी संकेत किया है जो भविष्य में उच्चतर लक्ष्यों की ओर होगी। इसी उद्देश्य के लिए कुछ जनधर्मी और जुझारू जनसेवियों के बिंब को चमकाया गया है। इनके अपने निश्चित जीवन मूल्य हैं और कार्य करने का उद्देश्य सुस्पष्ट है। वे हर तरह की अनीति और 'भ्रष्टाचार' के विरुद्ध अलख जगाते देखे जा सकते हैं।

वामनदास (मैला आँचल), रंगलाल गुरु (परती परिकथा), देवकांत, अतुल (ब्रह्मपुत्र), गीधू (हजार घोड़ों का सवार), जैकिसुन (बाबा बटेसरनाथ), मंगल (नदी फिर बह चली), सतीश (जल टूटता हुआ), मोहन माँझी (वरुण के बेटे) आदि वास्तविक अर्थों में जनप्रतिनिधि हैं और सत्य, न्याय, राष्ट्रहित आदि मूल्यों के लिए संघर्ष करते हुए प्रायः आहत होते हैं। भारतमाता को अपनी माँ से अधिक महत्त्व देनेवाले[109], अंतिम क्षण तक आदर्शच्युत न होनेवाले[110] और सामंती-पूँजीपति गँठजोड़ के विरुद्ध जनसमूह की चेतना को जाग्रत करनेवाले इन नेताओं का वर्ग निश्चय ही स्वार्थी, पदलोलुप और भाई भतीजावाद को प्रश्रय देनेवाले नेताओं से अलग अपनी निजी पहचान रखता है।[111] इन्हें छुरा भोंककर बेहयाई से मुस्कुराने वाली राजनीति नहीं आती।[112] साधन और साध्य की पवित्रता का बोध अभी उन्हें है और वे राजनीति को आदर्श से अलहदा करके नहीं देख पाते।[113] चूँकि उन्हें विरासत में सच और न्याय की पक्षधरता का पाठ मिला है[114], इसलिए वे इन आदर्शों से नहीं डिग पाते।

व्यवस्था-परिवर्तन और क्रांति के प्रति बढ़ती आस्था

बहुत से नागरिकों को मौजूदा प्रजातांत्रिक व्यवस्था की प्रासंगिकता संदेहास्पद लगती है, जिस पर कल के देशद्रोहियों और बहुरूपिये जनसेवकों का आधिपत्य है।[115] युवा नेतृत्व यथास्थिति में परिवर्तन के लिए वास्तविक संघर्ष का हामी है। वास्तविक संघर्ष का अर्थ है कि जनसाधारण की सामाजिक-आर्थिक व्यवस्था विकसित हो। आज जनता भाषण नहीं, अपने सवालों के सच्चे और जिंदा चित्र चाहती है।[116] शोषितों की पहली और अंतिम दिलचस्पी सम्मान से पेट भरने में है।[117] इस उद्देश्य के लिए आवश्यक है कि नई व्यवस्था गढ़ी जाए।[118] नेताओं का यह वर्ग अभी अल्पमत में से है। इनकी सृष्टि के पीछे उपन्यासकारों का स्पष्ट संकेत है कि राजनीतिक मूल्यों के संक्रमण की सही दिशा यही है। कहना न होगा कि यह दिशा नास्तिमूल्यों से अस्तिमूल्यों की ओर प्रयाण की है। 'बाबा बटेसरनाथ', 'बलचनमा',

'लोहे के पंख', 'नदी फिर बह चली', 'हज़ार घोड़ों का सवार' आदि उपन्यासों से स्पष्ट है कि धीरे-धीरे जनसाधारण भी सही गलत राजनीति का अंतर पहचानने लगा है और उसका मूक या मुखर समर्थन उसके लिए संघर्षरत नेतृत्व को प्राप्त है। लेकिन समग्रतः जनमानस एक दुविधा या संशय या मूल्यमूढ़ता की मनःस्थिति से गुजर रहा है। सत्ता पक्ष की पदलोलुपता, अवसरवाद और विरोध पक्ष की ढुलमुल नीति ने जनसाधारण को 'चुनाव' 'जनतंत्र' 'संसद' आदि के प्रति उदासीन बनाया है। राजनीतिक हो-हल्ले में यह पता नहीं चलता कि सफेद क्या है, स्याह क्या है।[119] वोट कोई छप्पन टके की चीज तो है नहीं, जो चाहे ले जाए।[120] 'मत' और 'मतदान' से आम मतदाता की यह अरुचि[121] कुरूप यथार्थ को देखकर जन्मी है। पक्ष या विपक्ष में होने के फैसले तात्कालिक दबावों के फलस्वरूप किए जाते हैं। यही कारण है कि भूतपूर्व जमींदारों का समर्थन वामपंथी नेता पाण्डेयजी को प्राप्त होता है।[122] बहुत से राजनीतिक दलों की उपस्थिति ने जनसाधारण को भ्रमित किया है। 'मैला आँचल' में कांग्रेस, सोशलिस्ट, साम्यवादी आदि कई दलों की होड़ में जनसाधारण के मतिभ्रम को रेखांकित किया गया है। इस मतिभ्रम के बावजूद जनसाधारण अपने वर्गशत्रु या वर्गमित्र की पहचान करने लग गया है। उसे यह पता है कि उसके हितों की रक्षा कौन सी पार्टी कर सकती है। अनपढ़ और राजनीतिक समझ से शून्य श्रमजीवी को भी समाजवादी विचारधारा के दल आकर्षित करते हैं।[123]

जनतांत्रिक व्यवस्था के अंतर्विरोधों की चर्चा करते हुए आंचलिक उपन्यासकारों ने 'चुनाव', 'मतदान' आदि के नाम पर होनेवाली भद्दगियों को नंगा किया है। 'सोनामाटी' में डैन जार्जकस के कथन "वी सीक क्रियेटिव वैंडेटिज्म"—हम लोगों को कुछ रचनात्मक गुंडई करनी चाहिए[124], का हवाला दिया गया है। भारतीय साहित्य में यह गुंडई घटित हुई या नहीं, यह शोध का विषय है। लेकिन 'राजनीति' में गुंडई खुले रूप से होती रही है। 'सोनामाटी' में ही 'चुनाव' के मौके पर अपनाए गए—साम-दाम दंड-भेद आदि का विस्तृत वर्णन यह दर्शाने के लिए हुआ है कि इस 'गुंडई' ने जनतांत्रिक मूल्यों को किस तरह कुचलकर रख दिया है। मगनचोला के चुनाव के समय संदेहास्पद वोटरों को डरा धमका कर घर से नहीं निकलने दिया जाता। बहुतों को कंबल और नोट के सहारे खरीद लिया जाता है। इस स्थिति पर रामरूप का यह कथन द्रष्टव्य है—"समूचे राजनीतिक सिद्धांत जैसे कूड़े के ढेर हैं, जिनके ऊपर निर्वाचन की बरसात में कठफुले जैसी कुर्सियाँ उगती हैं और लूट पड़ जाती है।"[125] यह सब सिद्धांतहीन राजनीति के दबाववश होता है, जिसका एकमात्र लक्ष्य है—कुर्सी। सिद्धांतहीन राजनीति एक ओर आत्मीयता, सद्भाव आदि मूल्यों को नष्ट करती है, दूसरी ओर मानवीयता की बलि चढ़ा दी जाती है।[126] स्वार्थ, दलबदल, परपीड़न आदि अवमूल्यों को खुला प्रोत्साहन मिलता है। राजनीतिक

गुंडई की चर्चा 'जल टूटता हुआ' में भी है। रामकुमार स्कूल और गाँव की समस्याओं के समाधान हेतु राजनीति का प्रयोग कर रहा है–"...स्कूल हो चाहे गाँव, चाहे देश, सभी जगह गुंडई भर गई है। गुंडे राज्य करते हैं। या तो इनकी गुंडई खत्म करने के लिए सामूहिक प्रयास किया जाए या इनसे मिलकर अपनी रक्षा की जाए। वह देख रहा है देश में जो गुंडई बढ़ी है, बड़े से लेकर छोटे पैमाने तक उसका प्रतिरोध करने की शक्ति किसी में नहीं दीख रही है। गुंडई सामूहिक है और प्रतिरोध अलग-अलग।"[127] इस उद्धरण में राजनीतिक मूल्यों के देशव्यापी संक्रमण को रेखांकित किया गया है। एक बातचीत में विवेकीराय ने बताया है कि दिल्ली की जो राजनीति है, ठीक वही राजनीति गाँव में प्रतिबिंबित हो जाती है।[128] देश की राजनीति में साधुता, सेवा, त्याग आदि मूल्यों का तिरस्कार कर अनुशासनहीनता, अवसरवाद, उद्दंडता आदि को ही 'मूल्य' समझने का जो दुष्चक्र चल रहा है, उसकी यथार्थ झाँकी आंचलिक उपन्यासों में है। लेकिन सभी उपन्यासकारों ने 'राजनीतिक गुंडई' से जुड़े अवमूल्यों से अपनी गहरी असहमति व्यक्त की है। 'जल टूटता हुआ' में रामकुमार को क्षोभ है कि सतीश उसकी 'राजनीति' में सहयोग नहीं करता। यह असहयोग केवल सतीश का नहीं उसके स्रष्टा रचनाकार का भी है। सतीश सनकी समझे जाने की हद तक जाकर भी 'आदर्श' की रक्षा करता है[129], 'सिद्धांतहीन राजनीति' का समर्थन नहीं करता। जाहिर है, वास्तविकता के स्तर पर राजनीतिक मूल्य जनविरोधी और स्वार्थी होने का प्रमाण दे रहे हैं। आंचलिक उपन्यासकार इस अवमूल्यन से संतुष्ट नहीं हैं और वे स्वस्थ, मानवीय एवं जनधर्मी मूल्यों की ओर राजनीतिक संक्रमण के पक्ष में हैं। वे 'चुनाव', 'संसद' आदि की पवित्रता बनाए रखने के कायल हैं अतः कुछ उपन्यासों में यह दर्शाया गया है कि अवमूल्यों से लैस राजनीतिज्ञ पराजित होते हैं तथा जमीन से जुड़े और जनहित के लिए समर्पित राजनीतिज्ञ अंततः जीत जाते हैं। 'नदी फिर बह चली' में मंगल बाबू के हाथों जनार्दन राय की पराजय[130] इस संदर्भ में द्रष्टव्य है। इसी चुनाव के संदर्भ में उपन्यासकार ने 'राजनीति' में 'जेनुइन' व्यक्तियों को सुनियोजित ढंग से पीछे ढकेलने के षड्यंत्र की चर्चा की है–"क्या यह सच नहीं है कि अपनी ख्याति पर आँच न आने देने के लिए ही बड़े-बड़े नेताओं ने सरदार भगतसिंह, चंद्रशेखर आजाद वगैरह को 'रांग बॉक्स' में डाल दिया।"[131] यानी कि 'अयोग्य' को प्रश्रय और योग्य की टाँग घसीटने की प्रवृत्ति पुरानी है। यह नहीं कहा जा सकता कि यह स्वातंत्र्योत्तर विकृति है। सेवा, त्याग, संघर्ष आदि स्वतः मूल्यों के आज कुर्सी-प्राप्ति के साधन मूल्य बन जाने की त्रासदी से आंचलिक उपन्यासकार सबसे चित्रित हैं।

आंचलिक उपन्यासकारों ने जनतांत्रिक व्यवस्था के अंतर्विरोधों को रेखांकित करते हुए भी उसे एकदम अस्वीकृत नहीं किया है। लेकिन 'बैलेट' की सहायता

से अहिंसक तरीके से परिवर्तन के प्रति वे आश्वस्त नहीं लगते। ब्रिटिश साम्राज्यवाद से जूझते समय केवल अहिंसा का मार्ग अपर्याप्त लगा था।[132] आज भी किसी बड़े परिवर्तन के लिए अहिंसा पर्याप्त नहीं लगती। प्रबुद्ध ग्रामीण सोचने लगा है कि क्या छुटपुट हत्याओंवाला सशस्त्र क्रांति का मार्ग ही हमारा मुक्तिमार्ग होगा।[133] गांधीवादी मूल्यों से यथास्थिति को ही बल मिलने लगा है अतः नपुंसकीय अहिंसा के त्याग की अपील[134] बेमानी नहीं लगती। उपन्यासों में जनविरोधी शक्तियों की अमानवीयता और निरंकुशता को रेखांकित करते हुए संकेत किया गया है कि लोकतंत्र बुर्जुआ लोकतंत्र से अधिनायकवाद की ओर संक्रमण का खतरा बढ़ रहा है। अधिनायकवाद और फासीवाद से जूझने के लिए जनता को हिंसा का सहारा लेना पड़ सकता है। पिछड़े अंचलों में हिंसा या खूनी संघर्ष का उद्‌घोष अपरिचित नहीं रहा—"...बदलते इतिहास के बीच दूसरे-दूसरे गाँवों में कितना-कितना क्या-क्या नहीं बदल गया ? यह दिन भी देखना पड़ा कि दलितोन्मेष खूनी क्रांति का उद्‌घोष बन घहराने लगा है। सुदूर चीन से चल कामरेड माओ निचाट ग्रामांचल में पहुँचने लगा है।"[135] बलचनमा ने इस सत्य को बहुत पहले अनुभव कर लिया था कि सिधाई से साधारण अधिकार नहीं मिल सकते।[136] अब सर्वहारा अपने खून को आखिरी बूँद तक अपने अधिकारों के लिए जूझने के हित कटिबद्ध है।[137]

संदर्भ

1. आम रास्ता नहीं है, पृ. 31
2. सामाजिकी, खंड-1, 1980, पृ. 86
3. "Values are not transcendent, not isolated from the struggle and concourse of life mind and society." —Dynamics of Morals, p. 220
4. अलग-अलग वैतरणी, पृ. 47
5. धरती धन न अपना
6. जल टूटता हुआ, पृ. 378
7. अलग-अलग वैतरणी, पृ. 221
8. "मेरे रहते भी कोई मालिक के खेत में छेब लगा दे तो यह जिनगी अकारथ है।"—लोहे के पंख, पृ. 21
9. लोहे के पंख, पृ. 264
10. विनिमय की शर्तें और वर्ग संबंध, पृ. 21
11. "घोड़े पर चढ़ इधर-उधर खेतों पर नजर मारी, मशीरी की और हर फसल के दाने अपने कोठों में भर लिए। पसीना बहाया सो काम्मियों ने"—जिंदगीनामा, पहला भाग, पृ. 80

12. वही
13. "जमींदारी प्रथा खतम हुई, लेकिन तहसीलदार जमीन से बेदखल कर रहा है।"—मैला आँचल, पृ. 197
14. "अब कभी दशहरे के मौके पर असामियों की भीड़ जुहार करने नहीं आती⋯न तो अब छावनी के लड़कों को देखकर कोई सत्तर साल का बूढ़ा झुककर सलाम करता⋯।"—अलग-अलग वैतरणी, पृ. 32
15. आधा गाँव, पृ. 279
16. वही, पृ. 341
17. "परसुराम की बातें सुनकर वे खुश होते, पर उनके दिलों में बैठा हुआ सदियों का डर उन्हें तोड़ देता। जमींदारी मजहब की तरह मजबूत थी। शख्सियत उसके चंगुल में थी।"—आधा गाँव, पृ. 306
18. "ये सारे दरिद्र जिनसे मैं जूतों से बात करता था, पद पुरान के लिए पंचायत में इकट्ठे हुए हैं।"—जल टूटता हुआ, पृ. 515
19. "⋯आज उनकी सारी जमींदारी शान समझने को तैयार हूँ, अपनी एक-एक आह का बदला लेने को खड़ा हूँ, माई का दूध पिए हों तो आ जाएँ।"—जल टूटता हुआ, पृ. 379
20. असगाँव-पसगाँव, पृ. 55
21. लोकऋण, पृ. 153
22. मैला आँचल, पृ. 180, जल टूटता हुआ पृ. 16, सोनभद्र की राधा, पृ. 29
23. "हम लोग गरीब किसान-मजूर दल के हैं, हम लोगों में अगर कोई गलती करेगा, तो भी मैं उसी का साथ दूँगी⋯।"—नदी फिर बह चली, पृ. 406
24. "⋯उस संगठन द्वारा सारा सर्वहारा वर्ग अपनी शक्ति से उस राज्य की पुनःस्थापना करेगा जहाँ कोई वर्ग नहीं होगा। जहाँ निजी संपत्ति भी नहीं होगी। जहाँ तमाम लोग मिल-जुलकर काम करेंगे और सारे सुखों व आनंदों का मिलकर उपभोग करेंगे। जहाँ दासता नहीं रहेगी।"—हजार घोड़ों का सवार, पृ. 149
25. मैला आँचल, पृ. 187
26. वही, पृ. 185
27. "खून पानी एक करें हम—मजूर लोग और मौज उड़ाए मिल मालिक।"—आधा गाँव, पृ. 294-295
28. हजार घोड़ों का सवार, पृ. 160
29. बलचनमा, पृ. 185
30. जंगल के फूल, राजपाल एण्ड संस, संस्करण 1976, पृ. 85
31. "संथाल लोग अच्छी तरह जानते हैं, कोई साथ देनेवाला नहीं।⋯अरे तीर तो है। यही सबसे बड़ा साथी है।"—मैला आँचल, पृ. 201
32. "⋯तुम लोग ही जमीन के असल मालिक हो। कानून है, जिसने तीन साल तक जमीन को जोता-बोया है, जमीन उसी की होगी।"—मैला आँचल, पृ. 201

33. विनिमय की शर्तें और वर्ग संबंध, पृ. 22
34. "कामरेड, अभी संघर्ष मत छेड़ो। सबसे पहले अभी-अभी किसी एक इलाके में, एक एरिया लेकर इसको इसपारमिन करेंगे···सो भी संघर्ष से एक महीना पहले दरखास्त देना होगा लोगों से, फिर इनकुआएरी फिर एजकूटी मिटिंग, तब जाकर राय निकलेगी कि संघर्ष करना चाहिए कि नहीं।"—मैला आँचल, पृ. 200
35. धरती धन न अपना, पृ. 297
36. "मुझे तो ऐसा लगता है कि देश के नेताओं ने तरह-तरह के सिद्धांतों की रट लगा-लगाकर मजदूर किसानों के दिमागी कंधे पर लोहे के पंख बाँध दिए हैं।"—लोहे के पंख, पृ. 404
37. सामाजिकी, खंड-1, 1980, पृ. 74
38. वही, पृ. 77
39. बलचनमा, पृ. 185
40. सोनामाटी, पृ. 431
41. "फिर कभी वे टस से मस नहीं हुए थे। वे तो संकल्प लेकर गए थे कि जब तक न्याय नहीं मिलेगा—गोली खाकर मर जाएँगे, मगर वापस नहीं आएँगे।"—जंगली सुअर, पृ. 100-101
42. जल टूटता हुआ, पृ. 414
43. वही, पृ. 416
44. मैला आँचल, पृ. 234-235
45. "बीच में गैर की जमीन मिल जाए और उसे तुमने हड़प नहीं लिया तो तुम्हें असल बूँद का पैदा नहीं समझूँगा। मेरे माथे पर हाथ रखकर कसम खाओ कि तुम मेरा सपना मरते दम तक पूरा करोगे।"—जंगली सुअर, पृ. 63
46. जंगली सुअर, पृ. 63
47. सोनामाटी, पृ. 80
48. वही।
49. 'Not surprisingly, the march of civilization has frequently been measured by technological advance in terms of materials from stone to bronze, from bronze to iron from iron to steel, in terms of energy, from human muscle power to animals, to wind and water, to steam and oil, to rockets and nuclear power; in terms of machines from hand tools to powered tools to mass production lines to computer controlled factories.'—The American review spring 1979 Technology and human values, Melvin Kranzleerg, p. 22
50. Ibid, p. 23
51. लोकऋण, पृ. 166
52. अलग-अलग वैतरणी, पृ. 674
53. मैला आँचल, पृ. 320

54. परती परिकथा
55. मैला आँचल, पृ. 11
56. आधा गाँव, पृ. 279
57. "गढ़ पोखर का जीर्णोद्धार होगा आगे चलकर और तब मलाही गोढ़ियारी के ग्रामांचल मछली पालन व्यवसाय का आधुनिकतम केंद्र हो जाएँगे।...इकतल्ला सैनिटोरियम बनेगा।"—वरुण के बेटे, पृ. 34
58. मैला आँचल, पृ. 101
59. लोकऋण, पृ. 174
60. परती परिकथा, पृ. 129
61. मैला आँचल, पृ. 320
62. अर्द्धनग्न जनता का विशाल दल। पर्वत तोड़ो हइयो। पत्थर तोड़ो हइयो। हम कोसी को साधेंगे...खून पसीना एक कर बिखरी ताकत जोड़कर। पर्वत पत्थर तोड़कर। इस डायन को साधेंगे।"—परती परिकथा, पृ. 528
63. "ईश्वर की लीला भी कितनी विचित्र है बेटा, कभी कुछ करता है कभी कुछ, किसी को किसी तरह मारता है, किसी को किसी तरह। हम लोग तो उसके हाथ की कठपुतली हैं।"—जल टूटता हुआ, पृ. 371
64. मैला आँचल, पृ. 263
65. जल टूटता हुआ, पृ. 371
66. राग दरबारी, पृ. 340
67. अलग-अलग वैतरणी, पृ. 633
68. "क्या होगा मानव कल्याण करके ?...आखिर पाँच आने का एक एम्पुल पचास रुपये तक बिकेगा। यहाँ तक उसकी पहुँच नहीं होगी।"—मैला आँचल, पृ. 223
69. वही, पृ. 320
70. "मैं कहता हूँ, क्यों नहीं हम दस किसान भाई पर एक वैसी मशीन दिलवा देते ? भोंज पर खेत जोतने और बैलों के लिए पैसे जुटाने की तबाही से तो हम लोग बच जाते।"—नदी फिर बह चली, पृ. 357
71. सोनामाटी, पृ. 275
72. "तू जिस युग में पैदा हुआ है, वह राजाओं-जमींदारों और सेठों-साहूकारों का युग नहीं, बल्कि तेरे जैसे आम नौजवानों का जमाना है...।"—बाबा बटेसरनाथ, पृ. 52
73. "अरे, यह जमीन तो उन्हीं किसानों की है, नीलाम की हुई, जब्त की हुई, उन्हें वापस दे रहा हूँ।"—मैला आँचल, पृ. 331
74. परती परिकथा, पृ. 107
75. वही, पृ. 277
76. "लोग बाँटने के नाम पर ही बौखला उठते हैं। जब छीन कर लेने की बात उठेगी तब पता नहीं कैसी स्थिति पैदा हो जाएगी।"—सोनभद्र की राधा, पृ. 9
77. बलचनमा, पृ. 168

78. "...किसी लकीर को बिना छुए, बिना काटे पीटे हम उसके नीचे एक उससे बड़ी लकीर खींचकर छोटी कर सकते हैं। तो छोटों को शिक्षा का स्तर उठाकर बड़ों को बिना छेड़े सहज क्रांति करनी है।"—लोकऋण, पृ. 192-193
79. साहित्य और राजनीति (सं. कुँवरपाल सिंह), मार्क्सवादी बुद्धिजीवियों की भूमिका—बी. टी. रणदिवे, भाषा प्रकाशन, प्रथम संस्करण 1981, पृ. 16
80. "तुम सभी गरीबों को ईश्वर और धर्म के खोखले आतंक से मुक्त करो। उन्हें कहो कि सत्य, बुद्धि, प्रेम और समता ही ईश्वर है।"—हजार घोड़ों का सवार, पृ. 159
81. लोहे के पंख, पृ. 385
82. "जब धर्म केवल कुछ लोगों की बपौती बन जाए, चंद तिजोरियों में सिमट कर रह जाए तो वह हमारे काम का नहीं रह जाता।"—असगाँव-पसगाँव, पृ. 3
83. हजार घोड़ों का सवार, पृ. 184
84. कब तक पुकारूँ, पृ. 149
85. परती परिकथा, पृ. 114
86. "बाकी ई है सोचे की बात। हम्माद सभे का हक मारे है, तब्बो मजे में हैं। अल्लाह मियाँ होते त हम्माद की कमान अइसे ना बढ़ सकती रही।"—आधा गाँव, पृ. 268
87. सूरज किरन की छाँव, पृ. 109
88. हजार घोड़ों का सवार, पृ. 147
89. लाल पसीना, पृ. 300
90. कब तक पुकारूँ, पृ. 39
91. ब्रह्मपुत्र : देवेन्द्र सत्यार्थी, पृ. 417
92. "अंधेर मचा हुआ है। न रिश्वत समाप्त हुई है न सिफारिशों का जोर कम हुआ है। दीया जलाकर ढूँढ़ देखो न्याय नाम की चीज नहीं मिलती"—ब्रह्मपुत्र, देवेन्द्र सत्यार्थी, पृ. 446
93. "सब मेले-मंतरी होना चाहते हैं बालदेव। देस का काम, गरीबों का काम चाहे मजूरों का काम जो भी करते हैं, एक ही लोभ से।"—मैला आँचल, पृ. 310
94. बाबा बटेसरनाथ, पृ. 140
95. बबूल, विवेकीराय, पृ. 155
96. वही, पृ. 54
97. "आजादी ! छिः आजादी मिली है हमारे उग्रमोहन बाबू को, कुलानंददास को...कांग्रेस के टिकट पर जो भी चुने गए हैं। उन्हें मिली है आजादी।"—बाबा बटेसरनाथ, पृ. 127
98. "बड़े-बड़े जुल्मी जमींदार अब अपने को कहीं न पाकर कांग्रेस में शामिल हो रहे हैं। बहुत जोर आजमाइश की कांग्रेस से संघर्ष करने की, कानून को तोड़ने की; किंतु हार मानकर कांग्रेस में लौट रहे हैं और कांग्रेस उन्हें सम्मान दे रही है।"—जल टूटता हुआ, पृ. 15
99. मैला आँचल, पृ. 136

100. राग दरबारी, पृ. 41

101. "अरे सब चलता है यार ! इस दफ्तर में कौन गांधीवाद का इम्तहान लेने आ रहा है। दफ्तर से बाहर जब प्लेटफार्म या किसी सभा के पंडाल पर ऐसी भूल करूँ और तुम टोको तो कुछ ईमान भी दूँगा।"–लोहे के पंख, पृ. 197

102. मैला आँचल

103. परती परिकथा, पृ. 75

104. "नीति नहीं, राजनीति तो हुई। राजनीति में यह सब कुछ क्षमा है, जायज है। आप लोग राजनीति और आदर्श को एक करके मत देखिए।"–जल टूटता हुआ, पृ. 296

105. "कामरेड विश्वकर्मा, बहुमत जिस बात के विपक्ष में हो उसका समर्थन करके हम अपने पाँव में कुल्हाड़ी क्यों मारें।"–परती परिकथा, पृ. 475

106. "दुश्मन को जैसे भी हो चित करना चाहिए। यह न चित कर पाएँगे तो खुद चित हो जाएँगे।"–रागदरबारी, पृ. 190

107. विवेकीराय, 'स्वातंत्र्योत्तर हिंदी कथा साहित्य और ग्रामजीवन', पृ. 85

108. आचार्य नरेन्द्रदेव ने कांग्रेसियों की कुर्सी लिप्सा पर लिखा है :

'A mad race for power, office and many has taken the place of selfless service.' Sunday 27 Jan.80. 'A Martist who understood in Indian situation Brahmanand, p. 2

109. "...मरने से पहले भारतमाता की हथकड़ी और बेड़ी जितनी भी ढीली कर सकूँ, उतना ही अच्छा है।"–ब्रह्मपुत्र, पृ. 77

110. मैला आँचल, पृ. 318

111. बाबा बटेसरनाथ, नदी फिर बह चली, पृ. 395

112. जल टूटता हुआ, पृ. 389

113. वही, पृ. 296

114. "...सच बोलना ही सबसे बड़ा धरम है। भलाई ही सही उपकार है। आदमी को न तो अन्याय चाहिए और न अन्याय सहना चाहिए। दोनों ही पाप हैं।"–हजार घोड़ों का सवार, पृ. 71

115. नदी फिर बह चली, पृ. 338

116. वही, पृ. 339

117. "...इन शोषित लोगों को जागरण की भारी भरकम बातों में अधिक दिलचस्पी नहीं है...उनकी अभी पहली और अंतिम दिलचस्पी है कि वे सम्मान से पेट कैसे भरें ?"–हजार घोड़ों का सवार, पृ. 306

118. वही।

119. अलग-अलग वैतरणी, पृ. 116

120. राग दरबारी, पृ. 258

121. "यह चुनाव है कि वोट की डकैती है ? शोरशराबा हड़बड़ी हल्ला कर लोगों का उल्लू सीधा करने का यह कैसा प्रजातंत्र है ?"–लोकऋण, पृ. 186

122. "बाकी अगर हम लोगों के आदमी हवालात में जाने लगे तो हम पांडे जी के साथ होने के सिवाय कर ही क्या सकते हैं ?"–आधा गाँव, पृ. 354

123. बलचनमा, पृ. 182

124. सोनामाटी, पृ. 430

125. वही, पृ. 313

126. वही, पृ. 296

127. जल टूटता हुआ, पृ. 405

128. विवेकीराय से वेदप्रकाश अमिताभ की बातचीत

129. जल टूटता हुआ, पृ. 406

130. नदी फिर बह चली, पृ. 399

131. वही, पृ. 398

132. "न अकेली अहिंसा आजादी दिला सकती है, न केवल हिंसा ही।"–ब्रह्मपुत्र, पृ. 418

133. बाबा बटेसरनाथ, पृ. 147

134. "हृदय गरीब और शोषित लोगों का तो बदला जा सकता है पर पाषाण व निरंकुश लोगों का नहीं…इसलिए अहिंसा, असहयोग और सत्याग्रहों के साथ-साथ नपुंसकीय अहिंसा का त्याग भी जरूरी है।"–हजार घोड़ों का सवार, पृ. 158

135. सोनामाटी, पृ. 209

136. "जमींदार और सरकार। अफसर दुरजोधन ठहरे, उनको जुधिष्ठिल नहीं पस्त कर सकते भैया। पिटाई पर पिटाई खाना…ऐसी सिधाई से पूजा तुम्हारी हो तो जमीन सूई की नोक भर नहीं मिलने की…।"–बलचनमा, पृ. 185

137. गंगा मैया, पृ. 121

पंचम प्रकरण

आंचलिक उपन्यासों में मूल्य-संक्रमण : सांस्कृतिक परिदृश्य

मैकाइवर आदि समाजशास्त्रियों ने सभ्यता और संस्कृति के अंतर को रेखांकित करते हुए सभ्यता का संबंध उपयोगिता के क्षेत्र से और संस्कृति का संबंध मौलिक मूल्यों से माना है। डॉ. देवराज ने व्यक्ति के संदर्भ में संस्कृति को मूल्य-चेतना के साथ-साथ तथ्य-चेतना भी कहा है–"किसी भी व्यक्ति की संस्कृति वह मूल्य-चेतना है, जिसका निर्माण उसके संपूर्ण बोध के आलोक में होता है। सांस्कृतिक चेतना जितनी मूल्य-चेतना है, उतनी ही तथ्य-चेतना भी है।"[1] नंदकिशोर आचार्य ने सांस्कृतिक प्रक्रिया को 'सनातन मूल्यों के अर्जन की प्रक्रिया' के रूप में देखा है–"किसी भी संस्कृति की प्रकृति, स्वरूप और गति का निर्धारण वे आदर्श या मूल्य करते हैं जिनकी सिद्धि में ही कोई समाज या व्यक्ति अपने अस्तित्व की सार्थकता का बोध कराता है। संस्कृति को इसीलिए मूल्य-दृष्टि कहा जाता है क्योंकि उन सनातन मूल्यों के अर्जन की प्रक्रिया ही सांस्कृतिक प्रक्रिया है।"[2] लेकिन सनातन मूल्यों से आशय वर्गविशेष अर्थात् अभिजात वर्ग के मूल्यों से नहीं है। समाजशास्त्रियों ने बलपूर्वक कहा है कि उच्चतर सांस्कृतिक मूल्यों पर अभिजात वर्ग का आधिपत्य नहीं होना चाहिए।[3] निश्चय ही लोकसंस्कृति के मूल्य वास्तविक और सनातन सांस्कृतिक मूल्य हैं।

लेकिन सांस्कृतिक मूल्यों को सीमित नहीं माना जाना चाहिए। राधाकमल मुखर्जी ने मूल्यों के जो तीन आयाम जैविक, सामाजिक और आध्यात्मिक माने हैं[4] वे सब सांस्कृतिक मूल्यों में समाहित हो जाते हैं। संस्कृति में एक ओर स्वास्थ्य, सुरक्षा आदि जैविक मूल्यों की व्याप्ति है, दूसरी ओर न्याय, समानता आदि

सामाजिक मूल्य इसके अंग हैं और 'सत्य' 'पवित्रता' आदि अमूर्त और आध्यात्मिक कही जानेवाली धारणाएँ संस्कृति के अंतर्गत आती हैं। धर्म, इतिहास, दर्शन आदि ज्ञान-क्षेत्रों की सभी श्रेष्ठ उपपत्तियाँ 'संस्कृति' में समाहित होती हैं।

डॉ. ह.क. कडवे के अनुसार–"आंचलिक उपन्यासों का उद्देश्य अंचल विशेष के जन-जीवन की संस्कृति का अर्थात् लोक-संस्कृति का चित्रण ही है।"[5] रेणु[6], नागार्जुन[7] से लेकर विवेकीराय तक आंचलिक उपन्यासकार अभिजातवर्गीय संस्कारों और मूल्यों से विद्रूप भाव रखते हुए लोक-संस्कृति और लोकजीवन से रस-ग्रहण और विचार-ग्रहण का प्रमाण देते हैं। लोकजीवन से गहरे जुड़ाव के फलस्वरूप जहाँ एक ओर इन उपन्यासों में धर्म, पाप-पुण्य आदि की रूढ़ और स्थिर मान्यताओं के पुनःपरीक्षण का भाव प्रबल है, दूसरी ओर श्रम, समानता, सद्भाव आदि मानवीय मूल्यों को महत्त्व देने का प्रयास हुआ है। इनमें सांस्कृतिक पर्वों और उत्सवों तथा लोकगीतों-लोककथाओं का विस्तृत उल्लेख केवल 'तथ्य-निरूपण' के आग्रहवश नहीं हुआ है। ये लोकमानस में धँसे हुए मूल्यों का परिचय देने के साथ आज के संदर्भ में इनके विचलन और परिवर्तन को भी रेखांकित करते हैं। डॉ. शशिभूषण सिंहल का यह कथन महत्त्वपूर्ण है कि आंचलिक उपन्यास मुख्य रूप से लोकसंस्कृति को प्रस्तुत करते हैं।[8]

धर्म, पाप-पुण्य आदि मान्यताओं का पुनःपरीक्षण

लोकजीवन पर धर्म की पकड़ आज 'कम्प्यूटर' के युग में भी मजबूत है। धर्म की यह पकड़ दो रूपों में द्रष्टव्य है। एक ओर बाह्याचार पाखंड आदि से युक्त धर्म का स्वरूप है, जो मुख्यतः अभिजातवर्ग और बुर्जुआ वर्ग की तथाकथित संस्कृति का अंग है। दूसरी ओर धर्म का वह स्वरूप है, जो जन-साधारण के 'अभ्युदय' और 'निःश्रेयस' में अपनी मौन भूमिका निभाता रहा है। आंचलिक उपन्यासों में आचरणभ्रष्टता और अनैतिकता से जुड़े तथाकथित धर्म को एकदम अस्वीकार कर दिया है। 'मैला आँचल' में मठ और उससे संबद्ध अनैतिकता का वर्णन, विस्तार से हुआ है[9] और यह सादृश्य है। रेणु दिखाना चाहते हैं कि सदाचार, ईश्वरोपासना और परोपकार आदि के केंद्र माने जानेवाले मठों का वास्तविक रूप क्या है ? नए महंत द्वारा रामपियारी को सार्वजनिक रूप में रखैल के रूप में मान्यता पतन की चरम सीमा है। डॉ. इंदुप्रकाश पांडेय ने मठ और महंत से जुड़े भ्रष्टाचार के इस बयान को यथार्थ की दृष्टि से कमजोर माना है।[10] वस्तुतः ये प्रसंग वास्तविक हैं और सांस्कृतिक मूल्यों के हीनतर दिशा में संक्रमण की गवाही देते हैं। ये बताते हैं कि 'परमार्थ' का स्थान शुद्ध स्वार्थ ने ले लिया है और महंत आदि परलोक सुधारने के बजाय इसी लोक के सारे सुख भोग लेने के लिए कृत-संकल्प हैं। धर्म

का एक सकारात्मक पक्ष यह रहा है कि वहाँ भक्ति या उपासना के स्तर पर 'समानता' की बात कही गई है। 'जात-पाँत' पूछे नहीं कोई/हरि को भजै सो हरि का होई' यह मध्यकालीन भावबोध आज संकीर्णता-ग्रस्त हो चुका है। बड़े-छोटे का भेद संपूर्ण तीक्ष्णता के साथ हमारे सामाजिक जीवन का नासूर बन गया है। धार्मिक संस्थाएँ और धर्म-पुरुष इस भेद का विरोध करना दूर, इसे प्रश्रय और प्रोत्साहन देती देखी जाती हैं, ऐसी स्थिति में दलितों का यह सोचना कि धर्म-परिवर्तन से वे हीनता-मुक्त हो सकते हैं, अमनोवैज्ञानिक नहीं है। 'हजार घोड़ों का सवार' का चैतू इस संबंध में यूँ ही उग्र नहीं है—"जो धर्म हमारी खुशी को मिटाता हो, हमारा खून पीता हो, हमें कुत्ते से बदतर जिंदगी जीने के लिए बाध्य करता हो, उस धर्म में रहने से क्या फायदा।"[11] दलितों में यह नया बोध किसी नई मूल्य-व्यवस्था के प्रभाव या टकराहट से नहीं जन्मा है। यह उनके अपने आत्मालोचन से प्राप्त हुआ है। यह आवेगबहुल निर्णय न होकर स्थितियों के मूल्यांकन के बाद सोच-समझकर एक नए क्रांतिकारी विचार तक पहुँचने का प्रयास है। सोरोकिन ने जिस 'उदग्र गतिशीलता' की चर्चा की है, वह यहाँ द्रष्टव्य है। दलितों के विचार में ममता और समानता की प्राप्ति एक दूसरी सामाजिक व्यवस्था का अंग बन जाने पर ही संभव है। अन्य आंचलिक उपन्यासों में भी धर्म के नाम पर भेदभाव और धर्म के उच्चादर्शों के तुच्छ स्वार्थों में परिणत हो जाने का हादसा वर्णित है। मोहर्रम के करुणार्द्र वातावरण में भी हुसैन अली मियाँ को यह बोध बना हुआ है कि कोई सय्यदजादा किसी मीरासी का बाज् नहीं बन सकता। वे नज्जन मीरासी को सोजखानी की चौकी से गरेबान पकड़कर नीचे उतार देते हैं।[12] स्पष्ट है कि चैतू आदि दलित (हजार घोड़ों का सवार) जिस दूसरे सामाजिक परिवेश में अपनी मुक्ति देखते हैं, वहाँ भी छोटे-बड़े का भेद वैसा ही है। धर्म और ईश्वर का खोखला आतंक सब जगह है। इसीलिए अलगरजिया बाबा का आह्वान है—"तुम सभी गरीबों को ईश्वर और धर्म के खोखले आतंक से मुक्त करो।"[13] यह आह्वान वास्तविक धर्म के लक्षणों—क्षमा, सत्य, प्रेम, पवित्रता आदि की पुनःस्थापना का आह्वान है।

आंचलिक उपन्यासों में कई स्थलों पर दिखाया गया है कि धार्मिक बाह्याचारों से पीड़ितों-शोषितों की यातना में वृद्धि हुई है और उनके मन में यह धारणा बलवती हुई है कि भगवान् केवल अमीरों का है।[14] 'लोहे के पंख' में ईश्वर के अस्तित्व पर ही संदेह व्यक्त हुआ है।[15] जब गरीब सब कुछ लुटाकर इस नतीजे पर पहुँचता है कि ईश्वर नहीं है, पैसा ही ईश्वर है[16], तो यह संस्कारों की गूँज न होकर उसके घावों की चीख जान पड़ती है। ईश्वर के अस्तित्व पर संदेह का अर्थ चरम मूल्य में संदेह करना है।

दुराचार और नकारात्मक मूल्यों से दूर रखने के लिए भारतीय संस्कृति में

अनेक वर्जनाएँ और निषेध दैनिक आचरण के अंग बनाए गए हैं। पुनर्जन्म और कर्मनाद आदि धारणाएँ अनैतिकता और कदाचार के प्रति मनोवैज्ञानिक और नैतिक भय की सृष्टि करते हैं। "पाप का फल अवश्य मिलता है"[17] यह धारणा जनमानस में बैठे प्राकृतिक न्याय में विश्वास को व्यक्त करती है। यह विश्वास न्याय, ईमानदारी, परोपकार, प्रेमभाव आदि धनात्मक मूल्यों का पोषक भी है। आंचलिक उपन्यासों में यह लोकविश्वास प्रायः उपन्यासकारों की जीवन-दृष्टि का हिस्सा बनकर आया है। मार्टिन दंपति का भयानक अंत दिखाकर रेणु पाप के भयानक फल में अपना विश्वास जताते हैं।[18] 'कथा कहो उर्वशी' में जिस तरह धौली की मानसिकता सहज और अनायास स्फूर्त है, वही स्थिति ग्रामीण अंचल के सभी निवासियों की होती है—"...बुरे को दुराचरण का फल मिलकर रहता है। इस बात ने जाने सर्वप्रथम किस युग में धौली के मन में घर कर लिया।"[19] मन में घर कर बैठी यह धारणा एक तरह का मूल्य-निर्णय है और यह कभी सीधे और कभी किंवदंतियों और लोक-कथाओं के व्याज से व्यक्त होता रहता है। 'मैला आँचल' में कमला मैया के माहात्म्य से संबद्ध कहानी में गृहपति की नीयत खराब होने और इसके फलस्वरूप उसका वंश-नाश भी प्रकारांतर से पापी को फल मिलने की सूचना देता है। 'कब तक पुकारूँ' में अन्यायी रुस्तम खाँ और उसके अन्याय की शिकार प्यारी दोनों रोग ग्रस्त होने पर एक ही नतीजे पर पहुँचते हैं कि यह यंत्रणा उनके पाप का फल है। रुस्तम खाँ का विचार है—"मैंने जो कुछ किया है, वह सब मेरी नापाक जिंदगी की लंबी-काली फेहरिश्त है।"[20] प्यारी का सोचना है—"थोड़ा सा पाप किया था प्यारी ने कि वह इसके संग आके रही थी, सो भगवान् ने उसका भी संग ही दंड दे दिया।"[21] 'सोनामाटी' के खुबवा का विश्वास है कि अन्याय नहीं फलेगा।[22] महंत सेवादास का अंधा होना (मैला आँचल), दीनदयाल का दयनीय स्थिति को प्राप्त होना (जल टूटता हुआ), निरोती बामन की दुर्गति (कब तक पुकारूँ), शोषकों की पराजय (वरुण के बेटे) आदि प्रसंग भी सत्यापित करते हैं कि पाप का फल मिलना अनिवार्य है। जब भी सामाजिक न्याय की आशा नहीं होती, दलित और उत्पीड़ित व्यक्ति ईश्वरीय न्याय का मुँह जोहने लगता है। गोमती (कगार की आग) गजार देवता के थान पर अक्षत फेंक कर मनौती मानती है—जो अन्याय करे उसका नास कर नास।

लोकोत्तर सत्ता (चरम मूल्य) में संदेह

लेकिन उपन्यासकारों ने हर स्थिति में ईश्वरीय न्याय या पाप-पुण्य के फल में विश्वास व्यक्त नहीं किया है। उनके बहुत से चरित्र यह देखकर स्तब्ध हो जाते हैं कि पापी आनंद करते हैं, उनका बालबाँका नहीं होता तथा निरीह पुण्यात्मा कष्ट

पर कष्ट सहता जाता है। ऐसी स्थिति में ईश्वरीय न्याय में उसका विश्वास हिल जाता है। 'कब तक पुकारूँ' में ठाकुरों और पुलिस के अत्याचार से चमारों का मुहल्ला वीरान हो जाता है। भगत जैसे पुरातनपंथी इसे पापों का परिणाम मानते हैं–"...क्योंकि हम रोज पाप करते हैं। भगवान् जिला-जिलाकर दंड देता है।"[23] लेकिन सुखराम को ऐसा नहीं लगता। वह जाति और डंडे के बल पर गरीबों की खाल खींचनेवाले बड़े लोगों को ही पापी मानता है। वह कहता है कि इन पापियों को दंड दिलवाने का प्रयास करूँगा–"यह दुनिया तो ऐसी ही रहेगी, पर पापी को दंड भरना ही होगा।"[24] इसी प्रकार 'हजार घोड़ों का सवार' में चेतू कमेड़ी प्रसंग में पाप-पुण्य का सवाल उठाया गया है। मेघू इन दोनों के आचरण को 'अनाचार', 'महापाप' और समाज पर 'कलंक' मानता है।[25] लेकिन लेखक उनके 'प्रणय' को अनैतिक या पाप नहीं मानता। वह उनके पलायन को 'स्वस्थ जीवन जीने' के निमित्त मानता है।[26] इन उदाहरणों से स्पष्ट है कि जनसाधारण पर परंपरागत मान्यताओं की पकड़ को दर्शाते हुए उपन्यासकारों का मत है कि जहाँ ये मान्यताएँ 'लोकहित' या 'व्यक्तिहित' से संबद्ध हैं, वहाँ तो इनका कुछ महत्त्व है। जहाँ ये शोषक वर्ग का हथियार बनती हैं, वहाँ इन पर पुनर्विचार अपेक्षित है। ऐसी स्थितियों में धर्म, पाप-पुण्य आदि मर्यादाएँ अमूर्त संवेग बनकर रह गई हैं, उनकी हैसियत 'नैतिक प्राप्तिमान' की नहीं है। अतः कहा जा सकता है कि कुछ प्रसंगों में ईश्वर और धर्म से जुड़े मूल्य या तो अप्रासंगिक रह गए हैं या वे 'साध्यमूल्य' के स्थान पर 'साधन मूल्य' मात्र रह गए हैं। लोकोत्तर सत्ता पर जनसाधारण का विश्वास टूट रहा है। इस टूटन को उपन्यासकार का पूरा समर्थन मिला है। 'भूख' अब नया धर्म है और इस धर्म में जातियों का विभाजन नहीं होगा–"...वह धर्म होगा–मनुष्यता, गरीबी...उस धर्म को माननेवाला आदमी जातियों में नहीं बँट सकता।...उस धर्म के विरुद्ध एक और धर्म होगा–अमीरी।"[27]

कुछ समाजशास्त्रियों के विचार में सांस्कृतिक मूल्यों के निर्धारण में अभिजात वर्गीय रुचियों और स्वार्थों का आधिपत्य नहीं होना चाहिए। वर्गीय स्वार्थ के लिए मानवीय मूल्यों पर वर्ग विशेष का दबाव अनुचित है। आंचलिक उपन्यासकारों का सोच उससे बहुत मिलता हुआ है वे लोकसंस्कृति और उससे संबद्ध मूल्यों के कायल इसलिए भी हैं कि उन पर सामंती या पूँजीवादी अभिरुचि का दबाव कम है।

धार्मिक सहिष्णुता और सद्भाव

भारतीय संस्कृति की 'विचारमुद्रा' 'सहिष्णुता' और 'सद्भाव' को महत्त्व देते हुए 'कट्टरता' या 'घृणा' को अस्वीकारने की रही है। धर्म, संप्रदाय आदि के नाम पर किसी भी मानवता विरोधी कृत्य को भारतीय मनीषियों ने समर्थन नहीं दिया है।

आंचलिक उपन्यासों की वैचारिकता भी कमोबेश यही है। धर्म के नाम पर हिंसा और लूटपाट की भर्त्सना 'जल टूटता हुआ', 'आधा गाँव' आदि उपन्यासों में द्रष्टव्य है। कुछ समय पूर्व गाँव की संस्कृति में त्यौहार और उत्सव भिन्न संप्रदाय के लोगों को निकट लाने और भाई चारे के निमित्त थे। 'आधा गाँव' में मुहर्रम केवल मुसलमानों का पर्व नहीं है। मुहर्रम के ताजियों के साथ अहीरों का लट्ठबंद गिरोह चलता था जो उलतियाँ गिराकर रास्ता बनाया करता था। एक विधवा ब्राह्मणी की उलती को बिना गिराए बड़ा ताजिया आगे बढ़ जाता है तो वह आनेवाली मुसीबत के भय से काँप उठती है—"...जरूर कोई मुसीबत आनेवाली है नहीं तो भला ऐसा हो सकता था कि बड़ा ताजिया उसकी उलती गिराए बिना चला जाता।"[28] हिंदू के लिए इमाम साहब पूज्य थे तो मुसलमान के लिए बाबा का मठ भी कम सम्माननीय न था। लेकिन कुछ ही दशकों में यह असांप्रदायिक 'आस्तिकता' का भाव नेपथ्य में चला गया और सबके अपने-अपने भगवान् या खुदा कट्टरतापूर्वक निश्चित हो गए। धर्म और धार्मिक पर्व मेलजोल के बजाय द्वेष और हिंसा के आलंबन बन गए।

'सांप्रदायिकता' की मनोवृत्ति मानवीय मूल्यों में धर्मनिरपेक्षता आदि के विरोध में पड़ती है। सांप्रदायिक शक्तियाँ अपने निहित स्वार्थों के लिए जनसाधारण के आपसी सद्भाव, मेलजोल, मानवीयता आदि को दाँव पर लगा देती हैं। 'मैला आँचल' के 'मेरीगंज' में एक भी मुसलमान नहीं है। लेकिन काली टोपीवाले संयोजक जी कथित म्लेच्छ संस्कृति के विरोध का वातावरण तैयार करने में लगे हैं।[29] हिंदू सांप्रदायिकता का नारा है कि आर्यावर्त्त में केवल शुद्ध हिंदू या आर्य ही रह सकते हैं।[30] मुस्लिम सांप्रदायिकता हिंदुओं की 'सिन्सिआरिटी' को मशकूक मानती है।[31] दोनों जनसाधारण को बेबुनियाद बातों से डराती हैं। हिंदू सांप्रदायिकता के पास सबसे बड़ा उदाहरण औरंगजेब का है, जिसने बहुत से मंदिरों को ढहा दिया था। 'आधा गाँव' का छिकुरिया इस सब पर विश्वास नहीं कर पाता क्योंकि गंगोली में तो मुसलमान जमींदार न केवल दशहरे का चंदा देते थे, बल्कि मठ के बाबा को भी कुछ बीघों की माफी दे रखी थी। वह मास्टर साहब की बात नहीं मानता। रहा औरंगजेब, वह जरूर कोई बदमाश होगा।[32] 'छिकुरिया' उस समूचे जनसाधारण का प्रतिनिधि है, जो धर्म, संप्रदाय की दीवारों को नहीं जानता, लेकिन कुछ पढ़े-लिखे लोग कोंच-कोंचकर उन्हें एक-दूसरे से नफरत करने के लिए तैयार करते हैं। व्यक्तियों के माध्यम से यह दो तरह के मूल्यों का जबर्दस्त संघर्ष है। एक ओर संयोजक जी हरगौरी (मैला आँचल), मास्टर साहब, फारुक आदि (आधा गाँव), समसुद्दीन (परती परिकथा), महीप सिंह, सैयद साहब (जल टूटता हुआ) आदि प्रतिक्रियावादी व्यक्ति हैं, दूसरी ओर धर्मनिरपेक्षता, राष्ट्रभक्ति, आपसी आत्मीयता आदि मूल्यों के संवाहक छिकुरिया, फुन्नन मियाँ (आधा गाँव), खलील (अलग-अलग

वैतरणी), मन्ने (सत्ती मैया का चौरा) आदि चरित्र हैं, जो आदमी-आदमी को लड़ानेवाले हर षड्यंत्र के विरुद्ध हैं। 'सत्ती मैया का चौरा' में लेखक ने साफ तौर पर लिखा है कि यह लड़ाई हिंदू-मुसलमानों की न होकर कुछ राजनीतिक संगठनों की राजनीति का कुफल है।[33]

यह आकस्मिक नहीं कि आमने-सामने खड़ी दोनों सांप्रदायिकताओं का 'सोच' कई बिंदुओं पर मिलता-जुलता है। दोनों ही कल्पित हादसों से जनसाधारण में आतंक पैदा करती हैं और अतीतजीवी हैं। यदि हिंदू सांप्रदायिकता उन मंदिरों की ईंटें गिनने में समय बिता रही है[34] जिन्हें औरंगजेब ने धराशायी किया था और मुस्लिम सांप्रदायिकता 'इस्लाम खतरे में है' की भावना उभार कर मुसलमानों को उत्तेजित करती रही है। वह यह नहीं भूलना चाहती कि मुसलमान खालिद बिन वलीद और मुहम्मद बिन कासिम की औलाद है।[35] दोनों तरह की सांप्रदायिकता अपने विरोधी संप्रदाय के सदस्यों की तुलना में अपने संप्रदाय के उन लोगों को खतरनाक मानती है जो पारस्परिक सौहार्द में विश्वास रखते हैं। यदि हरगौरी यवनों का पक्ष लेनेवाले हिंदुओं से क्षुब्ध है[36] तो मुस्लिम लीगी नौजवान हाजी गफूर जैसे मुसलमानों से क्रुद्ध होते हैं। एक समय मौलाना अब्दुल कलाम आजाद जैसे राष्ट्रवादी मुसलमानों को क्या कुछ नहीं सुनना पड़ता था। 'तमस' (भीष्म साहनी) में भी मुस्लिम सांप्रदायिकता के इस पहलू को मौलादाद के माध्यम से प्रस्तुत किया गया है।[37] दोनों प्रकार की सांप्रदायिकता का नेतृत्व प्रायः अभिजात वर्ग के हाथ में है, जो स्वयं नहीं लड़ता, अपने वर्गहितों के लिए साधारण जनता को लड़ाता रहता है। इस सत्य को 'जल टूटता हुआ' का सुग्गन मास्टर समझता है। महीपसिंह और सैयद साहब धर्म के नाम पर लोगों को लड़ा देते हैं–"कितने लोग धर्म के नाम पर मरे किंतु धर्म के रक्षक बाबू साहब और सैय्यद साहब धर्म की रखवाली में घर में ही पड़े रहे ···धर्मात्मा बने हुए। उन्हें न चोट आई, न उनके परिवारों का कोई आहत हुआ और धर्म की रक्षा हो गई।"[38] स्वार्थ ऐसे व्यक्तियों के लिए चरम मूल्य है। स्वार्थ के लिए ऐसे व्यक्ति पास पड़ोस, राष्ट्र, सच्चाई, ईमानदारी आदि को तिलांजलि देने से नहीं हिचकते। 'परती परिकथा' का समसुद्दीन फर्जी दावा खारिज होने पर अल्पसंख्यकों के शोषण की दुहाई देने लगता है[39] लुत्तो जैसे कांग्रेसी 'पॉलिटिक्स' के नाम पर इस हथकंडे का समर्थन करते हैं।[40] कतिपय समझदार मुसलमान भी परिस्थितिवश सांप्रदायिक विचारों से लैस हो जाते हैं।[41]

सांप्रदायिक उन्माद ने जहाँ देश का बँटवारा कराया, वहीं असीम धन और जनहानि के लिए वह जिम्मेदार रहा। थोड़ी देर के लिए सांप्रदायिकता-विरोधी शक्तियाँ असहाय दिखाई दीं, लेकिन वे समाप्त नहीं हुईं। दोनों संप्रदायों में कुछ लोग निश्चय ही समझदार थे।

आंचलिक उपन्यासों में जहाँ धर्म लोक संस्कृति का अंग है, वहाँ उसकी

भूमिका 'अफीम' या 'पोटेशियम साइनाइड' जैसी नहीं है। आस्तिकता सहित अनेक लोकविश्वास किसी को आहत नहीं करते बल्कि दुखदग्ध जनसाधारण को जब तब संबल और आश्रय देते हैं। हालाँकि यह संबल एक मनोवैज्ञानिक प्रतिरक्षा से अधिक नहीं है, फिर भी इसमें न तो मूल्यों और उच्चादर्शों की गिरावट दिखाई देती है और न इस प्रकार का धर्म 'अमानवीयकरण' की ओर बढ़ानेवाला है। जब धर्म का निर्धारण कुछ व्यक्तियों विशेषतः अभिजात और संपन्न वर्ग के स्वार्थों के अनुरूप होने लगता है तो वह अमानवीयता और खूनखराबे का पर्याय बन जाता है। जबकि लोकजीवन में कई स्तरों पर हिंदू मुस्लिम का भेद नहीं है। पूर्वी उत्तर-प्रदेश में हिंदू घरों में रज्जे बाबा और पाँचों पीर का पूजन बताता है कि धार्मिक सहिष्णुता कोई नई अवधारणा नहीं है।[42] 'सूरज किरण की छाँव' में नेहरू जी के साक्ष्य से धर्म सद्भाव और धर्मनिरपेक्षता का समर्थन किया गया है।[43]

डॉ. विश्वंभरनाथ उपाध्याय के अनुसार "....असली भारतीय संस्कृति मनुष्य की स्वच्छंदता की साधना में है। यह आजादी समाज, व्यक्ति आदि प्रत्येक स्तर पर होगी और स्तर और व्यक्ति एक नहीं अनेक हैं। वहाँ स्वच्छंदता में अराजकता न होकर, दूसरों की स्वच्छंदताओं का आदर भी उक्त धारणा में स्वीकृत होगा।"[44] भारतीय संस्कृति में 'धार्मिक सहिष्णुता' इसी आजादी का परिचय देती है। दूसरों के धार्मिक विश्वासों को खारिज करना और खूनखराबे पर उतर आना उक्त सहिष्णुता का खुला उल्लंघन है और एक नकारात्मक मूल्य का आभास देता है। आंचलिक उपन्यासों में धार्मिक कट्टरता और दुराग्रह का विरोध इसी नकारात्मकता का विरोध करते हुए 'सहिष्णुता' को सकारात्मक मूल्य के तौर पर व्याख्यायित किया गया है। यहाँ उपन्यासकारों का मूल्यबोध 'वास्तविकता' की प्रतिक्रिया है सहज और प्रगतिशील प्रतिक्रिया। वास्तविक जगत् में मूल्यों का संक्रमण उच्चादर्शों से नीचता और टुच्चेपन की दिशा में हुआ है। इस अवमूल्यन को देखकर आधुनिक मनुष्य का 'समग्र परंपरागत सांस्कृतिक प्रवाह'[45] के प्रति संशयग्रस्त होना स्वाभाविक है। लेकिन आंचलिक उपन्यासों में इस तरह का संशय प्रायः नहीं है। उपन्यासकारों का निर्भ्रांत मत है कि धर्म के क्षेत्र में समानता, सहिष्णुता, सद्भाव आदि मूल्यों की ओर प्रयाण श्रेयस्कर है। जिस मिश्रित संस्कृति (कम्पोजिट कल्चर) की चर्चा स्वातंत्र्योत्तर भारत में बहुत हुई है, उसका एक पक्ष—सर्व धर्म सद्भाव, इन उपन्यासों में खास तौर पर रेखांकित हुआ है।

मानवीय स्वतंत्रता और मानवीय हित का आह्वान

आंचलिक उपन्यासों में कथित संस्कृति की आड़ में शोषण, ऊँच-नीच, स्वार्थ आदि नास्ति मूल्यों को गौरवान्वित करने का प्रयास नहीं हुआ है। 'मानवहित' का भाव

यहाँ सर्वाधिक स्पष्ट और प्रबल है। कुछ उपन्यासों में यह कम महत्त्वपूर्ण नहीं कि अभावग्रस्त मजदूर अपने स्वार्थ को मजदूर भाइयों के लिए गद्दारी का पर्याय समझता है।[46] आर्थिक दृष्टि से बहुत कमजोर तबका भी दूसरों का पेट काटने के षड्यंत्र में सम्मिलित नहीं होता।[47] 'बाबा बटेसरनाथ' में दृढ़तापूर्वक कहा गया कि परोपकार के लिए जीना ही जीना है।[48] परमार्थ में जो विघ्न डालते हैं, वे वास्तविक अर्थ में मनुष्य नहीं हैं–"मानुस जन्म पाकर हम परमारथ के बदले सोआरथ देखें तो इससे बढ़कर क्या पाप हो सकता है ? परमारथ में जो 'विघिन' डालते हैं वे मानुस नहीं।"[49] इन पंक्तियों में 'परहित सरिस धर्म नहीं भाई' की नैतिक गूँज के साथ-साथ मानव-मानव के बीच किसी प्रकार के अमानवीयकरण का स्पष्ट निषेध भी है। गरीबी और गुलामी में जीता हुआ व्यक्ति भी इंसान बना रहता है–"हुकूमत और दौलत उसकी असलियत उससे छीन लेती हैं और वह असलियत है इंसानियत।"[50] पहला काम है जानवर बन गए आदमी को इंसान बनाना।[51] इन सभी उदाहरणों से इन उपन्यासों के मानवीय बोध की पुष्टि होती है और 'साबार ऊपर मानुष सत्य' का समर्थन होता है।

अधिकतर आंचलिक उपन्यासों में मेहनतकश वर्ग मानव विरोधी धार्मिक बेड़ियों और कथित आध्यात्मिक मूल्यों से उबरने की कोशिश में है। अपनी स्थितियों की वायवीय या आध्यात्मिक व्याख्या से उसका समाधान नहीं होता। लेकिन अधिसंख्यक जनसमुदाय 'धर्म' के आततायी और अमानवीय रूप से अवगत होते हुए भी ईश्वर के अस्तित्व में अपने विश्वास को नहीं छोड़ पाया है। एक अजीब-सी द्वंद्वात्मक स्थिति है। बोध के स्तर पर लोग भाग्य, नियति, आस्तिकता की अर्थहीनता का अनुभव कर रहे हैं लेकिन संस्कारवश या भावना के स्तर पर उन्हें सर्वथा अस्वीकार नहीं कर पाते। संभवतः इसीलिए ईश्वर का एकांत निषेध या धर्म की निरर्थकता का प्रतिपादन आंचलिक उपन्यासों में बहुत दृढ़ता के साथ नहीं हो सका है। बल्कि कुछ कृतियों में धर्मस्थानों के पुजारियों को वर्गसंघर्ष के सहायक या मानवीयता के संरक्षक तत्त्वों के रूप में सम्मान दिया गया है। 'अलगरजिया बाबा' (हजार घोड़ों का सवार), पुजारी जी (जंगली सुअर), महंत (सोनभद्र की राधा) आदि चरित्र इस संदर्भ में देखे जा सकते हैं। इनकी बदली हुई भूमिका को पुजारी (परती परिकथा), महंत (मैला आँचल) आदि के कृत्यों की तुलना में देखने पर साफ़ लगता है, मूल्यों के संक्रमण की दिशा व्यक्तिवादी और समाजविरोधी मूल्यों से मानवतावादी और नैतिक मूल्यों की ओर है।

मानवीय स्वतंत्रता और लोक हित का सीधा संबंध नैतिक मूल्यों से है। भारतीय मनीषा ने शौच, संयम, वैराग्य, सत्य और अहिंसा–इन पाँच नैतिक मूल्यों को सर्वोच्च माना है।[52] ये मूल्य 'व्यक्ति' के बृहत्तर सरोकारों से जुड़ने के सूचक हैं। मार्क्सवाद का सूत्रवाक्य इस संदर्भ में द्रष्टव्य है–"मानवीय स्वतंत्रता ही समस्त

नैतिक मूल्यों की बुनियाद है; मानवीय कल्याण ही सर्वोच्च शुभ है।"[53] कई उपन्यासों में इस सर्वोच्च 'शुभ' को मान्यता दी गई है और कई हीनतर मूल्यों का पर्यवसान 'मानवीय कल्याण' में हुआ है। मैला आँचल में तहसीलदार साहब का हृदय परिवर्तन चौंकानेवाला है लेकिन वह मूल्य-संक्रमण की दृष्टि से आकस्मिक नहीं है। बदलते युग की आहट सुनकर और आंतरिक दबाववश सामंती मनोवृत्ति के तहसीलदार और जित्तन आदि एक स्वस्थ और मानवीय दिशा की ओर मुड़ जाते हैं। तहसीलदार को मालूम है लोग उसे पागल समझेंगे क्योंकि हड़पी हुई जमीन लौटा देना अनहोनी है–"ठीक है पागल क्यों नहीं समझोगे···जमीन।···धरती। एक इंच जमीन के लिए हायकोठ तक मुकदमा लड़ते हैं लोग। और मैं सौ बीघे जमीन दे रहा हूँ···।"[54] उनके इस निर्णय से मुर्दा चेहरों पर लौटती लाली दिखाकर रेणु 'शोषण' के अवमूल्य को समाप्त करने की एक दिशा सुझाते हैं। जित्तन भी सामंत वर्ग के अवमूल्यों–शोषण, अपहरण आदि के स्थान पर 'त्याग', 'बंधुत्व' आदि मूल्यों को व्यवहार में लाता है और बहुत से गरीबों को यूँ ही जमीन दे देता है।[55] संभव है, इस तरह का हृदय-परिवर्तन 'सर्वोदय' की विचारधारा के प्रभाव से हुआ हो। लेकिन 'लोकऋण', 'सोनामाटी' आदि उपन्यासों से स्पष्ट है कि हृदय परिवर्तन का यह दौर क्षणिक और सीमित रहा होगा। नव-सामंत वर्ग केवल 'स्वार्थ' और 'शोषण' के संदर्भ में सोचता और करता है; 'मानवीय कल्याण' की चिंता उन्हें दूर-दूर तक नहीं है। रेणु के अतिरिक्त संभवतः किसी अन्य आंचलिक उपन्यासकार को सामंतों की मानवीय सदाशयता पर विश्वास नहीं है। अपनी स्वतंत्रता और हित-कामना का भाव अब जनसाधारण को 'उपहार' में नहीं मिलता। वह उसके अपने भीतर से उग रहा है। पिछड़े अंचलों के शोषित जन और शिक्षित युवा अब 'अत्याचार', 'आतंक' और 'शोषण' को सहन करने के लिए तैयार नहीं हैं। 'अलग-अलग वैतरणी' में सरूप भगत का यह कहना कि हम आपके गुलाम नहीं हैं[56], शोषितों में अपने अधिकारों की चेतना का प्रमाण है। इसी तरह विपिन के अत्याचार विरोध पर खलील मियाँ की टिप्पणी संभावनासूचक है :

"यह एक नई किस्म की आँधी है बब्बन बेटा ! जिसमें गर्द नहीं, गर्मी होती है। इसकी आँच में तमाम पुख्ता दीवालें गल जाती हैं, जो इंसाफ के रास्ते में रुकावट बनकर खड़ी होती है।"[57]

मानवीय मूल्यों के संक्रमण के एक छोर पर बद्रीबाबू (राग दरबारी) हैं, जो 'इंसानियत' को मनुष्य की कमजोरी मानते हैं, दूसरा सिरा विपिन (अलग-अलग वैतरणी) है, जो मानव-विरोधी मूल्यों के विरोध में सक्रिय है। दोनों तरह के संक्रमण को दर्शाते हुए उपन्यासकारों ने अवमूल्य से मानवीय कल्याण से जुड़े मूल्यों–न्याय, समता आदि की दिशा में हुए संक्रमण को अपना समर्थन दिया है।[58]

लोक सांस्कृतिक तत्त्व एवं मानवीय मूल्य

अधिकतर आंचलिक उपन्यासों में लोक सांस्कृतिक तत्त्वों का समावेश इस समझ के साथ हुआ है कि लोक संस्कृति लोकजीवन के यथार्थ का ही नाम है।[59] प्रायः उन्हीं संदर्भों को महत्त्व दिया गया है, जो लोकजीवन को संघर्ष में शक्ति देते हैं, सामूहिकता देते हैं।[60] जिन उपन्यासों में उपन्यासकार की दृष्टि रोमानी और यायावरी है, वहाँ अवश्य ये तत्त्व उपन्यासकार की बहुज्ञता के साक्षी मात्र हैं। 'ब्रह्मपुत्र' के संबंध में कहा गया है कि लोकसाहित्य के प्रति विशेष अनुराग होने से सत्यार्थी अपने आंचलिक समाज का यथार्थ-चित्रण नहीं कर सके हैं।[61] बहुत से उपन्यासों में ये तत्त्व 'कथ्य' में संश्लिष्ट एवं अन्तर्भुक्त हैं। इस संबंध में डॉ. रामदरश मिश्र ने लिखा है—"ग्रामजीवन के गहरे सरोकारों से विच्छिन्न करके जो लोग ग्रामजीवन की प्रकृति, मौसमों, पर्वों, गीतों आदि की योजना करते हैं, वे केवल आंचलिक रंगत प्रदान करते हैं। मैंने अपने उपन्यासों में ग्रामजीवन के गहरे राजनीतिक-सामाजिक-आर्थिक प्रश्नों के साथ इन्हें जोड़कर लोकसंस्कृति की पहचान करनी चाही है।"[62] न केवल 'जल टूटता हुआ' अपितु 'मैला आँचल', 'जंगल के फूल', 'सोना माटी', 'आधा गाँव', 'अलग-अलग वैतरणी', 'असगाँव-पसगाँव' आदि अनेक आंचलिक उपन्यासों में 'आंचलिक रंगत' को साध्य नहीं माना गया है। इन सभी उपन्यासों में 'लोक-तत्त्व' व्यापक विचार मंथन मूल्य-संकट और सांस्कृतिक संक्रमण को व्यक्त करने का माध्यम बनकर अन्तर्भुक्त हैं।

ग्राम-संस्कृति मुख्यतः कृषि-संस्कृति है और इसे ही भारतीय संस्कृति का पर्याय मानना असंगत नहीं है।[63] इस दृष्टि से देखने पर यह असंगत नहीं लगता कि अधिकतर लोकोत्सव, पर्व, लोकगीत एवं लोककथाएँ 'कृषि' से कहीं न कहीं जुड़ी हुई हैं। 'परती परिकथा' में 'सुन्नारि नैका' और 'दंता राकस' की कथा को 'रेणु' ने बंजर-धरती को उपजाऊ बनाने के प्रयासों से जोड़कर उसका एक नया भाष्य प्रस्तुत किया है। दंता राक्षस, आधुनिक वैज्ञानिक संयंत्र है और 'सुन्नारि नैका' और कुछ नहीं आधुनिक विकास-योजना है।[64] यह व्याख्या 'अंधविश्वास' के 'तर्क' में और मानवेतर शक्ति के विश्वास के मानवीय 'श्रम' में आस्था में संक्रमित होने की गवाही देती है। लोककथा और उसकी आधुनिक व्याख्या दोनों में एक चीज समान है। वह है प्रयोजनीयता। यह प्रयोजन 'पानी' अर्थात् जीवन से सीधे संबद्ध है। आंचलिक उपन्यासकारों ने लोक-पर्वों, लोकगीतों आदि में प्रयोजनीयता को बराबर रेखांकित किया है। प्रयोजनीयता ही मूल्यों का निर्धारण करती है और मूल्य प्रयोजन तथा संस्कृति में अटूट संबंध होता है।[65] 'नदी फिर बह चली' में आई एक 'लोककथा'[66] को नए ढंग से व्याख्यायित नहीं किया गया है, लेकिन आत्मतुष्टि या स्वार्थ के हीन या नास्तिमूल्य की अवमानना का प्रयोजन

उसमें स्पष्ट है। इस तरह की लोककथाएँ दर्शाती हैं कि कतिपय सकारात्मक मूल्यों की स्थिति यथावत् है और यदि संक्रमण हुआ भी है तो वह इतना धीमा है कि परिवर्तन स्पष्ट तौर पर नहीं दिखाई देता।

'ब्रह्मपुत्र' में दबूर पूजा के त्यौहार का वर्णन, 'जल टूटता हुआ' में दशहरे के मेले का संदर्भ, 'मैला आँचल' में जाट-जट्टिन लोकनृत्य, 'अलग-अलग वैतरणी' में देवी के मेले की चर्चा और 'सोनामाटी' में विभिन्न लोकाचारों और 'झिरहिरी' का प्रकरण, जहाँ कृषि संस्कृति से सीधे संबद्ध हैं, वहीं वे लोकमानस में विद्यमान मूल्यों से परिचय कराने के साथ-साथ 'तब' और 'अब' की तुलनात्मक स्थिति को भी रेखांकित करते हैं। मीरी बस्ती में दबूर पूजा के पीछे धारणा यह है कि यदि इंद्र की दो बार पूजा न की गई तो इतनी वर्षा होगी कि त्राहि-त्राहि मच जाएगी। दबूर-नृत्य में गाए जानेवाले लोकगीतों में न केवल अच्छी कृषि के लिए प्रार्थना है अपितु प्रेम, मित्रता, सद्भाव आदि मूल्यों की प्रतिष्ठा की चेतना भी है। इंद्र देवता को संबोधित लोकगीतों में कहा गया है—"....धरती धानवती हो। स्त्रियाँ पुत्रवती हों। गाँव में सुख शांति रहे। धान-धान से मिले। आदमी-आदमी से मिले। कोई किसी से शत्रुता न करे। कोई किसी से ईर्ष्या न करे।"[67] 'जल टूटता हुआ' में दशहरे के दिन बच्चे नीलकंठ से सीता तक संदेश ले जाने का गीत गाते हैं।—"नीलकंठ निलबारी बारी/सीता से कहिह भेंट अँकवारी/हमार नाँव किसन मुरारी।"[68] इस गीत की व्याख्या करते हुए उपन्यासकार ने लिखा है—"सीता कैद है, रावण के यहाँ, आज ही मुक्त होगी। सीता धरती की बेटी है, धरती की बेटी कैद है, धरती के शोषक के यहाँ। धरती के बेटे बेचैन हैं, अपनी बहन से मिलने के लिए, उन्हें मालूम है कि राम आज उद्धार करेंगे सीता का। भेंट अँकवार कह देना सीता से ओ भाई नीलकंठ ! तुम्हीं कह सकते थे, परिंदे हो और शिव के प्रतिरूप हो।"[69] इस व्याख्या में कई महत्त्वपूर्ण संकेत छिपे हुए हैं। ग्रामवासियों के लिए परंपरागत दशहरा एक तरह से शोषण मुक्ति का पर्व है। धरती पुत्री सीता तो शोषक के पंजे से मुक्त हो गई थी लेकिन धरती पुत्री की बहुत सी धरती आज भी शोषकों के चंगुल में है। स्थिति के इस विपर्यय के बावजूद लोकजीवन में 'शोषण' सरीखे नास्ति मूल्य को खारिज करने तथा समानता-समता स्थापित होने का आशावाद सबल है। वास्तविक स्थिति शोषण की भयावहता को दिखाते हुए जन-मन में संचित शोषण-मुक्ति की आकांक्षा को व्यक्त करना नकारात्मक मूल्यों की ओर से सकारात्मक और मानवीय मूल्यों की ओर प्रयाण करना है। गाँव और शहर में 'नीलकंठ' की दो भिन्न-भिन्न स्थितियाँ दो भिन्न मूल्य-मर्यादाओं की सूचक हैं—"किंतु यह नीलकंठ शहरों में बंद कर लिया गया है। बहेलिया उसे पिंजड़े में बंद करके दर-दर घुमाता है और धर्मप्राण नगर जन दर्शन करते हैं, अपने पाप-ताप का शमन करते हैं...बहेलिए का नीलकंठ दो पैसे में धर्म बाँटता फिर रहा है।"[70]

'आस्था' की 'व्यावसायिकता' और दिखावे में यह परिणति उच्चादर्शों के हीनतर दिशा में संक्रमण की द्योतक है।

'लोकऋण', और 'सोनामाटी' में उपन्यासकार इस सत्य की ओर संकेत करता है कि औद्योगिक विकास और वैज्ञानिक प्रगति ने लोकजीवन की लय को बिगाड़ दिया है। फलतः, युद्ध मानव-संस्कृति के दर्शन अब आदिवासियों में ही किए जा सकते हैं।[71] कृष्णा अग्निहोत्री कृत 'नीलोफर' भी इस दृष्टि से द्रष्टव्य है। आंचलिक उपन्यासों में लोकपर्वों और उत्सवों के संदर्भ में पर्यावरण असंतुलन और प्रदूषण की चर्चा भी हुई है। प्रदूषण के फलस्वरूप नदी, तालाब आदि सूख चले हैं और उनके साथ ही पर्वों का उल्लास समाप्तप्राय है। कुछ व्यक्तियों की स्वार्थी मनोवृत्ति ने भी गाँव के सांस्कृतिक उल्लास को नष्ट किया है। 'लोकऋण' में तालाब पर कब्जे और बनगंगी महादेव की उपेक्षा का परिणाम यह होता है कि खिचड़ी अमावस्या के पर्व पर बक्सर जानेवाला दल अब गाँव में नहीं आता।[72] 'सोनामाटी' में बरसात के दिनों के आयोजन 'झिरहिरी' का विशद वर्णन है, 'झिरहिरी' के मंच पर शत्रु भी एक साथ बैठते और गाते हैं। 'झिरहिरी' का अर्थ है, थोड़ी देर के लिए ही सही आत्मीयता, आपसीपन और रागात्मकता की अभिव्यक्ति। लेकिन उपन्यासकार ने यह दिखाया है कि आज के अभावग्रस्त परिवेश में 'झिरहिरी' भी औपचारिकता मात्र बनकर रह जाती है–"झिरहिरी तो जोर लगाकर ला दिया पर वह पहलेवाला उल्लास कहाँ से लाएँ।"[73] इसके बावजूद 'झिरहिरी' जैसे उत्सव इस बात के प्रमाण हैं कि कुछ स्वस्थ और सही मूल्यों के प्रति निष्ठा कमोबेश बची हुई है। 'सोनामाटी' में लोकाचारों का विस्तार से वर्णन हुआ है और इसके माध्यम से हमारी सांस्कृतिक मान्यताओं की पहचान हो सकी है। कमली के विवाह के प्रारंभ में 'मानर पूजा' अर्थात् चमारिन की डुग्गी की पूजा वस्तुतः 'श्रम' की पूजा और सम्मान का प्रमाण है। इसी तरह विवाह के आयोजन में नाई, सेनुहरवा आदि की उपस्थिति[74] जताती है कि तमाम वर्णभेद और जाति-भेद के मध्य 'सहयोग', 'सद्भाव' आदि मूल्य गौरवान्वित होते रहे हैं। रामरूप को विवाह और उससे संबद्ध नेग आदि सांस्कृतिक शोषण व्यापार के अंग नहीं लगते। शोषण व्यापार में नाई, पंसारी, चमारिन आदि का क्या काम ? बल्कि उपन्यासकार का विचार है–"भला ये मांगलिक मौके न होते तो इस युग में हम अपनी सामाजिक पहचान शायद एकदम भूल जाते।"[75] सचमुच इन पर्वों और लोकाचारों के माध्यम से हमारे सामाजिक-सांस्कृतिक मूल्यों की पहचान होती रहती है और व्यक्तिगत क्षुद्रताओं और तुच्छताओं को उभरने का अवसर नहीं मिलता। आंचलिक उपन्यासों में लोकपर्वों, लोक-साहित्य आदि का समावेश उपन्यासकारों की बहुज्ञता या लोकजीवन से उनके निकट संपर्क का गवाह मात्र नहीं है, यह उनके लोकोन्मुखी मानवीय दृष्टिकोण की अभिव्यक्ति का सफल माध्यम भी है। 'अलग-अलग वैतरणी' में

उपन्यासकार का यह निष्कर्ष लोकजीवन में प्रचलित मिथकों और आख्यानों से छनकर आया है–"जब शिवत्व तिरस्कृत होता है, व्यक्ति के हक छीने जाते हैं, सत्य और न्याय अवहेलित होते हैं, तब जन-जन के आँसुओं की धारा वैतरणी में बदल जाती है। नरक की नदी बन जाती है।"[76] शिव के आँसुओं से वैतरणी का बनना लोक-प्रचलित सत्य है।

आंचलिक उपन्यासों में लोकजीवन में अपसंस्कृति के प्रसार और क्षमा, त्याग, सहयोग, धैर्य, सद्भाव आदि मूल्यों के संकटग्रस्त होने को चिंता के साथ देखा गया है। औद्योगीकरण और मशीनीकरण ने लोक पर्वों को नष्ट और पुराने मूल्यों को आहत किया है लेकिन इसका एक दुष्प्रभाव यह हुआ है कि मनुष्य की प्रवृत्तियों और आवेगों पर से मूल्यों का नियंत्रण हट गया है। लोक पर्वों और त्यौहारों के कम होते जाने से इन आवेगों के उदात्तीकरण की प्रक्रिया भी अवरुद्ध हुई है। इन सबने नास्ति मूल्यों को पनपने का अवसर दिया है। पूरनचंद्र जोशी के अनुसार–"मनुष्य और मनुष्य-समाज मूल्यों या संस्कृति के बिना पशु और पशु समाज के कितना निकट है, इस तथ्य का ऐसे संकटकाल में ही निकटता से अनुभव होता है।"[77] 'मैला आँचल' में तहसीलदार साहब निरंतर नगर के संपर्क में हैं, कृषि संबंधी नई प्रौद्योगिकी–ट्रैक्टर पंप आदि से परिचित हैं, उसके इस्तेमाल के नाते लोगों में चर्चा के केंद्र बनते हैं। "तहसीलदार साहब इस बार टक्टर खरीद रहे हैं...आदमी की क्या जरूरत ? पानी का पंपू आवेगा। इंदर भगवान की खुशामद की जरूरत नहीं।...जब इंदर भगवान को ही नून-नेब चटा रहे हैं तहसीलदार साहेब, तो आदमी उनके हुजूर में क्या है ?"[78] तहसीलदार का उत्पादन के साधनों पर एकाधिकार उसे धूर्तता, अत्याचार, बेईमानी आदि अवमूल्यों या नास्ति मूल्यों से युक्त कर देता है। 'सोनामाटी' के हनुमानप्रसाद का स्वच्छंद आचरण भी नास्ति मूल्यों के उभार का द्योतक है। ये गैर मूल्य उनकी संतान में और प्रखर हो गए हैं कि क्योंकि वह राजनीतिक कुटिलता और शहरी मानसिकता के संपर्क में अपेक्षाकृत अधिक रहा है। ऐसे व्यक्ति को यदि विवाह संबंधी लोकाचार 'बदतमीजियाँ' लगते हैं तो यह अस्वाभाविक नहीं है–"ह्वाट ए शेम ! मैं एसेम्बेली में कोश्चन उठाऊँगा। यह सब बदतमीजियाँ गाँवों में बंद होनी चाहिए। यह कैसा जंगली कल्चर है ?"[79]

लोक संस्कृति के तत्त्वों को 'जंगली कल्चर' कहना उस मूल्य-संक्रमण का परिचायक है, जिसके तहत मानवीय उल्लास, निष्कपटता, वर्जनाविहीनता की परिणति एक कृत्रिम गंभीरता और सभ्यता में होती गई है। यह कथित सभ्यता हर तरह के अनाचार को अपने में छिपाए हुए है और उसे मुक्त लोक संस्कृति के कुछ तत्त्व अश्लील और भदेस लगते हैं। आंचलिक उपन्यासकारों ने स्पष्ट किया है कि लोक-संस्कृति 'जंगली कल्चर' न होकर वस्तुतः जंगलियों को सुसंस्कृत और

मानवीय बनाने का कार्य करती रही है। 'जंगल के फूल', 'लोकऋण', 'मैला आँचल' और 'नीलोफर' में आए आदिवासी कथित सभ्यों की तुलना में अधिक सुसंस्कृत और मानवीय गुणों से संपन्न हैं।

लोकगीतों, लोककथाओं और लोकनाट्यों में दमित-उत्पीड़ित जनसमुदाय का हृदय खोलकर रख दिया जाता रहा है। यही कारण है कि घोर अभाव और शोषण के मध्य ये लोकतत्त्व इन जनसमुदाय को बहुत राहत पहुँचाते रहे हैं। आंचलिक उपन्यासकारों ने लोकगीत आदि का उपयोग जहाँ अंचल को उसकी समग्र सांस्कृतिक धरोहर के साथ उभारने में किया है, वहीं जनसमुदाय को विरासत में प्राप्त मूल्यों का बोध कराने में भी इनकी भूमिका महत्त्वपूर्ण है। अधिकतर वे ही लोकगीत उल्लिखित हैं, जिनमें अन्याय, शोषण और असमानता की भयावहता को दर्शाते हुए 'मुक्ति' की छटपटाहट व्यंजित है। 'मैला आँचल' में बिकटा ने पटवारी, चौकीदार आदि के हाथों जनसाधारण के उत्पीड़न को बहुत हल्के-फुल्के ढंग से कह दिया है :

थारी बेंच पटवारी के दे लियै
लोटा बेंच चौकीदारी
....
कहे कबीर सुनो भाई साधो
सब दिन करी बेगारी।[80]

जिंदगी भर बेगार करनेवाले, अपढ़ गँवार और अर्द्धनग्न और टूटी झोंपड़ीवाले लोग यदि विद्यापति के गीतों और लोकगीतों में जिंदगी का 'मधुरस'[81] पाते हैं तो यह आकस्मिक नहीं है। जब अन्याय और अधर्म का प्रतिकार करने में लोग असमर्थ रहते हैं तो ये लोकगीत 'विरेचन' का कार्य करते हैं। 'जल टूटता हुआ' में लोकगीत का उपयोग लोगों में 'न्याय', 'धर्म' के समर्थन का भाव जगाने के लिए किया गया है। कुंजू बीच बाजार में गाता है :

कि अइहो लोगवा
रोवे ले जिनगिया
जुलुमवा की छइयाँ कि अइहो लोगवा
काँपे ले नियाउ
और धरमवा की गइया कि अइहो लोगवा !
पान खा के, छुरिया छिपा के बेइमनवाँ
हँसेला कसइया कि अइहो लोगवा।[82]

इस गीत में आए 'कसाई' और 'गाय' के बिंब द्वारा शोषक वर्ग की क्रूरता को उभार कर नकारात्मक मूल्यों के वचस् को रेखांकित किया गया है। लेकिन वेदना के साथ ही सही, इन अवमूल्यों के प्रति विद्रोह का भाव भी उपर्युक्त लोकगीत

में है। स्पष्ट है कि लोकसंस्कृति में शोषक शक्तियों के सामने निरीह समर्पण नहीं है। सतीश ने इस गीत का उपयोग पंचायत के चुनाव में मानवीय मूल्यों की पक्षधरता हेतु किया है। उसी के शब्दों में–"कुंजू ने अपने संगीत के जादू से जो कुछ कहा है, वह कटु यथार्थ है···इसलिए आप लोग सोच समझकर वोट दें, पंच चुनें··· ।"[83] यह कथन तथ्य चेतना के विपरीत न्याय, समानता आदि मूल्यों की ओर जनभावना के संक्रमण की आवश्यकता पर बल देता है। 'बलचनमा' में किसानों की सभा में जो गीत गाया जाता है, वह भी संभवतः लोकगीत ही है। इस गीत का उपयोग ग्रामीणों में शोषण-विरोधी चेतना जाग्रत करने के लिए किया गया। नागार्जुन ने इसके माध्यम से दर्शाया है कि अब शोषकों के 'अन्याय' और 'बेईमानी' को अस्वीकारते हुए खेतिहर मजदूर न्याय, समता, स्वतंत्रता आदि महत्तर मूल्यों के लिए संघर्षरत है :

करजा करि के खेती कैलू, मरि गेलइ सब धान
रे, फिकरिया मारलक जान !
बैल बेचि रजवा के दूलूँ, छोड़ए नहिं बइमान
जमींदार के जुलुम रोकड, चेत भाई किसान [84]

कई अन्य आंचलिक उपन्यासों में भी भाग्यवाद, गुलामी, कायरता आदि को झटककर 'श्रम', 'पुरुषार्थ' और 'साहस' से भरपूर जिंदगी बिताने का आह्वान है।[85] ऐसे स्थलों पर उपन्यासकार स्पष्ट कर देना चाहते हैं कि धर्म, संस्कृति आदि के नाम पर मनुष्य-मनुष्य में भेद और एक वर्ग विशेष द्वारा जनसाधारण का शोषण भयावह असंगति है। अब श्रमजीवी इस असंगति का अर्थ समझने लगा है। इस तरह मूल्यों के संक्रमण की दिशा सकारात्मक और महत्तर मूल्यों की ओर मुड़ी है। 'मुक्ति' स्वतःमूल्य है और श्रम, ईमानदारी, एकजुटता सद्‌भाव आदि साधनमूल्यों को शोषित-उत्पीड़ित वर्ग ने अपने व्यवहार में उतार लिया है। कुछ उपन्यासकारों का विचार है कि सामाजिक कोण से उठे अलगाव को सांस्कृतिक कोण पाट देता है।[86] होली आदि लोकपर्वों और विवाह से संबंधित लोकाचारों में यह शक्ति है कि थोड़ी देर के लिए जाति-भेद-वर्गभेद की दीवारें गायब लगती हैं। लड़की की विदा जैसे करुण अवसरों पर शोषकों की क्रूरता भी कुछ देर के लिए निस्तब्ध दिखाई देती है। लेकिन यह बदलाव अस्थाई है।

आंचलिक उपन्यासकारों ने लोकगीतों के माध्यम से केवल वर्ग-संघर्ष को ही संकेतित नहीं किया है। लोकजीवन की विवशता, रागात्मकता और बेचैनी के अन्य कई संदर्भ भी इनमें उभरे हैं और वे किसी न किसी कमाए हुए जीवन सत्य को प्रतिबिंबित करते हैं। पूर्वी उत्तर प्रदेश में रोजगार का अभाव और उसके फलस्वरूप युवकों का कलकत्ता आदि महानगरों में नौकरी करते हुए दयनीय जीवन बिताना एक आम बात है। अभावग्रस्त जीवन के बावजूद लोक नारी अपने पति को परदेश

नहीं जाने देना चाहती, उसके सामीप्य के लिए वह कैसा भी मूल्य चुकाने को तैयार है :

सेर भरि गोहुँवा बरसि पीसि खइबौं
पियऊ जाये न देबों हो...
तोहका पुरुबी बनिजिया, पियऊ जाये ने देबों हो।[87]

इन पंक्तियों में 'प्रेम' को सर्वोच्च मूल्य का दर्जा मिला है, लेकिन वास्तविकता इतनी कुरूप है कि अंततः 'रोटी' सर्वोच्च मूल्य बन जाती है। एक मजबूरी सारे कोमल भावों पर छा जाती है।[88] यह लोकगीत मार्मिक उद्गार मात्र न होकर हमारी उस जनतांत्रिक व्यवस्था पर कठोर टिप्पणी भी है, जो 'समता', 'समानता' की दुहाई देने के बावजूद बेकारी और बेरोजगारी का कोई समाधान नहीं कर पाई। आम तौर पर कहा जाता है कि समाज-व्यवस्था में समाज की विभिन्न इकाइयों में सक्रिय संबद्धता होनी चाहिए। ''लेकिन जिस देश का आम आदमी गरीबी, भुखमरी और बेरोजगारी से त्रस्त हो, वहाँ विभिन्न संस्थाओं द्वारा मान्य उद्देश्यों के अनुसार कार्य करना अथवा किसी प्रकार की सक्रिय-संबद्धता का होना शायद दूर की कौड़ी खोजना ही होगा।''[89] 'सोनामाटी' आदि उपन्यासों में आए लोकगीतों का निहितार्थ भी बहु-आयामी और दूरगामी है। उपन्यासकार ने भुवनेश्वर के विवाह के समय गाए गए गीत के माध्यम से लोकजीवन में मान्य 'कौमार्य' और 'यौनशुचिता' सरीखी मूल्य-मर्यादाओं को गौरवान्वित किया है–''बनवा में फूले ले बेइलिया/त देखत सोहावन...इन जंगली बेइलि पर माली हाथ बढ़ाता है। बेइलि टोकती है, अभी नहीं...दुलहा हाथ बढ़ा रहा है, अब मैं ब्याह करूँगा।...नहीं धैर्य धारण करो। अभी ठीक समय नहीं आया। अभी तो मैं अपने बाबा की हूँ।''[90] आगे चलकर उपन्यासकार ने भुवनेश्वर-कांता-संबंध की चर्चा की है जिसका आधार यह धारणा है कि हम मैरेज जैसी सड़ी-गली चीज के चक्कर में नहीं पड़ेंगे।[91] यह आज का यथार्थ है। लोकगीत में व्यक्त मूल्यबोध से इस यथार्थबोध की तुलना करने से स्पष्ट हो जाएगा कि उच्च मूल्यों का संक्रमण अनैतिक और अनुचित समझी जानेवाली नई धारणाओं की दिशा में हो रहा है। लेकिन उपन्यासकार का अपना समर्थन 'लोकगीत' में व्यक्त सांस्कृतिक मर्यादा को प्राप्त है। 'नदी फिर बह चली' में प्रयुक्त लोकगीत में व्यंग्यात्मक लहजे में आज की वधू के 'शौकीन' हो जाने की चर्चा है। धूम्रपान की शौकीन ग्रामवधू अपने कपड़ों में आग लगा लेती है :

बबुनी बीड़ी पियत जात रहली डोली में
आग लगवनीं चोली में ना।[92]

युवतियों के 'धूम्रपान' के प्रति लोकजीवन में तिरस्कार का भाव और आज की नारियों गें अवमूल्यों के प्रसार को इस गीत में पढ़ा जा सकता है। नारी जीवन से जुड़े हादसों को बयान करनेवाले कई लोकगीत इन उपन्यासों में आए हैं और

नारी संबंधी सामाजिक मान्यताओं की गवाही देते हैं। गरीब किसान की लड़की वृद्ध विवाह और बहु विवाह आदि कुरीतियों की शिकार प्रायः होती है। 'पराधीनता' और पुरुष के निरंकुश एकाधिकार को स्वीकारना नारी-जीवन का कटु सत्य है। एक लोकगीत में वृद्ध से ब्याही गई युवती रो रही है और उपन्यासकार नारी तथा पुरुष के लिए अलग-अलग प्रतिमानों की उपस्थिति पर चोट कर रहा है। 'जंगली सुअर' में आया यह लोकगीत कुछ रूढ़ बद्ध अवमूल्यों की मजबूती को दर्शाता है[93] :

अइसन देखवल दुख
सपना भइल सुख
सोनवा में उलल सोहगवा, ए बाबू जी
बुढ़ऊ से सादी भइल
घर पर हर चलवल हो बाबूजी
अबहूँ से कर चेत
देखिके पुरान सेत
डोला काढ़ि मोला मोलइह मत बाबूजी

कैथरिन हैंसन ने रेणु की आंचलिकता का विश्लेषण करते हुए लिखा है कि पाठक उनके उपन्यास पढ़कर वयस्क गांभीर्य को त्याग कर भाव-समृद्ध लोकगीतों के सहारे अपनी बाल्यावस्था में जाने को विवश होता है।[94] बाल्यावस्था में जाने का अर्थ यदि अतीतजीविता है तो यह कथन कुछ ही अंशों में सत्य है। वस्तुतः न केवल 'रेणु' अपितु अधिकतर आंचलिक उपन्यासों में एक 'वयस्क गांभीर्य' बराबर बना हुआ है, चाहे लोकगीत, लोककथा आदि का संदर्भ ही क्यों न हो। यह गांभीर्य मुख्यतः अपने युग के अवलोकन से जुड़ा है। डॉ. सुवास कुमार ने रेणु के संबंध में जो लिखा है[95], वह कमोबेश सभी उपन्यासकारों पर लागू होता है। यह अवश्य है कि नागार्जुन, भैरवप्रसाद गुप्त आदि कुछ उपन्यासकारों की दृष्टि बद्ध और निश्चित है, इसके बावजूद यह तय है कि लोक तत्त्वों के माध्यम से नवीन परिस्थितियों का साक्षात्कार उनके उपन्यासों में यथास्थान हुआ है। इस साक्षात्कार में मूल्यों का संक्रमण एक विशिष्ट पक्ष है। यहाँ एक तथ्य और गौरतलब है कि लोक तत्त्वों की ओर उपन्यासकारों का रुझान आधुनिकता का निषेध नहीं है और ग्रामांचल की पृष्ठभूमि लेने के बावजूद वहाँ नगरीय चेतना का एकांत निषेध नहीं है। इन उपन्यासों में नगर या तो परोक्ष रूप में उपस्थित है या 'कंट्रास्ट' के रूप में। जहाँ 'कंट्रास्ट' के रूप में कोई व्यक्ति या संदर्भ है वहाँ वह मूल्य-विपर्यय या मूल्य-संकट का सूचक है और उससे हीनतर स्थितियों की ओर मूल्य-संक्रमण की प्रतीति होती है।

'मूल्य' को ऐसा प्रेषणीय 'सांस्कृतिक पैटर्न' माना गया है, जिसको अनुभव,

निर्णय और विचार प्रतिकर्म–गर्भित करते हैं।[96] आंचलिक उपन्यासों में व्यक्त सांस्कृतिक मूल्यों की पड़ताल से ज्ञात होता है कि आंचलिक उपन्यासकारों ने इन मूल्यों का अनुभव और निर्णय तो किया है, लेकिन नए मूल्यों के सृजन के प्रमाण नहीं मिलते। प्रायः पाप-पुण्य, धर्म-अधर्म, न्याय-अन्याय, लोकहित-स्वार्थ, मुक्ति-पराधीनता आदि के द्वंद्व को दर्शाते हुए आंचलिक उपन्यासकारों ने अपना समर्थन 'मुक्ति', 'लोक कल्याण', 'मानवीय स्वतंत्रता', 'न्याय' आदि को दिया है। इसीलिए वे 'धर्म' और 'पुण्य' को नए ढंग से पारिभाषित करते दिखाई देते हैं। लोकजीवन में स्वार्थपरता और अनैतिकता के प्रसार ने मूल्य-संकट को जन्म दिया है लेकिन इन उपन्यासकारों ने लोक सांस्कृतिक तत्त्वों के माध्यम से सकारात्मक और मानव-हित में सहयोगी मूल्यों की दिशा में संक्रमण को काम्य ठहराया है। यहाँ उनकी मूल्य-चेतना, तथ्यचेतना से किंचित् पृथक् है। 'विदापत' नामक लोकनृत्य में लोकगीतों की कड़ियों के माध्यम से मैला आँचल में श्रमजीवियों का शोषण-विरोध ध्वनित है।[97]

यह गौरतलब है कि आंचलिक उपन्यासों में लोक सांस्कृतिक तत्त्वों की उपस्थिति उत्तरोत्तर कम होती गई है।[98] 'सोनामाटी' अवश्य इसका अपवाद है। 'मैला आँचल' में 'जाट-जट्टिन', 'मछमरी', 'सतुआनी' आदि अनेक पर्वों की चर्चा है, लेकिन परवर्ती उपन्यासों–'हजार घोड़ों का सवार', 'धरती धन न अपना' आदि की संरचना में पर्वों, लोकगीतों और लोककथाओं का योगदान महत्त्वपूर्ण नहीं है। लोकसांस्कृतिक तत्त्वों की कमी भी सांस्कृतिक मूल्य-संक्रमण के इसी पक्ष की ओर इंगित करती है कि सहयोग, मित्रता, सद्भाव आदि मूल्यों की जगह 'स्वार्थ' 'अकेलापन' आदि अवमूल्यों ने ले ली है। आंचलिक उपन्यासकारों का इस स्थिति से क्षुब्ध और असंतुष्ट होना स्वाभाविक है। लोकजीवन में पर्वों और त्यौहारों के कम होते जाने का एक कारण आर्थिक अभाव है। 'आधा गाँव' में ताजिए के संदर्भ में जिस स्थिति का वर्णन[99] किया गया है, वह आर्थिक कारणों से उत्पन्न हुई है। विवेकीराय ने अपने एक साक्षात्कार में कहा है कि आर्थिक मूल्यों ने सांस्कृतिक मूल्यों को पीट दिया है।[100] विपिन देवनाथ (अलग-अलग वैतरणी), रंगनाथ (राग दरबारी), मन्ने (सत्ती मैया का चौरा) आदि का गाँवों से शहरों की ओर पलायन भी सांस्कृतिक मूल्यों की पराजय का प्रतीक है। लेकिन मूल्य-चेतना के स्तर पर अधिकतर उपन्यासकार सांस्कृतिक मूल्यों की पुनःस्थापना का समर्थन करते हैं।

संदर्भ

1. संस्कृति का दार्शनिक विवेचन, पृ. 175
2. संक्रांति और सनातनता, छगन मोहता, पृ. 9 से
3. The Social structure of values, p. 6
4. समाजवादी विचारधारा : काम्टे से मुखर्जी तक, पृ. 351
5. हिंदी उपन्यासों में आंचलिकता की प्रवृत्ति, पृ. 289
6. आलोचना, अक्टूबर-दिसंबर, 1988, पृ. 63
7. आलोचना, उपन्यास विशेषांक, पृ. 209
8. हिंदी उपन्यास की प्रवृत्तियाँ, पृ. 121
9. मैला आँचल, पृ. 27
10. हिंदी के आंचलिक उपन्यासों में जीवन सत्य, पृ. 154
11. हजार घोड़ों का सवार, पृ. 184
12. आधा गाँव, पृ. 68
13. हजार घोड़ों का सवार, पृ. 159
14. असगाँव-पसगाँव, पृ. 3
15. लोहे के पंख, पृ. 385
16. सोनामाटी, पृ. 254
17. आलोचना, अक्टूबर-दिसंबर, 1988, पृ. 62
18. कथा कहो उर्वशी, पृ. 99
19. मैला आँचल, पृ. 15
20. कब तक पुकारूँ, पृ. 136
21. वही।
22. सोनामाटी, पृ. 225
23. कब तक पुकारूँ, पृ. 345
24. वही, पृ. 346
25. हजार घोड़ों का सवार, पृ. 49
26. वही, पृ. 50
27. वही, पृ. 147
28. आधा गाँव, पृ. 75
29. ''यवनों ने हमारे आर्यावर्त्त की संस्कृति, धर्म, कला-कौशल को नष्ट कर दिया है। अभी हिंदू संतान म्लेच्छ संस्कृति की पुजारी हो गई है।''—मैला आँचल, पृ. 126
30. वही।
31. आधा गाँव, पृ. 163
32. वही, पृ. 182
33. सत्ती मैया का चौरा, पृ. 654

34. "उन्हें तो उन मंदिरों की ईंटें गिननी थीं, जिन्हें उनके खयाल में मुसलमानों ने तबाह किया था और उन्हें तो इसका हिसाब लगाना था कि मुगलों और पठानों ने हिन्दुस्तानी तहजीब के बदन पर कितने दाग लगाए हैं।"—आधा गाँव, पृ. 182
35. आधा गाँव, पृ. 254
36. "संजोजक जी ! यवनों पर मुझे क्रोध नहीं आता। यवनों का पक्ष लेने वाले हिंदुओं की तो गरदन उड़ा देने को जी करता है।"—मैला आँचल, पृ. 126-127
37. "मुसलमान का दुश्मन हिंदू नहीं है, मुसलमान का दुश्मन वह मुसलमान है, जो दुम हिलाता हिंदुओं के पीछे-पीछे जाता है, उनके टुकड़ों पर पलता है।"—तमस, पृ. 90
38. जल टूटता हुआ, पृ. 24
39. "सभी मुसलमानों के दस्तखत और अँगूठे की टीप लेकर कलक्टर साहब के पास जाएँगे। साफ कहेंगे, यदि हिन्दुस्तान में न रहने देना है तो साफ-साफ जवाब दे दीजिए, हम लोग पाकिस्तान चले जाएँगे।"—परती परिकथा, पृ. 218
40. "यह तो पौलटीस है। जरूर दीजिए दरखास्त। साफ-साफ कहिए कलेक्टर साहेब से। आपने ठीक ही सोचा है। कहिए कि हम लोग पाकिस्तान भागने के लिए मजबूर हैं। जरूर फतेह होगा, आपका।"—परती परिकथा, पृ. 218-219
41. कालाजल, पृ. 301
42. सोनामाटी, पृ. 385
43. सूरज किरन की छाँव, पृ. 148
44. जलते उबलते प्रश्न, पृ. 217
45. आधुनिकता, साहित्य के संदर्भ में, गंगाप्रसाद विमल, पृ. 119
46. "मैं सोचता था कि मेरा यह अकेले का फायदा मेरे सारे मजदूर भाइयों के लिए बहुत भारी गद्दारी साबित होगा।"—लोहे के पंख, पृ. 333
47. "...नहीं सरकार, दूसरों का पेट काटकर हमको मत दीजिए हाँ अपने खेतों में से देना चाहते हैं तब तो... ।"—बलचनमा, पृ. 185-186
48. "जीने के लिए जीना, जीना नहीं है, परोपकार के लिए जीना ही जीना है। अगर मेरी मृत्यु जनसाधारण के लिए लाभप्रद हो तो नहीं चाहिए, मुझको यह जीवन।"—बाबा बटेसरनाथ, पृ. 17
49. मैला आँचल, पृ. 30-31
50. कब तक पुकारूँ, पृ. 569
51. मैला आँचल, पृ. 182
52. सौंदर्य मूल्य और मूल्यांकन, पृ. 54
53. वही, पृ. 56
54. मैला आँचल, पृ. 331
55. परती परिकथा, पृ. 107
56. अलग-अलग वैतरणी, पृ. 249
57. वही, पृ. 363

58. राग दरबारी, पृ. 107
59. हिंदी के आंचलिक उपन्यासों की शिल्पविधि, पृ. 59
60. रामदरश मिश्र के साथ वेदप्रकाश अमिताभ की बातचीत।
61. हिंदी के आंचलिक उपन्यासों में जीवन-सत्य, पृ. 40
62. वेदप्रकाश अमिताभ के साथ बातचीत।
63. स्वातंत्र्योत्तर हिंदी कथा-साहित्य और ग्रामजीवन, विवेकीराय, पृ. 235
64. हिंदी उपन्यास : उत्तरशती की उपलब्धियाँ, पृ. 7
65. रचना और आलोचना की द्वंद्वात्मकता, पृ. 39
66. नदी फिर बह चली, पृ. 128-129
67. ब्रह्मपुत्र, पृ. 174
68. जल टूटता हुआ, पृ. 119
69. वही, पृ. 120
70. वही।
71. लोकऋण, पृ. 176
72. वही, पृ. 6
73. सोनामाटी, पृ. 452
74. वही, पृ. 137
75. वही, पृ. 138
76. अलग-अलग वैतरणी, 'तटचर्चा'।
77. आलोचना, जनवरी-मार्च 1986, पृ. 8
78. मैला आँचल, पृ. 320
79. सोनामाटी, पृ. 337
80. मैला आँचल, पृ. 88
81. वही, पृ. 89
82. जल टूटता हुआ, पृ. 299
83. वही, पृ. 300-301
84. बलचनमा, पृ. 170
85. कहो ना जि नगिया रे, कायर इदिमिया के
    सबके बरोबर अधिकार
    करम के झखनी मत अब झखीहऽ
    अपना बल प आसरा रखीहऽ—जंगली सुअर, पृ. 53
86. सोनामाटी, पृ. 208
87. जल टूटता हुआ, पृ. 103
88. वही।
89. हिंदी कहानी : सामाजिक संदर्भ, डॉ. अश्वघोष, पृ. 39
90. सोनामाटी, पृ. 347

91. वही, पृ. 349
92. नदी फिर बह चली, पृ. 341
93. जंगली सुअर, पृ. 59
94. आलोचना, अक्टूबर-दिसंबर 1988, पृ. 52
95. "अपने अंचल की लोककथा, लोकभाषा, लोककला में रच-बस कर उनका कलाकार व्यक्तित्व तैयार हुआ है अतः वे अपने कथाक्षेत्र के जनमानस के संस्कार और स्वभाव से संपूर्णतः परिचित हैं, लेकिन उनकी दृष्टि बद्ध नहीं है। दृष्टि का खुलापन उन्हें नवीन परिस्थितियों के साक्षात्कार निषेध और स्वीकार के लिए तैयार रखता है।" —आलोचना, अक्टूबर-दिसंबर 1988, पृ. 63
96. सौंदर्य मूल्य और मूल्यांकन, पृ. 34
97. समीक्षा, जनवरी-मार्च 1989, डॉ. गोपाल का आलेख, पृ. 10
98. समकालीन हिंदी उपन्यास, पृ. 96
99. आधा गाँव, पृ. 308
100. वेदप्रकाश शर्मा के साथ बातचीत।

उपसंहार

लघुता की ओर दृष्टिपात, सांस्कृतिक पुनरुद्धार और लोकतंत्र की जड़ों की तलाश की सम्मिलित विचारोत्तेजना ने आंचलिक उपन्यास को जन्म दिया है। जनपदीय आंदोलन, प्रगतिशील लेखन, कल्लोल आंदोलन आदि की प्रेरणा से भी हिंदी कथाकार जनतांत्रिक आकांक्षाओं और कुरूप वास्तविकताओं के द्वंद्व को ग्रामांचल के संदर्भ में देखने और आँकने की ओर उन्मुख हुआ। अधिकतर आंचलिक उपन्यास उन कथाकारों द्वारा लिखे गए हैं, जिनके पास न केवल पिछड़े अंचलों के जीवन का प्रत्यक्ष अनुभव है अपितु संपूर्ण वास्तविकता को देखने-परखने के लिए वांछित सुस्पष्ट और सुस्थिर जीवन-दृष्टि भी है अतः यह आकस्मिक नहीं है कि जीवनमूल्यों के व्यापक संक्रमण को व्यक्त करते हुए आंचलिक उपन्यासकारों की केंद्रीय चिंता मानव-हित और जन-कल्याण से बराबर संबद्ध रही है।

'मूल्य' को समाजशास्त्रियों, दार्शनिकों, अर्थशास्त्रियों आदि ने अपने-अपने ढंग से पारिभाषित किया है। इन परिभाषाओं का निचोड़ यही है कि मूल्य जीवन के वे कमाए हुए सत्य हैं, जिनके लिए व्यक्ति या समुदाय जीवित रहता है और जिसके लिए वह दुख सहने, कोई भी कीमत चुकाने यहाँ तक कि मृत्यु को भी स्वीकार करने के लिए सन्नद्ध होता है। 'मूल्य' स्वेच्छा से जीवन-पद्धति का अंग बनाई गई वे अवधारणाएँ हैं, जो एक ओर मनुष्य को नैतिक बल प्रदान करती हैं, दूसरी ओर अशुभ और अमानवीयता से बचकर स्वस्थ मानवीय आचरण की प्रेरणा भी देती हैं। कतिपय मूल्य विरासत में मिलते हैं और कुछ अपनी आवश्यकता और युग की माँग के अनुरूप अर्जित किए जाते हैं। मूल्यानुभव में व्यक्ति या समुदाय की अभिरुचि, संस्कार, आवश्यकता और उपयोगिता आदि की महत्त्वपूर्ण भूमिका होती है। मूल्यों का वर्गीकरण कई तरह से किया गया है। उपयोगिता के आधार पर दो वर्ग—साध्यात्मक और साधनात्मक किए गए हैं। जो मूल्य जीवन के लक्ष्य

होते हैं, वे साध्य या स्वतः मूल्य कहे गए और जो उस लक्ष्य के साधन हैं, वे साधनमूल्य हैं। किन्हीं विशेष परिस्थिति में साधनमूल्य 'साध्य' भी बन जाते हैं। शुभ या श्रेयस् को ध्यान में रखकर 'अस्तिमूल्य' और नास्तिमूल्य जैसे वर्ग भी बनाए गए हैं। यद्यपि मूल्य-निर्णय प्रायः सामाजिक होता है, फिर भी 'व्यक्तिगत' मूल्यों का अपना महत्त्व और अस्तित्व है।

अनेक विचारकों के साक्ष्य से कहा जा सकता है कि प्रभावशाली आवेशगुच्छ, नई वैज्ञानिक धारणाएँ, समाज व्यवस्था में परिवर्तन आदि बहुत से कारक मूल्य-संकट, और मूल्य-विघटन की स्थितियों को जन्म देते हैं। बदले हुए संदर्भों में मूल्यों के अर्थ भी बदल जाने के प्रमाण मिलते हैं। वैज्ञानिक दृष्टिकोण और प्रौद्योगिकी के विकास ने निश्चय ही नई मूल्य-व्यवस्था को जन्म दिया है और कतिपय पुरा मूल्य कड़ी आजमाइश में पड़ गए हैं। मूल्य-संकट और मूल्य-विघटन आदि मूल्य-संक्रमण की ही गवाही देते हैं। विचारकों ने मूल्य-संक्रमण की दो प्रमुख स्थितियों की चर्चा की है। जब कोई 'उच्च' और प्रासंगिक समझा जानेवाला मूल्य स्थानच्युत होता है या कोई 'हीन' मानी जानेवाली अवधारणा 'मूल्य' के रूप में मान्य होती है या साधन-मूल्य और साध्यमूल्य अपनी जगह बदल लेते हैं तब मूल्य-संक्रमण की एक गतिशील स्थिति सामने आती है। मूल्य-संक्रमण की इस स्थिति में 'विकल्पहीनता' का संकट पैदा नहीं होता। लेकिन एक अन्य स्थिति यह होती है कि पुराने मूल्य अप्रासंगिक करार दे दिए जाते हैं लेकिन उनका स्थान न लेने के लिए कोई स्पष्ट 'मूल्य' नहीं उभर पाता। असमंजस की यह स्थिति अधिक विषम होती है। इस स्थिति में कभी-कभी विवेक के अभाव में व्यक्तिगत मूल्य-निर्णयों को भी 'मूल्य' की सी गरिमा दे दी जाती है। मूल्य-संक्रमण प्रौद्योगिकी के विकास औद्योगीकरण-मशीनीकरण, क्रांतिकारी विचारधाराओं के प्रसार आदि का परिणाम तो है ही, एक समुदाय या संस्कृति के सदस्यों के दूसरे समुदाय या संस्कृति के सदस्यों के संपर्क और द्वंद्व से भी इसे बल मिलता है। मूल्य-संक्रमण के पाँच स्तर या पाँच चरण माने जा सकते हैं—(1) आधुनिकता के दबाव से पुरामूल्यों की अप्रासंगिकता का बोध (2) नए-पुराने विचारों का संघर्ष और असमंजस की स्थिति (3) पुरामूल्यों के पुनर्मूल्यांकन की आवश्यकता (4) अस्ति मूल्य, साध्यमूल्य, उच्चतर मूल्यों का नास्तिमूल्य, साधनमूल्य और हीनतर मूल्यों की दिशा में संक्रमण। कई बार इसका उल्टा भी होता है। (5) कतिपय नए मूल्यों की प्रतिष्ठा। लेकिन यह स्मरणीय है कि विचार और धारणा के स्तर पर होनेवाला हर परिवर्तन मूल्य-संक्रमण का द्योतक नहीं है, मूल्य-संक्रमण गंभीर और दीर्घ विचार-मंथन से संबद्ध है। कभी यह 'विचार मंथन' एक ही स्तर के मूल्यों के एक समूह से दूसरे समूह में स्थानांतरण के लिए पृष्ठभूमि बनाता है और कभी एक सामाजिक स्तर से दूसरे सामाजिक स्तर पर मूल्यों के स्थानांतरण को प्रेरित करता है। मूल्य-संक्रमण

व्यक्ति और समूह के विचार और व्यवहार में व्यापक परिवर्तन का सूचक होने के साथ-साथ परंपरा के पुनर्नवीकरण और आर्थिक-सामाजिक ढाँचे में आए बदलाव का मुखर प्रमाण भी है।

चूँकि आंचलिक उपन्यासों में स्वातंत्र्योत्तर ग्रामीण परिवेश में हुए व्यापक परिवर्तनों—राजनीतिक चेतना के उभार, कृषि-क्रांति, बढ़ती आर्थिक असमानता, घोर जाति भेद के समानांतर संस्कृति, परिवार और व्यक्ति के स्तर पर वैचारिक विचलन को विस्तार से अंकित किया गया है, अतः यह आकस्मिक नहीं है कि मूल्य-विघटन, मूल्य-संकट और मूल्य-हीनता के विभिन्न आयाम आंचलिक उपन्यासों के युगबोध और वैचारिकता में अनिवार्यतः संश्लिष्ट हो गए हैं। एक पिछड़े अंचल के माध्यम से अपने युग के मूल्य संक्रमण को रेखांकित करना आंचलिक उपन्यासों का मुख्य प्रतिपाद्य माना जा सकता है।

संदर्भ चाहे व्यक्तिगत मूल्यों का हो या सामाजिक मूल्यों का, सर्वत्र आंचलिक उपन्यासकारों का दृष्टिकोण प्रगतिशील है।

व्यक्तिगत मूल्यों के संक्रमण को रेखांकित करते हुए भी आंचलिक उपन्यासकारों ने प्रायः प्रगतिशील चिंतन का सहारा लिया है। 'बलचनमा', 'गंगा मैया', 'कब तक पुकारूँ, 'धरती धन न अपना' आदि में मार्क्सवाद की गूँज बहुत स्पष्ट है, जबकि 'मैला आँचल', 'परती परिकथा', 'नदी फिर बह चली' आदि उपन्यासों में समाजवादी चिंतन का प्रभाव मुखर है। 'ब्रह्मपुत्र', 'सागर लहरें और मनुष्य', 'सूरज किरन की छाँव', 'हजार घोड़ों का सवार' आदि कृतियों में मानवतावादी दृष्टिकोण है। स्पष्ट है कि आंचलिक उपन्यासकारों ने व्यक्तिगत मूल्यों के संक्रमण को चित्रित करते समय उन्हीं जीवनदृष्टियों का आश्रय लिया है, जो समाज-सापेक्ष और मानवतावादी हैं, परिवर्तन में जिनका विश्वास पर्याप्त पुष्ट है। उनकी मूल्य-दृष्टि पर उनके जीवन-संघर्ष का प्रभाव पर्याप्त है।

व्यक्तिगत मूल्यों में 'प्रणय' के संक्रमण पक्ष पर आंचलिक उपन्यासों में सर्वाधिक ध्यान दिया गया है। अधिकतर कृतियों में 'प्रणय' को पावनता उत्सर्ग और पारस्परिक आत्मीयता से जोड़ते हुए न केवल विचार अपितु अनुभव और व्यवहार के स्तर पर भी पर्याप्त मूल्यवान ठहराया गया है। प्रायः चरित्र हीनतर स्थितियों का अतिक्रमण करते हैं और उच्चतर स्थिति की ओर बढ़ते हैं। भोग पक्ष वर्जित नहीं है। लेकिन उस भोग में अय्याशी या विलासिता का भाव न होकर एक-दूसरे को समझने, पाने और एक-दूसरे के व्यक्तित्व का अनिवार्य अंग बन जाने की मनःस्थिति प्रधान है। इस क्रम में पातिव्रत, कौमार्य, विवाह आदि मर्यादाओं का उल्लंघन भी होता है। लेकिन आंचलिक उपन्यासों में 'प्रेम' न तो सेक्स तक सीमित हुआ है और न 'प्लेटोनिक लव' की मुद्रा धारण करता दिखाई देता है। यह एकदम परंपरा विरोधी न होते हुए भी रूढ़ियों और यौन वर्जनाओं का विरोध

करता है। प्रेम को कहीं भी समाज-निरपेक्ष रूप में नहीं दिखाया गया है। प्रायः 'प्रेम' को 'श्रेय' से संबद्ध किया गया है। चाहे आदिवासियों का प्रेम हो (जंगल के फूल) या करनटों (कब तक पुकारूँ) का या शिक्षित-सभ्य कहे जानेवाले व्यक्तियों (मैला आँचल, अलग-अलग वैतरणी, ब्रह्मपुत्र) का या किसानों-मजदूरों (वरुण के बेटे, बलचनमा, नदी फिर बह चली, धरती धन न अपना) का प्रेम हो, कहीं भी प्रेम विकृति नहीं बनता। प्रायः प्रेम कोरी भावुकता से उबर कर एक बौद्धिक समझदार निर्णय के रूप में व्यक्त हुआ है। उपन्यासकारों ने प्रायः समाज में प्रेम के अवमूल्यन की चर्चा की है, लेकिन उनका अपना बोध इस यथार्थ के मेल में नहीं है। वे प्रेम को पर्याप्त मूल्यवान मानते हैं। प्रायः दो मॉडलों को आमने-सामने रखकर—'प्रेम' की एकांतिकता और निजी अनुभवशीलता से सार्वजनिक सक्रियता, कर्तव्यनिष्ठा, उत्तरदायित्वपूर्ण निष्ठा की ओर संक्रमित होता दिखाते हैं। 'परती परिकथा', 'आधा गाँव' और 'अलग-अलग वैतरणी' में दो पीढ़ियों के मॉडल आमने-सामने हैं और स्पष्ट करते हैं कि प्रणय का संक्रमण यौन-अतृप्ति प्रगाढ़ प्रेम जनित उन्माद और आभिजात्यपूर्ण (प्लेटोनिक) मुद्रा से रूढ़ नैतिकता को चुनौती देनेवाले युवा दुस्साहस की दिशा में हुआ है।

उपन्यासकारों ने 'सेक्स' को जैवीय आवश्यकता मानते हुए भी कहीं यौन उच्छृंखलता को अपना समर्थन नहीं दिया है। नकारात्मक मूल्यों के संवाहक चरित्र 'सेक्स' को महत्त्वपूर्ण मानते हैं, लेकिन नरनारी संबंधों में यौनविच्युति को किसी मूल्य पर स्वीकार न करनेवाले पात्रों के सामने वे बहुत तुच्छ और निम्न सिद्ध होते हैं। यह बात बहुत बल देकर कही गई है कि जहाँ 'संभोग' केवल 'सेक्स' की भूख है, वहाँ व्यभिचार है। यौन तुष्टि एक अराजक आचरण नहीं है, इसे एकनिष्ठता, नैतिक जिम्मेदारी और गंभीर लगाव से संबद्ध होना चाहिए। सेक्स से जुड़े मूल्य-विपर्यय या मूल्यबोध का आंचलिक उपन्यासकार समर्थन नहीं करते।

जहाँ 'प्रणय' के साथ निष्ठा, लगाव और नैतिक उत्तरदायित्व घुले-मिले हैं, वहाँ विवाह की औपचारिकता को उपन्यासकार अनिवार्य नहीं मानते। सुलक-महुआ, कुंजू-बदमी, फुन्नन-कुलसूम, जित्तन-ताजमनी आदि युग्म इस धारणा को झुठलाते हैं कि विवाह के बंधन में बँधकर ही प्रणय की सार्थकता हो सकती है।

आंचलिक उपन्यासों में व्यक्ति स्वातंत्र्य का संक्रमण 'सामूहिक मुक्ति' की दिशा में हुआ है। कोरे व्यक्ति-स्वातंत्र्य या चरम स्वातंत्र्य की अवधारणा का समर्थन प्रायः उपन्यासकारों ने नहीं किया है। व्यक्ति की स्वतंत्रता का बोध कहीं वर्ग की स्वतंत्रता के प्रश्न में बदल गया है तो कहीं मानव मात्र की मुक्ति का पर्याय बन गया है। मार्क्स और ऐंगिल्स की राय में मानव के अग्रगामी विकास में व्यक्तित्व का 'स्वातंत्र्य' आवश्यक है, लेकिन वह व्यक्तियों के सार्वत्रिक विकास से संबंधित है। आंचलिक उपन्यासकार की विचारधारा बहुत कुछ इससे मिलती-जुलती है। वे

व्यक्ति के विकास या स्वातंत्र्य का अंधा विरोध नहीं करते। लेकिन सामाजिक प्रतिमानों के विरुद्ध व्यक्ति के वरण की स्वतंत्रता को वही समर्थन मिला है, जहाँ सामाजिक प्रतिमान रूढ़ियों की शक्ल में व्यक्ति और समाज की प्रगति में आड़े आते हैं। कुछ उपन्यासकारों ने 'व्यक्ति-स्वातंत्र्य' को 'नारी-स्वातंत्र्य' के सदंर्भ में देखा है और इस निष्कर्ष पर पहुँचे हैं कि जिन वर्गों और जातियों में नारी घर की चार दीवारी के बाहर 'श्रम' से जुड़ी हुई है, वहाँ उसे अधिक स्वतंत्रता प्राप्त है। उच्च वर्ग की नारियाँ नाममात्र के लिए स्वतंत्र हैं। इस तरह नारी-स्वातंत्र्य का प्रयाण दासता, विवशता आदि हीनतर स्थितियों से आत्म निर्भरता, स्वाभिमान, सहयोग आदि उच्चतर स्थितियों की ओर होते दिखाया गया है।

यद्यपि आंचलिक उपन्यासों में कुछ चरित्र आज के माहौल में खुद को अकेला और अजनबी पाते हैं फिर भी आंचलिक उपन्यासकार अकेलापन, आत्मनिर्वासन आदि अनुभवों को 'मूल्य' नहीं मानते। ये तथ्य हैं, लेकिन इनके प्रति कर्ता की प्रतिक्रिया ने किसी मूल्य-भावना को जन्म नहीं दिया है। हाँ, इनसे कतिपय मूल्यों के प्रति उपन्यासकारों की चिंता अवश्य व्यक्त हुई है। जहाँ तक व्यक्तिगत नैतिकता-सत्य पालन, ईमानदारी आदि का प्रश्न है, आंचलिक उपन्यासों में इन्हें मानव-व्यवहार और मानसिकता के लिए अनिवार्य ठहराया गया है। 'स्वार्थ' के व्यापक प्रसार को रेखांकित करते हुए उसके स्थान पर 'परहित' को प्रतिष्ठित करने के लिए सचेष्ट चरित्रों की सृष्टि की गई है। यहाँ संक्रमण नकारात्मक पक्ष से धनात्मक पक्ष की ओर है। यही स्थिति यौन नैतिकता को लेकर है। आंचलिक उपन्यासों के मूल्य बोध का एक महत्त्वपूर्ण पक्ष यह है कि व्यक्तिगत मूल्यों को प्रायः साधन मूल्यों का दर्जा दिया गया है, उन्हें साध्य या सर्वोच्च मूल्यों के रूप में स्थापित करने का आग्रह नहीं मिलता। इसी तरह उन्होंने व्यक्तिगत मूल्यों को 'व्यक्तिवादी' बनने से बचाया है। समाज-संबद्धता का भाव आंचलिक उपन्यासों में बराबर मौजूद है।

आंचलिक उपन्यासों में पारिवारिक मूल्य-मर्यादाओं के संक्रमण से गुजरते हुए पाया गया है कि संयुक्त परिवार का विघटन वस्तुतः पारंपरिक मूल्य-व्यवस्था का विघटन है। अर्थाभाव, नई रोशनी, पीढ़ियों का द्वंद्व आदि अनेक कारणों से बड़ों के अधिकार, परंपरा की पवित्रता, पातिव्रत आदि अवधारणाएँ कठोर आजमाइश में पड़ गईं। पारिवारिक मूल्य-संकट की चर्चा करने के बावजूद रेणु, शिवप्रसाद सिंह, राही मासूम रजा, रामदरश मिश्र, विवेकीराय आदि बहुत से उपन्यासकार बंधुत्व, श्रद्धा, सम्मान, गुरुभक्ति पारिवारिक सहयोग मूल्यों के विघटन से प्रसन्न नहीं लगते। वे इन मूल्यों को 'पॉजिटिव' मानते हुए किन्हीं विशेष परिस्थितियों में ही इनके उल्लंघन के पक्ष में हैं। उपन्यासकारों की सहानुभूति किसी पीढ़ी के प्रति न होकर कतिपय सकारात्मक मूल्यों के साथ है यदि कहीं रूढ़ियों के विरुद्ध कोई साहसपूर्ण

और सार्थक कदम उठाता है तो इसका उपन्यासकारों ने विरोध नहीं किया है। कुलीनता और कुलमर्यादा जैसे मूल्य उन्हें प्रासंगिक नहीं लगते।

विवाह से संबद्ध पातिव्रत, सतीत्व और एकनिष्ठा आदि मूल्यों के प्रति आंचलिक उपन्यासकार का रवैया प्रायः समर्थन का रहा है। कुछ विशेष स्थितियों में पति के परमेश्वरत्व को नकारा गया है। इस नकार के पीछे 'पति' की अपात्रता उत्तरदायी है। यौन बुभुक्षा के लिए परपुरुषगामी नारियाँ आंचलिक उपन्यासों में विरल हैं। जो हैं, उन्हें उपन्यासकारों की सहानुभूति नहीं मिली है। जहाँ पति की निरंकुशता और नीचता सीमा पार कर गई है, वहाँ किसी अन्य पुरुष से रागात्मक लगाव को स्वीकृति दी गई है। इस तरह आंचलिक उपन्यासों में 'मनुस्मृति' की यह व्यवस्था आँख मींचकर स्वीकार नहीं की गई है कि पति का पत्नी पर पूरा अधिकार होता है। परंपरा से यह विचलन न केवल प्रासंगिक है, अपितु हीनतर मूल्यों से उच्चतर मूल्यों की ओर प्रयाण का द्योतक भी। नर-नारी की यौन शुचिता आंचलिक उषन्यासों में प्रायः मान्य है। वर्जित यौन संबंधों को नैतिक मूल्यों का विरोधी ठहराया गया है। नगरीय-महानगरीय जीवन के उपन्यासों में वर्णित और अपसामान्य यौन संबंधों को जिस तरह गौरवान्वित किया गया है उसका आंचलिक उपन्यासों में अभाव है। लेकिन यौन-नैतिकता से जुड़े मूल्य भी साधन मूल्य ही हैं, उन्हें साध्य मूल्य के रूप में नहीं रखा गया है।

सामाजिक मूल्यों के संक्रमण को रेखांकित करते समय आंचलिक उपन्यासकारों ने एक ओर वस्तुस्थिति को दर्शाया है, दूसरी ओर उसका अतिक्रमण करते हुए स्वस्थ प्रगतिशील मूल्यों को जबर्दस्त समर्थन दिया है। आंचलिक उपन्यासों में जाति से जुड़े परंपरागत मूल्यों का संक्रमण त्रि-आयामीय है। एक ओर 'स्वार्थ' के आगे जातिगत मर्यादाएँ विचलित हो रही हैं यानी कि नास्ति मूल्यों का संक्रमण नास्ति मूल्यों में ही हो रहा है। दूसरी ओर प्रबुद्ध जनसमूह वर्ण-जाति से जुड़े मूल्यों पर प्रश्नचिह्न लगा रहा है। अस्पृश्य कही जानेवाली जातियों और दलित जनों में अपने 'हीनत्व' की तीखी प्रतिक्रिया हो रही है और वे जाति व्यवस्था को खारिज कर रहे हैं। उपन्यासकारों ने दूसरी और तीसरी स्थिति का स्वागत किया है। वे हीनतर मूल्यों के उच्चतर मूल्यों की ओर संक्रमित होने के पक्षधर हैं। मानवीय संबद्धता के मूल्यों को वे बौद्धिक और हार्दिक स्तर पर भरपूर समर्थन देते हैं। दलितों के शोषण और उत्पीड़न से सर्वथा असहमत होते हुए उनके संघर्ष और अधिकारों की माँग का समर्थन किया गया है। इस तरह जनतांत्रिक मूल्यों—सहयोग, समता, स्वतंत्रता, समानता आदि को पूरी तरह मान्यता मिली है। कुछ उपन्यासकार जातिगत-वर्णगत समानता के लिए सामूहिक रूप से आर्थिक समता पर बहुत बल देते हैं। इस संदर्भ में उन्होंने मार्क्सवाद, समाजवाद, मानववाद आदि विचारधाराओं से पर्याप्त प्रेरणा ली है। 'जंगली सुअर', 'सोनभद्र की राधा', 'हजार घोड़ों का सवार'

आदि से यह बोध बहुत तीखेपन के साथ व्यक्त हुआ है कि आवश्यकता पड़ने पर दलित वर्ग सशस्त्र संघर्ष पर भी उतर सकता है। अब उसने भाग्यवाद, पुनर्जन्म, कुलीनता आदि अवधारणाओं को झटक कर दूर फेंक दिया है। लेकिन इस संदर्भ में उसका मूल्यबोध मराठी दलित लेखन की तुलना में कहीं संयमित है।

सांप्रदायिकता को बढ़ावा देनेवाले नास्ति मूल्यों में आंचलिक उपन्यासों का विश्वास कतई नहीं है। इनकी तुलना में धर्म निरपेक्षता, राष्ट्रभक्ति, पारस्परिक सौहार्द आदि मूल्यों को उभारा गया है। इस तरह उपन्यासकार नकारात्मक दृष्टि को निरस्त करते हुए सकारात्मक सोच की ओर बढ़े हैं नारी संबंधी मूल्यों में यदा-कदा शुभ न समझी जानेवाली धारणाओं की ओर संक्रमण दर्शाया गया है, लेकिन यह अपरिहार्य स्थिति में ही हुआ है और नई मूल्य-मर्यादा के उदय का सूचक है।

जमींदारी उन्मूलन और सामंतों के दबदबे की समाप्ति को आंचलिक उपन्यासकारों ने शोषण, अन्याय और उत्पीड़न की समाप्ति के तौर पर लिया है। इन उपन्यासों में बार-बार यह कहा जाना कि समाज में वर्ग केवल दो हैं—अमीर और गरीब, इस बात का सूचक है कि वर्गचेतना के उभार को महत्त्व दिया गया है। इस संदर्भ में मूल्य-संक्रमण, शोषण, अन्याय आदि नास्ति एवं अमानवीय मूल्यों को निरस्त करते हुए न्याय, समानता, समजीविता आदि स्वस्थ एवं सकारात्मक मूल्यों की दिशा में हुआ है। 'बलचनमा', 'हजार घोड़ों का सवार' आदि कई उपन्यासों में वर्गसंघर्ष के माध्यम से ही न्याय आदि मूल्यों की स्थापना संभव बताई गई है। हालाँकि उपन्यासकार इस सत्य से अवगत हैं कि पुराने सामंतों की जगह नए सामंतों ने ले ली है, अत्याचार और उत्पीड़न कम नहीं हुआ है, फिर भी अभी वे जनतांत्रिक ढाँचे के भीतर ही बदलाव का स्वप्न देखते हैं। अब शोषितजन संगठित हैं, अन्याय सहने को तैयार नहीं हैं, इसके बावजूद अभी नक्सलियों की तरह वर्ग शत्रु के वध की सार्थकता और प्रासंगिकता इन उपन्यासों में नहीं दिखाई गई है। 'मैला आँचल', 'धरती धन न अपना', 'सोना माटी', 'जल टूटता हुआ' में जनसंघर्ष की सीमाओं और अंतर्विरोधों पर भी अँगुली रखी गई है। अधिकतर उपन्यासों में यह सत्य व्यंजित है कि मजूरों-किसानों के स्तर पर संक्रमण की प्रक्रिया तीव्र है, लेकिन भूस्वामियों और नव-सामंतों के स्तर पर युग-सत्य को स्वीकारने और मानवीय मूल्यों की ओर प्रयाण की गति धीमी है। समता और समानता आदि मूल्यों को गौरवान्वित करते हुए आंचलिक उपन्यासकारों ने यथास्थितिवादी शक्तियों और परिवर्तन-विरोधी तत्त्वों का खुला विरोध किया है। धर्म से अनुशासित भाग्य, पाप-पुण्य, पुनर्जन्म आदि कई अवधारणाओं का आश्रय लेकर वर्गसंघर्ष की धार कुंद करने का प्रयास होता रहा है। आंचलिक उपन्यासों में इस प्रयास को आर्थिक-विषमता बढ़ानेवाला माना गया है। 'आधा गाँव', 'कब तक पुकारूँ', 'लाल

पसीना' आदि उपन्यासों में इन अवधारणाओं को प्रायः अप्रासंगिक करार दिया गया है।

आंचलिक उपन्यासों में इस यथार्थ का उद्घाटन गंभीरता से हुआ है कि गाँवों में प्रौद्योगिकी के प्रवेश ने मूल्यों के विचलन और विघटन में योग दिया है। कृषि और उत्पादन के अन्य क्षेत्रों में ट्रैक्टर, मशीन, ट्यूबवेल, यातायात के साधनों के सहयोग से न केवल उत्पादन बढ़ा है अपितु आर्थिक-विषमता की खाई और चौड़ी हुई है। इसका एक कारण तो यही है कि उत्पादन के इन साधनों पर कुछ ही लोगों ने एकाधिकार कर लिया है यंत्रों के आगमन ने अंधविश्वास और जड़ता पर प्रहार किया है। अस्पताल और डॉक्टर के आगमन ने जनसमुदाय को कूपमंडूकता और कुस्वास्थ्य से मुक्त किया है। सड़कों और यातायात के साधनों ने जहाँ कुछ सुविधाएँ पैदा की हैं, वहीं इनके माध्यम से नगर जीवन की कृत्रिमता, निस्संगता और कथित अनैतिकता गाँवों में जा घुसी है। इससे वहाँ पहले से चले आ रहे आपसी सौहार्द को पर्याप्त क्षति पहुँची है। आंचलिक उपन्यासों में पिछड़े अंचलों में नई प्रौद्योगिकी की आवश्यकता को अनुभव करते हुए यह अपेक्षा की गई है कि यह शोषक वर्ग के एकाधिकार से मुक्त होकर 'लोकहित' के लिए प्रयुक्त होगी।

चूँकि कई आंचलिक उपन्यासों में स्वतंत्रता पूर्व का संदर्भ भी है, अतः गांधीवादी मूल्यों—अहिंसा, बलिदान, राष्ट्रीयता, सबके प्रति प्रेमभाव आदि की चर्चा स्वाभाविक है। कई उपन्यासों में दिखाया गया है कि वर्तमान राजनीतिक परिप्रेक्ष्य में अहिंसा राष्ट्रीयता, प्रेम, त्याग, सेवा आदि मूल्य काम के नहीं रहे। यह धारणा गांधीवादी कहे जानेवाले नेताओं और राजपुरुषों के आचरण को देखकर बनती है। न केवल सत्ताधीश अपितु सभी राजनीतिक दलों में स्वार्थ पदलोलुपता और 'अवसरवाद' मूल्य के रूप में स्थापित हो गए। नैतिक मूल्यों का खुला अस्वीकार देखने में आया। इस तरह यथार्थ जगत् में उच्च राजनीतिक मूल्यों का प्रयाण हीनतर मूल्यों की दिशा में हुआ है। लेकिन 'वामनदास' (मैला आँचल), 'देवकांत' (ब्रह्मपुत्र), 'सतीश' (जल टूटता हुआ), 'गीधू' (हजार घोड़ों का सवार) आदि कई सकारात्मक चरित्रों की रचना कर उपन्यासकारों ने सत्यनिष्ठा, जनसेवा, न्याय आदि मूल्यों में अपनी आस्था व्यक्त की है। ये चरित्र झंझावात में निष्कंप दीपशिखा की तरह जनधर्मी और मानवीय मूल्यों का प्रकाश बिखेर रहे हैं।

राजनीतिक सुविधावाद, भ्रष्टता और घोर स्वार्थपरता का वर्णन करते हुए 'नदी फिर बह चली', 'बाबा बटेसरनाथ', 'हजार घोड़ों का सवार', 'लोकऋण' आदि कई उपन्यासों में जनतांत्रिक व्यवस्था को अपर्याप्त और अक्षम माना गया है। यह गौर तलब है कि समता, समानता आदि जनतांत्रिक मूल्यों का विरोध नहीं किया गया है। लेकिन इनकी प्राप्ति के लिए इस व्यवस्था में परिवर्तन की माँग की गई है। यद्यपि आंचलिक उपन्यासों में 'बैलेट' के स्थान पर 'बुलेट' से समस्याओं के

समाधान में विश्वास व्यक्त नहीं किया गया है, फिर भी नपुंसकीय अहिंसा और कृत्रिम हृदय-परिवर्तन आदि के प्रति उपन्यासकार कतई आश्वस्त नहीं हैं। भैरवप्रसाद गुप्त, नागार्जुन, हिमांशु श्रीवास्तव आदि उपन्यासकारों ने 'समाजवादी व्यवस्था' को विकल्प के रूप में संकेतित किया है। लेकिन 'जल टूटता हुआ', 'सोनामाटी', 'धरती धन न अपना', 'अलग-अलग वैतरणी', रागदरबारी आदि उपन्यासों में लेखकों को असमंजस में देखा जा सकता है। इन उपन्यासों में 'विकल्प' खुला हुआ है। लेकिन यह निश्चित है कि वे आर्थिक-राजनीतिक मूल्यों के 'जनहित', 'जनसेवा', 'अशोषण', 'आर्थिक समानता' आदि की दिशा में अग्रसर होने के पक्षधर हैं। अधिकतर उपन्यासकार संक्रमण के इस पक्ष से चिंतित हैं कि सेवा, त्याग, परहित आदि जो मूल्य कभी राजनीति में स्वतः मूल्य के रूप में स्वीकृत थे, वे आज 'सत्ता' या 'स्वार्थ' की प्राप्ति के लिए साधन मूल्य बन गए हैं।

आंचलिक उपन्यासों में सांस्कृतिक मूल्यों के संकट और गिरावट को चिंता की दृष्टि से देखा गया है। यह पाया गया है कि मौजूदा परिवेश में न केवल स्वास्थ्य और सुरक्षा जैसे जैविक मूल्य संकट में पड़ गए हैं अपितु न्याय, समानता, सत्य, पवित्रता आदि सामाजिक नैतिक मूल्यों के अस्तित्व के लिए भी खतरा बढ़ गया है। नगरीकरण और मशीनीकरण के दबाव ने पिछड़े हुए अंचलों में रहनेवालों को विरासत में प्राप्त मूल्यों को कई स्तरों पर विचलित किया है। इस विचलन के फलस्वरूप कहीं धर्म, अधर्म, पाप, पुण्य आदि की रूढ़ अवधारणाओं पर आघात पहुँचा है और कहीं-कहीं चरम मूल्य—ईश्वर की सत्ता में संदेह की स्थिति पैदा हो गई है। इसके बावजूद कृषि-संस्कृति में निहित 'सर्वजनहित' का भाव खंडित नहीं हुआ है, सांस्कृतिक संक्रमण के इन सभी पक्षों को आंचलिक उपन्यासों में रेखांकित किया गया है।

लोकजीवन पर 'धर्म' की गहरी पकड़ का उल्लेख करते हुए पाया गया है कि दलित वर्ग में धर्म और ईश्वर के खोखले आतंक से मुक्ति की चेतना बल पकड़ रही है। प्राकृतिक न्याय में विश्वास अभी बना हुआ है, इस तथ्य की पुष्टि 'कथा कहो उर्वशी', 'मैला आँचल', 'कब तक पुकारू' आदि कृतियों में है। लेकिन जहाँ जनसाधारण को लगता है कि धर्म, पाप-पुण्य आदि अवधारणाएँ वर्ग विशेष का हथियार बनकर सामाजिक न्याय के मार्ग में बाधक हैं, वहाँ इन अवधारणाओं की स्थिति, 'अमूर्त संवेग' की है। वे 'नैतिक प्रतिमान' की तरह जनसाधारण के व्यवहार को अनुशासित नहीं करते हैं। 'आधा गाँव', 'जल टूटता हुआ', 'अलग-अलग वैतरणी', आदि उपन्यासों में धार्मिक सहिष्णुता और सद्भाव को जिस तरह गौरवान्वित किया गया है, उससे पता चलता है कि समाज में मूल्य-संक्रमण की दिशा 'वैमनस्य' आदि अवमूल्यों की ओर है, लेकिन उपन्यासकार सहिष्णुता और सद्भाव के कायल हैं। इस संदर्भ में उपन्यासकारों की मूल्य-पक्षधरता